CHEZ LE MÊME ÉDITEUR :

RENÉ RANCŒUR : *Bibliographie de la littérature française moderne, XVIe-XXe siècles.*

1963, 1964, 1965.

RENÉ RANCŒUR : *Bibliographie de la littérature française du Moyen Age à nos jours.*

1966.

International Bibliography of Historical Sciences.

Années 1928 à 1963.

Bibliographie cartographique internationale.

Années 1946 à 1964.

QUARANTE ANNÉES
D'ÉTUDES VOLTAIRIENNES

Portrait de Voltaire, (détail)
par Huber. Musée du Vatican

QUARANTE ANNÉES
D'ÉTUDES VOLTAIRIENNES

*Bibliographie analytique
des livres et articles sur Voltaire, 1926-1965*

par Mary-Margaret H. BARR
avec la collaboration de Frederick A. SPEAR

PRÉFACE DE RENÉ POMEAU
Professeur à la Sorbonne

Publiée avec le concours du C.N.R.S.

1968
LIBRAIRIE ARMAND COLIN
103, Boulevard Saint-Michel - Paris 5e

A NORMAN LEWIS TORREY
en témoignage de reconnaissance et d'amitié

PRÉFACE

C'est une existence bien remplie que celle qui se passe dans la familiarité de Voltaire. Lors du premier après-guerre, une jeune citoyenne des Etats-Unis, ayant fait ses études en France, se consacre à recenser les travaux sur Voltaire publiés de 1825 à 1925. Mary-Margaret Barr dressait ainsi le catalogue préalable d'un grand sujet qui aujourd'hui encore reste à peu près inentamé : Voltaire au XIXe siècle. Que fut, au temps du « roi Voltaire », de M. Homais, de Mgr Dupanloup, la connaissance ou la méconnaissance de son œuvre, de sa vie, à travers les contradictions des partis intellectuels, dans les fluctuations de sa renommée : c'est ce qu'il importera qu'on nous dise, quelque jour, avec précision. Mme Barr préludait elle-même à une telle recherche en donnant, en 1941, son livre sur Voltaire en Amérique (1744-1800).

Le présent ouvrage rassemble les matériaux bibliographiques pour une partie d'un autre grand sujet, que nous léguerons à nos arrière-neveux : Voltaire au XXe siècle. Combien était faux le lieu commun du baccalauréat français dans l'entre-deux-guerres : « Avec Voltaire, c'est un siècle qui finit » ! On jugera ici que notre siècle, non plus que le précédent, n'en a pas fini avec l'homme de Ferney. Tout au contraire, les études voltairiennes ont pleinement bénéficié de notre accélération de l'histoire. La bibliographie des cent années 1825-1925 alignait 1494 titres (portés à 1579 par les suppléments insérés en ce volume). Mais, pour les seules quarante années de 1925-1965, les rubriques dépassent le total de 2100 (si l'on tient compte des numéros bis nombreux, et d'une quinzaine de titres « non vérifiés »).

L'histoire de quatre décennies lourdement chargées d'événements se lirait dans les écrits sur Voltaire. Autour de son nom se prolongent, dans les années 1930, les luttes de la Troisième République. Tel polémiste (n° 342) querelle Albert Bayet au sujet de son « grand homme », qui est aussi celui de Julien Benda. A l'opposé nos racistes n'ont pas manqué de chercher une caution chez un Voltaire détracteur du peuple élu. Le monde libéré du second après-guerre était assurément plus à l'aise pour célébrer le champion de la liberté. Puis la conjoncture a porté l'attention sur son cosmopolitisme européen. On le vit même, naguère, faire une apparition dans le débat sur la nouvelle critique, Roland Barthes lui décernant l'éloge équivoque d'avoir été le dernier des écrivains heureux.

***

Voltaire reste l'homme des surprises, aux surgissements inopinés. A lire ces rubriques, on songe à un genre éminemment voltairien : celui du pot-pourri. C'est ici un pot-pourri soumis à la rigueur d'une bibliographie méthodique, sans pourtant que l'organisation parvienne toujours à dominer une matière foisonnante. Une section « Variétés » était inévitable, elle était nécessaire, s'agissant d'une œuvre toute en « mélanges », et d'une existence si mélangée. Les écrits recensés par Mary-Margaret Barr, avec la collaboration de Frederick A. Spear, vont de la chronique journalistique en quelques lignes au gros ouvrage érudit accumulant les pages par centaines. L'omniprésence de Voltaire imposait aussi au bibliographe de le chercher dans des livres dont il n'est pas le sujet principal. En cette direction l'enquête serait illimitée, et l'on ne peut faire grief de telle ou telle omission.

C'est le pur hasard d'une lecture qui me permet d'en signaler une ici : dans une étude sur Le Style de Marcel Proust *(par Jean Mouton, 1948), on tombe soudain sur une digression antivoltairienne : l'auteur de* Candide *écrirait un vrai suppôt de Satan... Qui s'attendait à rencontrer Voltaire à propos de Proust ? Son influence a de ces prolongements imprévus.* Voltaire et Dostoïewski *(n° 930) n'est pas le plus surprenant : Fiodor Mikhaïlovitch avait appris le français dans la* Henriade. *Mais* Poe et Voltaire *(n° 528, 530) ? Mais* Mallarmé et Voltaire *(n° 606), entre lesquels des ressemblances seraient décelables ? Après quoi, on ne s'étonnera pas que Jean Cocteau se soit lui-même classé, sans trop de modestie, comme un Voltaire du xx° siècle.*

***

Maints articles de la section biographique promettent le régal d'« anas » pas toujours neufs. Voltaire contrebandier. Voltaire amateur des crus bourguignons. Voltaire impuissant (?). Le « char d'assaut » voltairien, cette curieuse anticipation, reste d'actualité. Mais certains rayons anecdotiques demeurent mal explorés. Si le recensement des visiteurs anglais de Ferney, grâce à Sir Gavin de Beer et à André-Michel Rousseau, paraît à peu près exhaustif, on regrette qu'après la copieuse correspondance révélée par Theodore Besterman les relations de Voltaire avec la comtesse Bentinck aient été si peu étudiées. Des préjugés

sur un Voltaire prétendu insensible, et par conséquent ne s'intéressant
pas aux femmes, continuent manifestement à exercer leur influence.
On regrettera surtout que, le détail de la biographie voltairienne ne
cessant de s'accroître, la synthèse nous fasse défaut. Il nous manque
la grande Vie de Voltaire qui remplacerait enfin le Desnoiresterres, toujours exploité, mais d'année en année plus périmé. L'immensité de la
tâche dépasse sans doute les forces d'un seul homme, et suppose
d'autre part une entreprise de librairie de nos jours difficilement réa-
lisable.

*
* *

Voltaire est partout. Ou presque partout. Un travail comme celui
de Mary-Margaret Barr se prête aux analyses quantitatives. Il vaudrait
la peine de dénombrer les études rédigées en une langue autre que le
français. L'anglais apparemment fournit le contingent de beaucoup le
plus fort. Le russe, l'italien sont bien représentés. L'allemand aussi,
notamment du côté de l'Allemagne de l'Est. En espagnol, on ne compte
guère que des écrits venant de l'Amérique latine. On traite également
de Voltaire en tchèque, en hongrois, en serbe, en bulgare, en roumain,
en polonais, surtout depuis 1945. L'auteur du Siècle de Louis XIV, pour
toute une partie du monde contemporain, continue de faire figure d'an-
cêtre « progressiste ». Ce Mahomet, réputé injouable en France, on l'a
joué en Bachkirie (n° 1820). On le voit : les œuvres vers lesquelles à
l'étranger se porte l'intérêt ne sont pas toujours celles qu'a retenues le
public français. C'est L'Enfant prodigue, ce sont les Eléments de la
philosophie de Newton qu'on jugea opportun, en 1951, en 1956, de
traduire en polonais. Voltaire universel? On l'affirmerait, si deux abs-
tentions d'importance ne faisaient naître un doute. L'arabe : en cette
langue, pour la période considérée, aucune étude ; seulement une traduction de l'Histoire de la Russie et de l'Histoire de Charles XII. Et en
chinois, un seul article sur Voltaire. Incriminera-t-on la conjoncture
historique? Ou décélera-t-on un refus plus durable? Avant de se faire
une opinion, on notera qu'à la différence des autres pays musulmans
la Turquie porte un intérêt marqué à Voltaire : jusqu'à traduire en turc
le recueil des Dialogues établi par Raymond Naves. Et qu'au Japon
on étudie en japonais, et fort bien, l'œuvre de Voltaire, non moins que
les autres parties de la littérature française.

*
* *

Certaines rubriques de la bibliographie attireront la censure d'es-
prits sourcilleux : ceux où Voltaire s'annonce non plus comme l'objet
d'un savoir selon les bonnes méthodes, mais comme la matière d'une
réflexion imaginative. Ne verra-t-on pas là plutôt une preuve de la
vitalité voltairienne? Qu'une grande partie de son œuvre ne trouve

plus guère de lecteurs n'empêche pas que ce prodigieux acteur, après deux siècles, conserve parmi nous une présence de haut relief. C'est un bon signe que Voltaire soit devenu un personnage romanesque dans un des livres du romancier néerlandais Vestdijk (n° 2037). et qu'il illustre notre billet de dix francs (n° 2036). On pose les questions de notre temps sinon à Voltaire, du moins au mythe de Voltaire. Pour ce faire, comme on sait, les centenaires sont de bonnes occasions. On a célébré le centenaire de Candide, et même par un film : le héros voltairien fut amené (non sans maladresse) à dire son avis sur le racisme, la déportation, les guerres froides et chaudes, et autres bagatelles de notre meilleur des mondes. On est gêné sans doute par les dates encore éloignées du deuxième centenaire de sa mort (1978), du troisième de sa naissance (1994). On eut donc recours à des célébrations fondées sur des calculs complexes : un deux-cent-cinquantième anniversaire en 1944, un cent-soixante-quinzième en 1953. Tant il apparaissait nécessaire d'interroger Voltaire. En 1944, ce fut un des maîtres de notre siècle qui l'interpella sur ce qu'il pensait du cataclysme en cours. On sait quelle réponse Paul Valéry crut percevoir, proférée par la grande ombre ironique. Déjà Salvador de Madariaga l'avait évoqué aux Champs-Elysées, en compagnie de Gœthe, Napoléon, Karl Marx, Washington, devisant sur le fascisme, le communisme, le cinéma, la Société des Nations... Voici bien Voltaire, tel qu'en lui-même : il vit parmi nous comme le participant d'un dialogue de nos morts les plus grands, qui n'est pas près de finir

RENÉ POMEAU

INTRODUCTION

Cette bibliographie fait suite à celle qui a paru à New York en 1929 sous le titre A *Century of Voltaire study : a bibliography of writings on Voltaire, 1825-1925*. Elle reprend les suppléments pour les années 1926-1940 publiés dans *Modern Language Notes* en 1933 et 1941.

Nous nous sommes efforcés de faire un travail aussi complet que possible, sans toutefois nous être adonnés à un dépouillement systématique des journaux. Nous savons cependant qu'il peut comporter des lacunes. Comme il était inévitable, certains documents nous sont restés inaccessibles. On en trouvera la liste dans l'appendice II. L'appendice I apporte un certain nombre de titres qui avaient été omis dans notre bibliographie de 1825-1925.

Nous signalons aussi que nous n'avons pas fait figurer dans cette bibliographie les différentes éditions, véritablement innombrables, des œuvres de Voltaire, sauf dans les cas où il s'agit d'une édition critique ou quand l'édition s'accompagne d'une préface et de notes d'un intérêt particulier. Nous avons adopté le même parti pour les traductions de Voltaire en langues étrangères et pour les histoires de la littérature.

Nous tenons à indiquer l'utilité de l'index comme supplément à la table des matières, puisque celle-ci ne reflète pas toujours d'une manière complète le contenu des références.

Les bibliothèques qui ont mis leurs ressources à notre disposition sont nombreuses. Nous adressons particulièrement nos vifs remerciements aux institutions suivantes : Biblioteca Apostolica Vaticana (Rome), la Bibliothèque de l'Arsenal (Paris), la Bibliothèque Nationale (Paris), les Bibliothèques Nationales Italiennes (Florence, Naples, Rome), la Bibliothèque Royale de Belgique, la Bibliothèque Universitaire (Rome), Boston Public Library (Massachusetts), British Museum (Londres), Brown University (Providence, Rhode Island), Columbia University (New York), Harvard University (Cambridge, Massachusetts), Institut et Musée Voltaire (Genève), New York Academy of Medecine (New York), New York City Public Library, New York State Library (Albany), Princeton University (Princeton, New Jersey), Providence College (Providence,

Rhode Island), Skidmore College (Saratoga Springs, New York), Union College
(Schenectady, New York), Yale University (New Haven, Connecticut).

Nous tenons aussi à remercier vivement l'administration de Skidmore
College des subventions de recherches qui ont grandement facilité la réalisation de cette bibliographie.

LISTE DES PÉRIODIQUES ET DES ABRÉVIATIONS

AAAPSS   *Annals of the American Academy of political and social science* (Philadelphia).

AAn   *American anthropologist* (Lancaster, Penn. ; Menasha, Wisc.).

Abhandlungen der geistes - und sozialwissenschaftlichen Klasse. Akademie der Wissenschaften und der Literatur (Mainz)

Actes du Congrès national des sociétés savantes. Comité des travaux historiques et scientifiques (Bordeaux ; Paris)

L'Action universitaire (Montréal)

Aesculape ; Société internationale d'histoire de la médecine (Paris)

Aevum ; rassegna di scienze storiche, linguistiche, filologiche (Milano)

AFLA   *Annales de la Faculté des lettres et sciences humaines d'Aix* (Aix, etc.)

AHR   *American historical review* (New York ; Lancaster, Penn.)

AHRF   *Annales historiques de la Révolution française* (Reims ; Paris)

AJFS   *Australian journal of French studies* (Clayton, Victoria)

AJJR   *Annales de la Société Jean-Jacques Rousseau* (Genève)

ALM   *Archives des lettres modernes* ; études de critique et d'histoire littéraire (Paris)

Alpina ; organe officiel de la Grande Loge suisse Alpina (Berne)

L'Alsace française ; revue hebdomadaire d'action nationale (Strasbourg)

America ; a Catholic review of the week (New York)

American magazine of art (Washington ; New York)

American mercury (New York)

L'Ami du clergé (Langres)

Les Amis de Flaubert (Rouen)

Amitié franco-espagnole ; revue mensuelle de synthèse des activités françaises et espagnoles (Paris)

AMM   *American mathematical monthly* (Lancaster, Penn.)

Amour de l'art (Paris)

Am parade   *The American parade* (New York)

AmSR   *American sociological review* (New York, etc.)

Anales de la Universidad de Santo Domingo (Ciudad Trujillo)

Les Annales (voir *Conferencia*)

Annales de l'Académie de Mâcon (Mâcon)

Annales de la Faculté des lettres de Bordeaux et des universités du Midi (Bordeaux)

Annales. Economies-sociétés-civilisations (Paris)

Annales publiées par la Faculté des lettres de Toulouse (Toulouse)

Annali della Facoltà di lingue e letterature straniere di Ca' Foscari (Venezia)

Annals of medical history (New York)

Annals of science (London)

L'Année propédeutique (Paris)

Annuaire de la Société historique et littéraire de Colmar (Colmar)
Annuaire de la Société littéraire et scientifique du club vosgien (Strasbourg)
Annuario. R. Liceo-Ginnasio Vittorio Emanuele II (Napoli)
Anregung ; Zeitschrift für höhere Schule (München) *
ANSSSR Труды   Академия Наук СССР. Труды Института истории естествознания (Москва).
Antares ; französische Hefte für Kunst, Literatur und Wissenschaft (Baden-Baden)
Das Antiquariat ; Halbmonatsschrift für alle Fachgebeite des Buch- und Kunstantiquariats (Wien)
Antiques (Boston ; New York)
Anzeiger der philosophisch-historische Klasse der Österreich (Akademie der Wissenschaften, Wien))
Apollo ; a journal of the arts (London) *
L'Arche ; revue du Fonds social juif unifié (Paris)
APSR   American political science review (Baltimore)
Archeion ; archivio di storia della scienza (Roma)
Archiv   Archiv für das Studium der neueren Sprachen (Braunschweig)
Archiv für Geschichte des Buchwesens (Frankfurt am Main)
Archiv für Kulturgeschichte (Berlin ; Leipzig)
Archives internationales d'histoire des sciences (Paris)
Archives médico-chirurgicales de Normandie (Le Havre)
Argentores (Buenos Aires) *
Art bulletin ; a quarterly published by the College Art Association of America (New York)
Art news (New York)
Arts ; beaux-arts, littérature, spectacles (Paris)
Arts, lettres ; revue mensuelle (Paris)
Ärtzliche Praxis ; die Wochenzeitung des praktischen Artzes (München) *
ASLHM   The American society Legion of honor magazine (New York)
Atlas ; the magazine of the world press (New York)
Atti della [reale] accademia di scienze, lettere e belle arti di Palermo (Palermo)
AUG   Annales de l'Université de Grenoble
AUMLA   Journal of the Australasian universities language and literature association ; a journal of literary criticism, philology and linguistics (Christchurch, N.Z.)
AUP   Annales de l'Université de Paris (Paris)
Ausonia (Grenoble)   *Ausonia* (cahiers franco-italiens) ; bulletin trimestriel de la section d'études italiennes de la Faculté des lettres de Grenoble (Grenoble)
Ausonia (Siena)   *Ausonia* ; rivista di lettere e arti (Siena)
Aux Carrefours de l'histoire (Paris)
AV   Ateneo veneto (Venezia)

BA   Books abroad (Norman, Oklahoma)
BAGB   Bulletin de l'Association Guillaume Budé (Paris)
BARL   Bulletin de l'Académie royale de langue et de littérature françaises (Bruxelles)
Basler Zeitschrift für Geschichte und Altertumskunde (Basel)
Bayou (Houston, Texas)
BBB   Bulletin du bibliophile et du bibliothécaire (Paris)
BC   Book collector (London)
BCLF   Bulletin critique du livre français (Paris)
Beaux-Arts ; chronique des arts et de la curiosité (Paris)
Befreiung ; Zeitschrift für kritisches Denken (Aarau)
Begegnung (Coblenz)

Belfagor ; rassegna di varia umanità (Firenze ; Messina)
Besinnung (Nürnberg)
Bibliographie de la philosophie ; bulletin trimestriel (Paris)
The Bibliotheck ; a journal of bibliographical notes and queries mainly of Scottish
    interest (Glasgow)
Bibliothèque mondiale (Paris)
BIV   Bulletin de l'Institut Voltaire en Belgique (Bruxelles)
Boletín de la Sociedad española de excursiones (Madrid)
Bollettino dell'Istituto di lingue estere. Università degli studi di Genova, Facoltà di
    economia e comercio (Genova)
Большевик (Москва).
Books today, Chicago Tribune (Chicago)
Börsenblatt für den deutschen Buchhandel (Leipsig)
BPLQ   Boston Public Library quarterly (Boston)
British medical journal (London)
BSBibliolâtres   Bulletin de la Société des bibliolâtres de France
BSHPF   Bulletin de la Société de l'histoire du protestantisme français (Paris)
BSHT   Bulletin de la Société des historiens du théâtre (Paris)
BSPHG   Bulletin de la Société des professeurs d'histoire et de géographie de
    l'enseignement public (Paris)
BSTEC   Bulletin de la Société toulousaine d'études classiques (Toulouse)
Bull Belley   Bulletin d'histoire et d'archéologie du diocèse de Belley (Bourg)
Bull city art museum, St. Louis Bulletin. City art museum, St. Louis (St. Louis
    Missouri)
Bull musées de France   Bulletin des musées de France (Paris)
Bulletin de liaison racinienne (Uzès)
Bulletin de l'art ancien et moderne [supplément à la *Revue de l'art ancien et mo-
derne*] (Paris)
Bulletin de la classe des lettres et des sciences morales et politiques (Académie royale
    de Belgique)
Bulletin de la Société archéologique de Tarn-et-Garonne (Montauban)
Bulletin de la Société d'histoire et d'archéologie de Genève (Genève)
Bulletin de la Société des antiquaires de l'Ouest (Poitiers)
Bulletin de la Société historique du VIe arrondissement de Paris (Paris)
Bulletin de la Société historique et scientifique des Deux-Sèvres (Niort)
Bulletin du Musée Carnavalet (Paris)
Bulletin historique et scientifique de l'Auvergne (Clermont-Ferrand)
Bulletin mensuel de l'Académie des sciences, belles-lettres et arts d'Angers (Angers)
Bulletin officiel. Ministère de l'éducation nationale (Paris)
Bulletin of the Citadel. Faculty studies (Charleston, S. C.)
Bull SFH Méd Bulletin de la Société française d'histoire de la médecine (Paris)
Bulletin trimestriel de la Société archéologique et historique de l'Orléanais
    (Orléans)
BuR   Bucknell review (Lewisburg, Penn.)
Burlington magazine (London)

Cahiers de Bruges (Bruges)
Cahiers de l'Ouest ; revue littéraire, artistique, économique (Paris)
Cahiers des étudiants-romanistes (Leiden)
Les Cahiers haut-marnais (Chaumont)
Cahiers pédagogiques pour l'enseignement du second degré (Paris)
Cahiers rationalistes (Paris)
Calcutta R   Calcutta review (Calcutta)
Canadian Catholic historical association. Report (Ottawa)

Carnegie magazine (Pittsburgh, Penn.)
Carrefour (Paris)
Carrefours de culture humaniste (Paris)
CAT　　*Cahiers d'analyse textuelle* (Paris)
CathHR　　Catholic historical review. (Washington)
Le Cerf-volant ; cahier littéraire trimestriel (Paris)
CeS　　*Cultura e scuola* (Roma)
CH　　*Church history* (Scottsdale, Penn. ; New York ; Chicago)
ChC　　*Chinese culture* ; a quarterly review (T'ai-pei)
Chinese social and political science review (Pékin)
Chronique médicale ; revue de la médecine scientifique, littéraire et anecdotique (Paris)
Chronique musicale ; revue bi-mensuelle de l'art ancien et moderne (Paris)
Churchman (New York)
Ciel et terre (Bruxelles)
CL　　*Comparative literature* (Eugene, Oregon)
CLC　　*Columbia library columns* (New York)
CLS　　*Comparative literature studies* (College Park, Maryland)
CMLR　　*Canadian modern language review* (Toronto)
Commonweal ; a weekly review of literature, the arts and public affairs (New York)
Comparative literature studies (Cardiff, Wales)
Compte rendu. Académie des sciences morales et politiques. Séances et travaux (Paris)
Conférencia ; journal de l'Université des annales (Paris)
Confluences (Lyon)
The Connoisseur ; an illustrated magazine for collectors (London)
ConR　　Contemporary review (London)
Conscience et liberté (Paris)
Contemp　　*Il Contemporaneo* (Roma)
Conv　　*Convivium* (Torino)
Cornhill　　*Cornhill magazine* (London)
Corona (München ; Zürich)
Il Corriere della sera (Milano)
Le Courrier graphique (Paris)
ČpMF　　*Časopis pro moderní filologii* (Praha)
Critique ; revue générale des publications françaises et étrangères (Paris)
Critisch bulletin ; maandblad voor letterkundige critiek ('sGravenhage)
Le Crocodile ; bulletin de l'Association générale de l'internat des hospices civils de Lyon (Lyon)
Cross currents (New York)
CS　　*Cahiers du Sud* (Marseille)
Cuadernos　　*Cuadernos del Congreso por la libertad de la cultura* (Paris)
La Cultura (Firenze ; Roma)
Culture française (Bari)
Culture humaine (Paris)

DA　　*Dissertation abstracts* (Ann Arbor, Michigan)
Daedalus ; journal of the American Academy of arts and sciences (Boston)
Dante ; revue de culture latine (Paris)
Deutsche Zeitschrift für Philosophie (Berlin)
Deutsches Volkstum (Berlin ; Hamburg)
Deutschland-Frankreich ; Ludwigsburger Beiträge zum Problem der deutsch-französischen Beziehungen (Deutsch-französischen Institut, Ludwigsburg)
Deutschland-Frankreich ; Vierteljahresschrift des deutschen Instituts (Paris)

Dialogues (Istanbul)
Diderot studies (Genève, etc.)
La Difesa della razza (Roma)
DLZ   *Deutsche Literaturzeitung* (Berlin)
DM   *The Dublin magazine* (Dublin)
Doitsu Bungaku [Die deutsche Literatur] (Tokyo)
Droit et liberté (Paris)
DRs   *Deutsche Rundschau* (Berlin ; Stuttgart)
DSS   XVII*e* *Siècle* (Paris)
DubR   *Dublin review* (London)

EA   *Etudes anglaises* (Paris)
Ecclesia ; lectures chrétiennes (Paris)
Echo médical du Nord (Lille)
ECl   *Etudes classiques* (Namur)
L'Ecole (2e cycle, enseignement littéraire) ; revue pédagogique bimensuelle (Paris)
ECr   *L'Esprit créateur* (Minneapolis, Minn.)
Ecrits de Paris ; revue des questions actuelles (Paris)
Edda ; Nordisk Tidsskrift for Litteraturforskning (Oslo)
Das edle Leben ; Zeitschrift für praktische Philosophie und Lebensmeisterung (Stuttgart)*
L'Education nationale ; revue hebdomadaire d'information pédagogique (Paris)
E & S   *Essays and studies by members of the English Association* (Oxford)
EHR   *English historical review* (London)
Encounter ; literature, arts, politics (London))
L'Enseignement chrétien (Paris)
Epoches (Athènes)
Erasmus   Erasmus : speculum scientiarum (Amsterdam)
Erfahrungsheilkunde ; Zeitschrift für diagnostische und therapeutische Sondermethoden (Ulm)
Etudes normandes (Rouen)
Etudes soviétiques (Paris)
Europe ; revue mensuelle (Paris)
Expository times (Aberdeen ; Edinburgh)
L'Express (Paris)
Extrapolation ; a science-fiction newsletter (Wooster, Ohio)
Ежегодник музея истории религии и атеизма (Москва-Ленинград).

Fatti e teorie (Milano)
Le Figaro (Paris)
Le Figaro, Supplément littéraire (Paris)
FL   *Le Figaro littéraire* (Paris)
Filológiai közlöny (Budapest)
Filosofia ; rivista trimestrale (Torino)
Le Flambeau ; revue belge des questions politiques et littéraires (Bruxelles)
FMLS   *Forum for modern language studies* (St. Andrews, Scotland)
Folium librorum vitae deditum (Utrecht)
Foreign review (London)
Forschungen und Fortschritte (Berlin)
Fortnightly R   Fortnightly review (London)
Forum (New York)
Forum H   Forum (Houston)
FR   *The French review* (New York)

Le Français dans le monde (Paris)
France illustration (voir *Illustration*)
Frankfurter allgemeine Zeitung (Frankfurt)
Французский ежегодник ; статьи и материалы по истории Франции
(*Annuaire d'études françaises*) (Москва).
The Freethinker (London)
French forum ; revue française d'Amérique (New York)
FS   *French studies ;* a quarterly review (Oxford)

Gand artistique (Gand)
Garbe ; schweizer Familienblatt (Basel)*
Gazette de Lausanne (Lausanne)
Gazette des beaux-arts (Paris)
GCFI   *Giornale critico della filosofia italiana* (Messina ; Firenze)
Genava ; musée d'art et d'histoire (Genève)
The Gentleman's magazine and Historical review (London)
Giornale di metafisica (Torino)
Giornale ligustico di archeologia, storia e letteratura ; Società ligure di storia
    patria (Genova)
Giornale storico e letterario della Liguria ; Società ligure di storia patria (Genova)
Godišnjak Sveričilišta Kraljevine Jugoslavije u Zagrebu (Zagreb)
GR   *Germanic review* (New York)
Grande R   La Grande Revue (Paris)
La Grive (Mézières)
GRM   *Germanisch-romanische Monatsschrift* (Heidelberg)
GSLI   *Giornale storico della letteratura italiana* (Torino ; Roma)
GuT   *Geist und Tat ;* Monatsschrift für Recht, Freiheit und Kultur (Hamburg)
GuZ   *Geist und Zeit ;* eine Zweimonatsschrift für Kunst, Literatur und Wissen-
    schaft (Düsseldorf)

HAB   *Humanities Association of Canada. Bulletin* (London, Ontario)
Hamburger Studien zu Volkstum und Kultur der Romanen (Autrefois : *Seminar
    für romanische Sprachen und Kultur*) (Hamburg)
Harper's bazaar (New York)
L'Hellénisme contemporain (Athènes)
Hiroshima Daigaku Bungakubu (Hiroshima)
Hispania (Palo Alto, Calif., etc.)
Hispanofila (Garden City, New York)
Histoire de la médecine ; revue technique et historique destinée au corps médical
    (Paris)
Histoires de l'histoire (Paris)
Historia ; la revue vivante du passé. Les faits divers de l'histoire (Paris)
Historia (Utrecht)
Historical bulletin ; a service quarterly for teachers and students of history (St.
    Louis, Missouri)
Historical journal (London)
Historisk-Tidskrift ; svenska historiska föreningen (Stockholm)
History (London)
History today (London)
HJ   *Hibbert journal* (London ; Boston)
HLB   *Harvard library bulletin* (Cambridge, Mass.)
Hobbies (Chicago)
Hochland ; Monatsschrift für alle Gebiete des Wissens (München)

Hommes et mondes (Paris)
Horizon; a magazine of the arts (New York)
Horizons; la revue de la paix (Paris)
Humanidades (Comillas)
The Humanist (Yellow Springs, Ohio)
Humanités (Classe des lettres, sections modernes) (Paris)
HumB *Humanitas* (Brescia)
Hygeia (Chicago)
HZ *Historische Zeitschrift* (München)

IAN Отделение економики и права. Известия Академии наук СССР (Москва).
IAN Отделение литературы и Языка. Известия Академии наук СССР (Москва).
IAN Отделение общественных наук. Известия Академии наук СССР (Москва)·
IAN Серия истории и философии. Известия Академии наук СССР (Москва).
ICS *L'Italia che scrive;* rassegna per coloro che leggono (Roma)
IL *L'Information littéraire* (Paris)
Illustrated London news (London)
Illustration [plus tard : *France Illustration*] (Paris)
Indice de artes y letras (Madrid)
Institut d'histoire et d'archéologie de Cognac et du Cognaçais, Bulletin (Cognac)
Intermédiaire *Intermédiaire des chercheurs et curieux* (Paris)
International studio (New York)
Isis; international review devoted to the history of science and civilization (Bruges)
Историческии журнал ; Акад. наук СССР, Институт истории (Москва)
Историко-астрономические исследования (Москва)
Italica (Chicago)

JAAC *Journal of aesthetics and art criticism* (New York)
JEGP *Journal of English and Germanic philology* (Urbana, Illinois)
Jewish quarterly R *The Jewish quarterly review* (Philadelphia)
JHI *Journal of the history of ideas;* a quarterly devoted to cultural and intel-
lectual history (Lancaster, Penn. ; New York)
JMH *Journal of modern history* (Chicago)
Journal de Genève (Genève)
Journal des débats politiques et littéraires (Paris)
Journal of politics (Gainesville, Florida)
JP *Journal of philosophy* (New York)
JR *Journal of religion* (Chicago)
Die Judenfrage in Politik, Recht, Kultur und Wirtschaft (Berlin)
Der Jungbuchhandel (Köln-Dellbrück)
JWCI *Journal of the Warburg and Courtauld Institutes* (London)

Karolinska Försbundets Årsbok (Lund, etc.)
KFLQ *Kentucky foreign language quarterly* (Lexington, Kentucky)
KN *Kwartalnik neofilologiczny* [Warszawa]
KSJ *Keats-Shelley journal* (New York)

LanM   Les Langues modernes (Paris)
LE   Le Livre et l'estampe; revue de la Société des bibliophiles et iconophiles
    de Belgique (Bruxelles)
LetN   Les Lettres nouvelles (Paris)
LF   Les Lettres françaises (Paris)
Library   The Library; transactions of the Bibliographical Society (Oxford)
Lietuvos Universitetas Humanitariniu Mokslu fakultetas Humanitariniu Mokslu
    fakulteto Raštai (Kaunas)
Life and letters (London)
Listener (London)
Литературен фронт (Sofia)
Литературное наследство (Москва)
Living age (Boston)
LJ   Library journal (New York & London)
LM   Letterature moderne; rivista di varia umanità (Milano ; Bologna)
Look (Des Moines, Iowa)
LR   Les Lettres romanes (Louvain)
Lychnos (Uppsala ; Stockholm)

MAA   Mémoires de l'Académie des sciences, belles-lettres et arts d'Angers
    (Angers)
Magazine of art (Washington ; New York)
The Magazine of business (Chicago)
Marzocco (Firenze)
MAT   Mémoires de l'Académie des sciences, inscriptions et belles-lettres de
    Toulouse (Toulouse)
MdF   Mercure de France (Paris)
Médecine de France (Paris)
Mélanges de science religieuse (Facultés catholiques, Lille)
Mél Baldensperger   Mélanges d'histoire littéraire, générale et comparée, offerts
    à Fernand Baldensperger [...] Paris, H. Champion, 1930. 2 v. 25 cm.
Mém Acad Nîmes   Mémoires de l'Académie de Nîmes (Nîmes)
Menorah J   Menorah journal (Harrisburg, Penn.)
Mercurio peruano; rivista de ciencias sociales y letras (Lima)
Merian; Städte und Landschaften ; eine Monographienreihe (Hamburg)
Merkur; deutsche Zeitschrift für europäisches Denken (Stuttgart)
Messager de New York; revue franco-américaine (Brooklyn)
M & L   Music and letters (London)
Miroir de l'histoire (Paris)
Mitteilungen des Vereines für Geschichte der Stadt Wien (Wien)
MLF   Modern language forum (Los Angeles)
MLJ   Modern language journal (Menasha, Wisconsin, etc.)
MLN   Modern language notes (Baltimore)
MLQ   Modern language quarterly (Seattle, Washington)
MLR   Modern language review (Cambridge, England)
Modern schoolman; a quarterly journal of philosophy (St. Louis, Missouri)
Monat (Berlin)
Le Monde (Paris)
Mondo   Il Mondo; settimanale politico e letterario (Roma)
Monspeliensis Hippocrates (Montpellier)
La Montagne de Ste-Geneviève; bulletin mensuel de la Société historique, archéo-
    logique et artistique des Ve, XIIIe et XIVe arrondissements (Paris)
Month (London)
More books, being the bulletin of the Boston Public library (Boston)

MP   *Modern philology* ; a journal devoted to research in medieval and modern literature (Chicago)
MSpr   *Moderna språk* (Stockholm)
Mulino (Bologna)
Les Musées de Genève (Genève)
Music review (Cambridge, England)
Musica ; Zweimonatsschrift für alle Gebiete des Musiklebens (Kassel)
Musique (Lyon ?)

NA   *Nuova Antologia* ; rivista di lettere, scienze ed arti (Firenze ; Roma)
La Nación (Buenos Aires)
Nation (London)
Nation (New York)
Nation française (Paris)
National review (London)
Nature (London)
Научные доклады высшей школы. Филологические науки (Москва)
Наука и религия (Москва)
Наука и жизнь (Москва)
N & Q   *Notes and queries,* for readers and writers, collectors and librarians (London)
N & R   *Notes and records of the Royal Society of London* (London)
Neophil   *Neophilologus*; a quarterly devoted to the study of modern languages and classical languages in relation thereto (Groningen ; 's Gravenhage)
Die neue schweizer Rundschau (Zürich)
Neuphilologische Monatsschrift (Leipzig)
Neuphilologische Zeitschrift (Berlin)
New republic (New York)
New statesman   New statesman and Nation (London)
Newsweek (Dayton, Ohio ; New York)
N Gids   *Nieuwe Gids* (Amsterdam)
Nice historique ; organe officiel de l'Académia nissarda (Nice)
Nineteenth century and after (London)
NL   *Nouvelles littéraires* ; lettres-arts-sciences-spectacles (Paris)
NM   *Neuphilologische Mitteilungen* (Helsingfors)
Notas y estudios de filosofía (Tucumán, Argentina)
La Nouvelle Critique ; revue du marxisme militant (Paris)
Nouvelle R   *La Nouvelle Revue* (Paris)
Nouvelle Revue de Hongrie (Budapest)
Nouvelle Revue des traditions populaires (Paris)
La Nouvelle Revue franc-comtoise (Dôle)
Nouvelle Revue pédagogique (Paris)
Nouvelles. Association des bibliothécaires suisses [*Nachrichten.* Vereinigung schweizerischer Bibliothekäre] (Berne)
Новая и новейшая история. Акад. наук СССР. Институт истории (Москва)
NovM   Новый мир ; литературно-художественный и общественно-политический журнал (Москва)
Nowe Drogi ; c czasopismo społeczno-polityczne (Warszawa)
NRF   *Nouvelle Revue française* (Paris)
NRs   *Die neue Rundschau* (Berlin ; Frankfurt am Main)
NRS   *Nuova Rivista storica* (Roma)
NS   *Die neueren Sprachen* (Frankfurt am Main)
La Nuova Stampa (Torino)

Il Nuovo Corriere della sera (voir *Il Corriere della sera*)
NYHSQ   *New York Historical Society quarterly* (New York)
NYHTBR   *New York Herald Tribune [weekly] book review* (New York)
NYRB   *New York review of books* (New York)
Nysvenska studier; tidskrift för svensk stil- och spräkforskning (Uppsala)
NYTBR   *New York Times book review* (New York)

The Observer (London)
L'Officiel de la librairie (Paris)
Огонёк [Москва]
OL   *Orbis litterarum;* revue internationale d'études littéraires (Copenhague)
Le Opere e i giorni (Genova)
Opinion (Paris)
Osservatore romano (Città del Vaticano)
Paedagogica historica; revue internationale d'histoire de la pédagogie (Gand)
Paese (Bari)
Paideia; rivista letteraria di informazione bibliografica (Genova)
La Palabra y el hombre; revista de la Universidad veracruzana (Xalapa, México)
Pantheon; internationale Zeitschrift für Kunst (Leipzig)
PAPS   *Proceedings of the American Philosophical Society* (Philadelphia)
Parler; revue littéraire trimestrielle (Grenoble)
Parliamentary affairs (London)
Parnassus (New York)
Pax (Gloucester, England)
Le Pays d'Ouest
Pays lorrain (Nancy)
Pédagogie; éducation et culture (Paris)
Pensée; revue du rationalisme moderne (Paris)
Person   *The Personalist;* an international review of philosophy, religion, and literature (Los Angeles, Calif.)
La Petite Illustration (Paris)
Petite Revue des bibliophiles dauphinois (Grenoble)
Pfälzisches Museum-Pfälzische Heimatkunde (Speyer)*
Pforte   *Die Pforte;* Monatsschrift für Kultur (Urach)
Philosophy (London)
PhR   *Philosophical review* (Ithaca, New York)
Planète (Paris)
PM   *Le Progrès médical* (Paris)
PMLA   *Publications of the Modern Language Association of America* (Menasha, Wisconsin)
Poetry; a magazine of verse (Chicago)
Political science quarterly (Lancaster, Penn. & New York)
Ponte (Firenze)
Portugiesische Forschungen der Görresgesellschaft; Aufsätze zur portugiesischen Kulturgeschichte (Münster)
PQ   *Philological quarterly* (Iowa City)
Précis analytique des travaux de l'Académie des sciences, belles-lettres et arts de Rouen
La Presse médicale (Paris)
Preuves (Paris)
Print collector's Q   *Print collector's quarterly* (New York ; London, etc.)
Природа (Ленинград)
Pro arte; internationale Zeitschrift für alte und zeitgenössische Kunst (Genève)
Proceedings of the Royal Society of Medicine (London)

Prometeo (La Habana)
Le Protestant
PULC   Princeton University library chronicle (Princeton, N. J.)
Пушкин и его современники (Ленинград)
Пушкин : временник пушкинской комиссии. Акад. наук СССР,
      Институт литературы (Москва-Ленинград)
PW   Publishers' weekly; the American book trade journal (Philadelphia)
Pyrénées (Tarbes)

QQ   Queens quarterly; a Canadian review (Kingston, Ontario)
QR   Quarterly review (London)

R anglo-américaine   Revue anglo-américaine (Paris)
Rassegna di scienze filosofiche; rivista trimestrale (Roma ; Napoli)
RBPH   Revue belge de philologie et d'histoire (Bruxelles)
RDM   La Revue des deux mondes (Paris)
RdP   Revue de Paris (Paris)
RdS   Revue de synthèse (Paris)
RE   Revue d'esthétique (Paris)
Reader's digest (Pleasantville, New York)
Recherches et travaux; revue trimestrielle (Université catholique de l'Ouest, Angers)
Renaissance (Paris)
Renaissance d'Occident (Bruxelles)
Repertorio americano (San José, Costa Rica)
The Reporter; the magazine of facts and ideas (New York & Dayton, Ohio)
Résonances lyonnaises; revue bi-mensuelle des arts (Lyon)
R études hongroises   Revue des études hongroises (Paris)
Review of religion (New York)
Revue d'artillerie (Paris)
Revue de droit pénal et de criminologie (Bruxelles)
Revue de Suisse (Genève)
Revue des arts (Paris)
Revue des conférences françaises en Orient
Revue des cours et conférences (Paris)
Revue des P.T.T. de France (Paris)
Revue des travaux de l'Académie des sciences morales et politiques (Paris)
Revue du Bas-Poitou (Fontenay-le-Comte ; Paris, etc.)
La Revue française de l'élite européenne (Paris)
Revue historique (Paris)
Revue historique vaudoise (Lausanne)
Revue maritime (Paris)
Revue propédeutique
Revue savoisienne (Annecy)
RF   Romanische Forschungen (Erlangen)
RFE   Revista de filología española (Madrid)
R franco-belge   Revue franco-belge (Paris)
RFRG   Revista de filologie romanică şi germanica (Bucureşti)
RHD   Revue d'histoire diplomatique (Paris)
R hebdomadaire   Revue hebdomadaire (Paris)
RHEcS   Revue de l'histoire d'économie sociale (Paris)
RHL   Revue d'histoire littéraire de la France (Paris)
RHSA   Revue d'histoire des sciences et de leurs applications (Paris)
RHT   Revue d'histoire du théâtre (Paris)

RIP   *The Rice Institute pamphlets* (Houston, Texas)
RIPh   *Revue internationale de philosophie* (Bruxelles)
Rivista d'arte (Firenze))
Rivista delle biblioteche e degli archivi (Firenze)
Rivista di Bergamo (Bergamo)
Rivista italiana del dramma (Roma)
Rivista italiana del teatro (Roma)
RJ   *Romanistisches Jahrbuch* (Hamburg)
RLC   *Revue de littérature comparée* (Paris)
RLI   *Rassegna della letteratura italiana* (Genova, etc.)
RLMC   *Rivista di letterature moderne e comparate* (Firenze)
RMM   *Revue de métaphysique et de morale* (Paris)
R mondiale   *Revue mondiale* (Paris)
R musicale   *Revue musicale* (Paris)
RomN   *Romance notes* (Chapel Hill, N. C.)
RP   *Revista de Portugal* (Oporto)
RPL   *Revue politique et littéraire* (*Revue bleue*) (Paris)
RPol   *Review of politics* (Notre Dame, Indiana)
RR   *Romanic review;* a quarterly publication of the Department of Romance
      languages in Columbia University (New York)
R rhénane   *Revue rhénane. Rheinische Blätter* (Mainz)
RSH   *Revue des sciences humaines* (Lille)
RSI   *Rivista storica italiana* (Torino)
RSSHN   *Revue des Sociétés savantes de Haute Normandie* (Rouen)
RU   *Revue universitaire* (Paris)
RUL   *Revue de l'Université Laval* (Québec)
RUO   *Revue de l'Université d'Ottawa* (Ottawa)
RUS   *Rice University studies* [autrefois : *RIP*] (Houston, Texas)

Sacerdoce et poésie (Chaumont-sur-Loire)
Saisons d'Alsace (Strasbourg)
SAQ   *South Atlantic quarterly* (Durham, N. C.)
SatR   *Saturday review* (autrefois : *Saturday review of literature*) (New York)
SC   *Stendhal Club;* revue trimestrielle (Lausanne)
School and society (New York ; Garrison, N. Y. ; Lancaster, Penn.)
Schweizer Beiträge zur allgemeinen Geschichte. Etudes suisses d'histoire générale
      (Aarau)
Schweizer musikpädagogische Blätter. Feuillets suisses de pédagogie musicale
      (Zürich)
Schweizerische Uhrmachen-Zeitung. Journal suisse des horlogers
Schweizerische Zeitschrift für Geschichte. Revue suisse d'histoire. Rivista storica
      svizzera (Zürich)
Schweizerisches kaufmännisches Zentralblatt (Zürich)
Une Semaine dans le monde (Paris)
La Semaine religieuse du diocèse de Saint-Claude (Lons-le-Saunier)
SFr   *Studi francesi* (Torino)
SGym   *Siculorum gymnasium;* rassegna semestrale della Facoltà di lettere e
      filosofia dell'Università di Catania (Catania)
Shakespeare Association bulletin (New York)
Sign : a national Catholic monthly magazine (Union City, West Hoboken, N. J.)
SJ   *Shakespeare-Jahrbuch* (Berlin)
Social education (Washington)
Social forces (Chapel Hill, N. C.)
Social studies (Philadelphia)

Società (Firenze)
Société d'émulation historique et littéraire d'Abbeville (Abbeville)
So sehen wir Rouen (Rouen)*
SP Studies in philology (Chapel Hill, N. C.)
The Spectator (London)
Lo Spettatore italiano (Roma)
SRAZ Studia romanica [et anglica] Zagrebiensia (Zagreb)
Studi senesi (Siena)
Studi storici (Roma)
Studia filosoficzne (Warszawa)
Studiën; Tijdschrift voor godsdienst, wetenschap en letteren (Utrecht)
Studies; an Irish quarterly review of letters, philosophy and science (Dublin).
Stultifera Navis (Basel)
SuF Sinn und Form (Potsdam)
The Sunday Times (London)
SV Studies on Voltaire and the eighteenth century [Tome I : *Travaux sur Voltaire et le dix-huitième siècle*] (Institut et Musée Voltaire, Genève)
Sym Symposium; a quarterly journal in modern literatures (Syracuse, N. Y.)
Symposium (Concord, N. H.)
Synthèses (Bruxelles)

The Tablet; a weekly newspaper and review (London)
Tan-chiang Hsüeh pao. Tamkang journal (T'ai-pei)
TAPS Transactions of the American Philosophical Society (Philadelphia)
Technica (Bruxelles)
Technique, art, science (Paris)
Temps (Paris)
[Théâtre] (Athènes)*
Theologisch-praktische Quartalschrift (Linz)
Thinker (New York)
Thought; a review of culture and idea (New York)
Le Thyrse (Bruxelles)
Tijdschrift voor rechtsgeschiedenis. Revue d'histoire du droit (Groningen)
Tilskueren; maanedsskrift for litteratur, kunst, samfundsspørgsmaal og almenfatte-lige videnskabelige skildringer (København)
Time; the weekly news magazine (New York)
Time and tide (London)
Times (London)
Tinarul Scriitor; uniunea scriitorilor din RPR (Bucureşti)
Tirade (Amsterdam)
TLS Times literary supplement (London)
TP Terzo programma (Roma)
TQ Texas quarterly (Austin, Texas)
TR La Table ronde; revue mensuelle (Paris)
Trabajos y comunicaciones, Facultad de humanidades y ciencias de la educación, Instituto de investigaciones históricas, Universidad nacional de la ciudad Eva Perón (La Plata)
Trésors des bibliothèques de France (Paris)
Triades; revue trimestrielle de culture humaine (Paris)
Tribuna (Cluj)*
TriQ Tri-Quarterly (Evanston, Illinois)
TSL Tennessee studies in literature (Knoxville, Tenn.)
TxSE Texas studies in English (Austin, Texas)

Ученые записки (Ленинград Университет, Ленинград)
University of Pennsylvania bulletin. Schoolmen's week proceedings (Philadelphia)
UTQ   *University of Toronto quarterly*; a Canadian journal of the humanities
(Toronto)

В мире книг (Москва)
В защиту мира (Москва)
Versailles; revue des Sociétés des amis de Versailles (Nyon)
Вестник, ANSSSR   Вестник, Акад. наук СССР (Москва)
Вестник Европы (Санктпетербургъ)
Вестник истории мировои културы.   Revue d'histoire de la civilisation
mondiale (Москва)
La Vie judiciaire (Paris)
Vie et langage (Paris)
Le Vieux Saint-Maur; bulletin de la Société historique et archéologique de
Saint-Maur-des-Fossés et des localités avoisinantes (Saint-Maur-des-Fossés)
Visages de l'Ain; revue trimestrielle (Bourg-en-Bresse)
De Vlaamse Gids (Brussel, etc.)
VLit   Вопросы литературы (Москва)
VMU   Вестник Московского Университета (Москва)
Volk und Scholle; Heimatblätter für beide Hessen, Nassau und Frankfurt a. M.
(Darmstadt)
Voltaire Club; Jahrbuch für kritisches Aufklärung (München)
Вопросы философии (Москва)
Vragen D   Vragen van den dag (Amsterdam)

Weltkunst (Berlin; München)
Wille zum Reich (Eisenach)*
WMQ   *William and Mary quarterly* (Williamsburg, Virginia)
Die Wochenpost (Berlin)
WuW   *Welt und Wort*; literarische Monatsschrift (Bad Wörishofen)
WZUR   *Wissenschaftliche Zeitschrift der Universität Rostock* (Rostock)
XVIII век. Акад. наук СССР, Институт русскои литературы (Москва-
Ленинград)

YR   *Yale review* (New Haven, Conn.)
YULG   *Yale University library gazette* (New Haven, Conn.)

ZBVL   *Zürcher Beiträge zu vergleichenden Literaturgeschichte* (Zürich)
Zeitschrift für Bücherfreunde (Bielefeld; Leipzig)
Z Ethnol   *Zeitschrift für Ethnologie* (Berlin)
ZfB   *Zentralblatt für Bibliothekswesen* (Leipzig)
ZFSL   *Zeitschrift für französische Sprache und Literatur* (Wiesbaden, etc.)

Журнал научно-исследовательских кафедр в Одессе.
Berichte der wissenschaftlichen Forschungs-Institut in Odessa (Одесса)
ZPhF   *Zeitschrift für philosophische Forschung* (Wurzach, etc.)
ZSP   *Zeitschrift für slavische Philologie* (Leipzig, etc.)
Звезда (Ленинград)

I

BIBLIOGRAPHIES ET ÉTUDES BIBLIOGRAPHIQUES

A. DIVERSES.

1   BARR, Mary-Margaret H. *A century of Voltaire study; a bibliography of writings on Voltaire, 1825-1925.* New York, Institute of French Studies, 1929, xxiii, 123 p. 20 cm.

Répertoire de 1 494 livres et articles classés par sujets avec un index. C.R. : George R. Havens, *MLN* 45 : 347, May 1930 ; Harriet D. MacPherson, *RR* 31 : 256-259, July-Sept. 1930 ; Daniel Mornet, *RHL* 37 : 623, 1930.

2   — « Bibliographical data on Voltaire from 1926 to 1930. » *MLN* 48 : 292-307, May 1933.

Suite du n° précédent.

3   — « Bibliographical data on Voltaire from 1931 to 1940. » *MLN* 56 : 563-582, Dec. 1941.

Suite du n° précédent.

4   BESTERMAN, Theodore. « La Bibliothèque de l'Institut et Musée Voltaire. » *Nouvelles,* Association des bibliothécaires suisses (*Nachrichten,* Vereinigung schweizerischer Bibliothekäre) 30, n° 5 : 131-134, sept.-oct. 1954.

Brève description de manuscrits et d'imprimés.

5   — « Institut et Musée Voltaire, 1952-1957. » *Bulletin de la Société d'histoire et d'archéologie de Genève* 11 : 189-191, 2° livraison, 1957.

Inventaire sommaire de manuscrits qui se trouvent à l'Institut.

6   — « The manuscripts of the Institut et Musée Voltaire. » *SV* 6 : 293-295, 1958.

Inventaire sommaire.

7   — « Notes marginales de Voltaire. » *Musées de Genève* 2 (N.S.), n° 14 : 15-16, avril 1961, pl.

8   — « A provisional bibliography of Italian editions and translations of Voltaire. » *SV* 18 : 263-310, 1961.

9   — « Quelques éditions anciennes de Voltaire inconnues à Bengesco. » *Genava* N.S. 2 : 133-204, oct. 1954.

159 éditions.

10   — « Some eighteenth-century Voltaire editions unknown to Bengesco. »
        SV 8 : 123-242, 1959. 35 figs.

        Edition augmentée du précédent indiquant 226 éditions.

11   Bibliothèque de la ville de Lyon. *Le XVIIIᵉ siècle à Lyon : Rousseau,
        Voltaire et les sociétés de pensée. Catalogue.* Lyon, Bibliothèque
        municipale, 1962.

        Catalogue d'une exposition (30 mai-6 juillet 1962).

12   *Books and manuscripts from the Heineman collection.* New York, Pierpont
        Morgan Library, 1963. 91 p. ill.

        Contient une liste d'autographes et de brouillons de V qui se trouvent
        dans la bibliothèque.

13   Booy, Jean de. « Diderot, Voltaire et les *Souvenirs de Madame de Caylus.* »
        RSH N.S. fasc. 109 : 23-38, janv.-mars 1963.

        V serait à l'origine de la publication de cet ouvrage plutôt que de
        sa composition.

14   Bräuning-Oktavio, Hermann. « Die Bibliothek der grossen Landgräfin
        Caroline von Hessen. » *Archiv für Geschichte des Buchwesens* 6,
        Lieferung 3/4, Col. 681-876 [1965].

        Voir Col. 813-817 (n° 1758-1862).

15   Brenner, Clarence D. *A bibliographical list of plays in the French language,
        1700-1789.* Berkeley, Calif., 1947. iv, 229 p. 28 cm.

        P. 131-132 (n° 11570-11634), « Voltaire. » Dans la mesure du possible
        l'auteur indique le lieu et la date de la première représentation aussi
        bien que de la première publication.
        C.R. : Ira O. Wade, *RR* 41 : 60-62, Feb. 1950.

16   Brumfitt, J. H. « The present state of Voltaire studies. » *FMLS* 1 :
        230-239, July 1965.

17   Cabeen, David C., éd. *A critical bibliography of French literature.* Vol. 4 :
        The eighteenth century. Edited by George R. Havens and Donald
        F. Bond. [Syracuse, N.Y.] Syracuse U P, 1951. xxx, 411 p. 24 cm.

        P. 182-207, « Voltaire » ; p. 342-348.
        C.R. : A. E. A. Naughton, *RR* 45 : 213-216, Oct. 1954 ; Robert
        Shackleton, *FS* 6 : 367-369, Oct. 1952.

18   Camara municipal de Lisboa. *Exposição iconografica e bibliografica come-
        morative da deconstrucão da ciudade depois terremoto de 1755.*
        Lisboa [Oficinas gráficas da CML] 1955. 259 p. 19 pl. 17,5 cm.

        P. 212-215, liste d'objets et de documents ayant rapport à V.

19   *Catalogue of fine illuminated manuscripts, valuable printed books [...]
        April 26.* London, Sotheby, 1937. 150 p.

        P. 4-12, éditions de V.

20   *Catalogue of [...] the famous library formed by the late Mortimer L.
        Schiff.* London, Sotheby, 1938. 3 vol.

        3 : 505-548, collection Voltaire (vendue le 9 déc. 1938).

21   Clément, Fernand. « Documents inédits : quand Bouillon imprimait
        Diderot, Voltaire, Mirabeau... et La Fontaine : La Société typographique
        1768-1788. » *La Grive* 27, n° 86 : 3-10, mai 1955.

        Sur les *Romans et contes de M. de Voltaire* (60 gravures de Monnet
        en 3 vol. in-8, 1778), avec de nombreuses références bibliographiques
        à des manuscrits.

22 *Collection voltairienne du comte de Launoit.* [Bruxelles, Impr. M. Weissenbruch, 1955]. 133 p. pl. 25,5 cm.

Liste de 332 éditions, etc.

23 CROWLEY, Francis J. « Additions to Bengesco's *Bibliographie.* » *MLN* 68 : 411, June 1953.

Vol. 17 et 18 de l'*Évangile du jour.*

24 — « Corrections and additions to Bengesco's *Bibliographie.* » *MLN* 50 : 440-441, Nov. 1935.

25 — « The Walther edition of Voltaire (1748). » *MLN* 69 : 331-334, May 1954.

Corrige et complète Beuchot, Moland et Bengesco.

26 DACIER, E. « Le « Voltaire de Kehl » de la Bibliothèque Nationale. » *Trésors des bibliothèques de France* 5 : 208-213, 1935.

Histoire de l'édition donnée à la Bibliothèque par Beaumarchais.

27 DIEHL, Robert. *Beaumarchais som Baskervilles efterföljare* [Beaumarchais comme successeur de Baskerville]. [Till Svenska av Kurt Blomqvist. Uppsala] Gebers [1954]. 105 p.

Sur les rapports entre Beaumarchais et Baskerville, le projet de Beaumarchais pour la publication des œuvres de V, et l'histoire de la réalisation de ce projet.

28 EVANS, H. B. « A bibliography of eighteenth-century translations of Voltaire. » [In] *Studies in French language, literature and history presented to R. L. Graeme Ritchie.* Cambridge U P, 1949. xvi, 259 p. 23 cm. P. 48-62.

Les œuvres non-dramatiques publiées en Angleterre.

29 — « A provisional bibliography of English editions and translations of Voltaire. » *SV* 8 : 9-121, 1959.

Description de 578 éditions suivie d'index des titres, des éditeurs, des traducteurs, etc.

30 FERRARI, Luigi. *Le Traduzioni italiane del teatro tragico francese nei secoli XVII° e XVIII°. Saggio bibliografico.* Paris, É. Champion, 1925. xxiii, 310 p. 24 cm (Bibliothèque de la *RLC,* 13).

Voir V *passim.* Plus de cent pages sont consacrées aux pièces de V.

31 FLOCON, Albert. *L'Univers des livres. Étude historique des origines à la fin du XVIII° siècle.* Paris, Herman [1961]. 707 p. ill. 24,5 cm.

P. 620-630, V. Etude présentée du point de vue de la publication.

32 FLOWER, Desmond. « Contemporary collectors I : a Hampshire library. » *BC* 3 : 5-10, Spring 1954.

L'auteur décrit plusieurs éditions de V dont il est possesseur et annonce qu'il prépare une bibliographie destinée à remplacer celle de Bengesco.

33 — « Some aspects of the bibliography of Voltaire. » *Library* 5th series, 1 : 223-236, Dec. 1946, Mar. 1947.

L'auteur rend compte de ses progrès dans la préparation d'un ouvrage destiné à remplacer la bibliographie de Bengesco et suggère certaines méthodes utiles dans la consultation de celle-ci. Il décrit en détail plusieurs éditions.

34 FROMM, Hans. *Bibliographie deutscher Übersetzungen aus dem Französischen, 1700-1948.* Baden-Baden, Verlag für Kunst und Wissenschaft, 1950-1953. 6 v.

6 : 261-286, V.

35   GIRAUD, Jeanne. *Manuel de bibliographie littéraire pour les XVIe, XVIIe
      et XVIIIe siècles français, 1921-1935.* Paris, Vrin, 1939. xvii, 304 p.
      27,5 cm (Publications de la Faculté des lettres de l'U. de Lille, 2).

36   — *Manuel de bibliographie littéraire pour les XVIe, XVIIe et XVIIIe
      siècles français, 1936-1945.* Paris, Nizet, 1956. xii, 270 p. 26 cm.
      P. 243-251.

37   GROSS, Georg. « Holbach oder Voltaire ? » *WZUR* 4, 1954/55, Gesellschafts-
      und sprachwissenschaftliche Reihe, H. 3-4 : 335-344.
      Essai d'identification de l'auteur de l'*Histoire critique de Jésus-Christ,
      ou Analyse raisonnée des Évangiles.*

38   [GUIGNARD, Jacques]. *Exposition Voltaire, 1944.* [Paris, Bibliothèque Natio-
      nale]. 33 ff.

39   HENNING, John. « Voltaire in Ireland. » *The Dublin magazine* 19, n° 1 :
      32-39, Jan.-Mar. 1944.
      Présente une liste d'œuvres de V publiées à Dublin au xviiie siècle
      qui comprend une édition des *Essays on Civil War and Epic Poetry*
      (1728) inconnue aux bibliographes et une liste de livres anti-voltairiens
      datant de la même époque. L'auteur étudie aussi les rapports entre V
      et Swift.

40   HOLBROOK, Wm. C. « A MS copy of writings by Voltaire. » *MLN* 54 :
      365-366, May 1939.
      Un ms. du 18e siècle à Harvard contient le *Sermon des cinquante,*
      l'*Épître à Uranie,* l'*Examen de la religion,* et la *Religion naturelle.*

41   HOWARD, Alison K. « Montesquieu, Voltaire and Rousseau in eighteenth
      century Scotland ; a check list of editions and translations of their
      works published in Scotland before 1801 ». *Bibliotheck* 2 : 40-63 [1959].
      P. 46-57.

42   J.-G. P. « Les Souvenirs de Mme de Caylus sont-ils de Voltaire ? » *MdF*
      225 : 503-505, 15 janv. 1931.

43   JOLIAT, Eugène. « Smollett, editor of Voltaire. » *MLN* 54 : 429-436, June 1939.

44   JAFFE, Adrian H. *Bibliography of French literature in American magazines
      in the 18th century.* [East Lansing] Michigan State College P, 1951.
      vii, 27 p.

45   KLAPP, Otto. *Bibliographie der französischen Literaturwissenschaft.* Frank-
      furt am Main, Klostermann [1960-65]. Band 1-4. 23 cm.

46   KRASNOPOLSKI, Paul. « Die geplante Verlosung der Kehler Voltaire-Aus-
      gaben. » *Zeitschrift für Bücherfreunde* N.F. 18 : 95-96, 1926.

47   LAMBERT, Jacques. *Arouet Voltaire. Autographes, documents, manuscrits.*
      [Catalogue établi avec la collaboration de Paul Langeard] Paris,
      Lambert, 1957. 112 p. (non chiffré) fac-sims. 27 cm.
      Descriptions détaillées avec notes.

48   MALCOLM, Jean. *Table de la Bibliographie de Voltaire, par Bengesco.*
      Etablie par Jean Malcolm, avec une préface de Théodore Besterman.
      Genève, Institut et Musée Voltaire, Les Délices, 1953. 127 p. 24 cm
      (Publications de l'Institut et Musée Voltaire. Série d'études, 1).
      C.R. : Y.-G. Arnaud, *BBB* N.S. 1953 : 102-103.

49   MASLEN, Keith I. « Some early editions of Voltaire printed in London. »
      Library 5th ser., 14 : 287-293, Dec. 1959.
      Contient en appendice « other works by Voltaire wholly or partly
      printed by Bowyer.»

50   MEYER, E. « Variantes aux « poésies mêlées » de Voltaire d'après le manu-
     scrit envoyé par l'auteur à M. de Cideville en 1735. » *RHL* 39 : 400-
     423, juil.-sept. 1932.

51   MOREHOUSE, Andrew R. « The Voltaire collection in the Rare Book Room. »
     YULG 17 : 66-79, April 1943.

     Une description de quelques-unes des 400 éditions voltairiennes.

52   MORTIER, Roland. « Voltaire à la Bibliothèque Royale. » *Le Flambeau*
     38 : 15-25, 1955.

     Une description de quelques-unes des éditions voltairiennes dans la
     Collection Launoit.

53   MUIR, Percy H. « The Kehl edition of Voltaire. » *Library* 5th ser., 3 :
     85-100, Sept. 1948.

54   P. E. N. Club. *La Littérature française en Tchécoslovaquie de 1945 à
     janvier 1964.* Prague, P. E. N. Club tchécoslovaque, 1964. 107 p. ill.

     P. 101, 9 éditions d'ouvrages de V.

55   PAVILLON, Olivier et Charles ROTH. *Inventaires des Fonds manuscrits de
     la Bibliothèque cantonale et universitaire de Lausanne.* Vol. 4 :
     Inventaire des Archives de la famille Clavel de Cully. Lausanne, 1964.
     v, 133 p. 29 cm polycopié.

     P. 99-101, 105-107.

56   PELOUX, Charles, vicomte du. *Répertoire général des ouvrages modernes
     relatifs au XVIIIe siècle en France (1715-1789).* Paris, E. Grund,
     1926. 306 p. 26 cm.

57   PIKE, Robert E. « Des notes sur Voltaire. » *RHL* 42 : 214-217, avril-
     juin 1935.

     Présente 2 pièces inédites : « A Mlle Lecouvreur sur le refus qu'on a
     fait de l'enterrer, » « Caricature sur la religion turquine, » avec des
     renseignements sur d'autres inédits.

58   POMEAU, René. « Etat présent des études voltairiennes. » *SV* 1 : 183-200,
     1955.

     C.R. : N. Mateucci, *Mulino* 6 : 143-148, féb. 1957.

59   — « Où en sont les études sur Voltaire ? » *IL* 4 : 43-47, mars-avril 1952.

     Etat primitif du précédent.

60   PROUST, J. « Diderot et le XVIIIe siècle français en U.R.S.S. » *RHL* 54 :
     320-328, juil.-sept. 1954.

     P. 327-328, bibliographie d'éditions et d'études sur V publiées en
     U.R.S.S. depuis 1917.

61   — « Travaux soviétiques récents sur le XVIIIe siècle français. » *RHL* 61 :
     589-592, oct.-déc. 1961.

     Quelques références à des articles sur V.

62   REMAK, Henry H. « A bibliographical note on Voltaire. » *MLN* 54 :
     520-522, Nov. 1939.

     La 2e édition des œuvres de Villette (1786) contenant 11 lettres et
     3 épîtres de V n'est citée ni par Bengesco ni par Quérard.

63   RENIER, M. « Voltaire et la Bibliothèque Royale. » *LE* n° 2 : 5-10, 1
     mars 1955. fac-sim.

     Description générale des éléments les plus intéressants de la Collection
     Launoit, avec une description plus détaillée d'une édition de *Candide*
     (59ʸ), édition présumée unique.

64　Roberts, W. « Early editions of Voltaire. » *N&Q* 171 : 58, July 25, 1936.

Quelques éditions de pièces de théâtre que Bengesco n'a pas citées.

65　Roosbroeck, G. L. van. « Additions and corrections to Voltaire's bibliography published in 1924. » *MLN* 44 : 328-330, May 1929.

66　Smith, Horatio. « Voltaire : bibliographical items (*Essay upon the Civil Wars... and Epick Poetry ; Alzire*). » *MLN* 47 : 234-236, Apr. 1932.

67　Сводных каталог русской книги гражданской печати XVIII века, *1725-1800* [Catalogue sommaire du livre russe séculaire publié au xviiie siècle, 1725-1800]. Том 1 : А-И. Москва, издание Госу-д арственной библиотеки СССР имени В. И. Ленина, 1962. 435 р. 27 см (Министерство культуры РСФСР [...]).

P. 177-186 (nᵒ 1085-1153), une liste des œuvres de V, avec des renseignements sur les bibliothèques où se trouvent des exemplaires.

68　Trénard, Louis. *Commerce et culture : le livre à Lyon au XVIIIᵉ siècle.* Lyon, Albums du Crocodile, 1953. 44 p. 23 cm (*Albums du Crocodile*, 1953, nᵒ 4).

Nombreuses références à V à propos de la popularité de ses ouvrages chez les imprimeurs et les libraires et dans les bibliothèques, d'après les catalogues de l'époque.

69　Valkhoff, P. « Voltaire et la Hollande. » Paris, le « Monde nouveau, » 1926. 31 p. (Extr. du *Monde nouveau* du 15 avril, 15 mai, 15 juin 1926).

Traduction néerlandaise [in] *Ontmoetingen tussen Nederland en Frankrijk* [Rencontres entre la Hollande et la France]. Nagelaten opstellen ingeleid en uitgegeven door Dr. B. M. Boerebach en Dr. M. Valkhoff [...] s'Gravenhage, Uitgevers Maatschappij N.V., 1943. 256 p. 24 cm. P. 121-139.

Cet article traite surtout d'éditions de V.

70　Vandérem, Fernand. « Encore Voltaire. » *BBB*, N.S. 17 : 433-436, oct. 1938.

Sur les faiblesses de la bibliographie de Bengesco.

71　Vercruysse, Jérôme, éd. « Notes inédites de Voltaire. » *SFr* 7 : 258-264, mag.-ag. 1963.

Notes tirées d'une édition de *Zaïre* à l'Académie royale des sciences, belles lettres et arts en Belgique et d'un exemplaire de l'*Examen de la Nouvelle Histoire de Henri IV* à la Bibliothèque Nationale [Paris].

72　— « Notes sur les imprimés et les manuscrits de la Collection Launoit. » *SV* 20 : 249-259, 1962.

L'auteur dresse une liste d'œuvres que Bengesco n'a pas citées ou qu'il n'a décrites que d'une manière incomplète, aussi bien qu'une liste d'œuvres contenant des notes manuscrites de V.

73　Watts, George B. « Catherine II, Charles-Joseph Panckoucke, and the Kehl edition of Voltaire's *Œuvres.* » *MLQ* 18 : 59-62, March 1957.

Sur le rôle de Catherine et sur les raisons pour lesquelles Panckoucke a vendu ses manuscrits et ses droits de publication à Beaumarchais.

74　— « Panckoucke, Beaumarchais, and Voltaire's first complete edition. » *TSL* 4 : 91-97, 1959.

Des détails tirés de collections manuscrites sur les rapports entre Duplain et Panckoucke et sur les négociations entre celui-ci et Beaumarchais.

75　Zambon, Maria Rosa. *Bibliographie du roman français en Italie au XVIIIᵉ siècle : traductions.* Firenze, Sansoni ; Paris, Didier, 1962. xxxii, 120 p. 25 cm (Publications de l'Institut français de Florence. 4 sér. Essais bibliographiques, 5).

P. 84-85, liste de 8 éditions de certains contes de V.

B. LA BIBLIOTHÈQUE DE VOLTAIRE A LENINGRAD

76 Алексеев, М. П. « Библиотека Вольтера в России » [La Bibliothèque de Voltaire en Russie]. [In] Библиотека Вольтера : каталог книг [La Bibliothèque de Voltaire ; catalogue des livres]. Москва-Ленинград, 1961. P. 6-67. Résumé en français, P. 1151-1153.

Une histoire de la bibliothèque et des considérations sur son utilité pour l'étude scientifique de l'œuvre de V.

77 Библиотека Вольтера : каталог книг. [Ответственные редакторы : [...] М. П. Алексеев и [...] Т. Н. Копреева]. Москва-Ленинград, Издательство Акад. Наук СССР, 1961. 1166 p. 23 cm. Page de titre supplémentaire : *Bibliothèque de Voltaire : catalogue des livres*.

Une liste des ouvrages présents dans la bibliothèque, avec des suppléments consacrés aux manuscrits, aux facéties, aux livres faussement incorporés dans la bibliothèque, et au catalogue de Ferney.
C.R. : William F. Bottiglia, *Diderot studies* 8 : 269-279, 1966 ; Desmond Flower, *BC* 10 : 501-509, winter 1961 ; Arnold Miller, *RR* 55 : 56-58, Feb. 1964 ; J. Minář, *ČpMF* 44 : 252-253, 1962 ; Liviu Onu, *RFRG* 7 : 181-185, 1963 ; René Pomeau, *RHL* 62 : 609-610, oct.-déc. 1962 ; М. И. Радовский, Природа 51, n° 3 : 122-123, 1962 ; Н. Сигал, *VLit* 6, n° 4 : 231-233, 1962 ; Н. Варбанец, В мире книг 2, n° 2 : 45, 1962 ; Arthur M. Wilson, *AHR* 68 : 518-519, Jan. 1963.

78 BYKOVA, T. « La Bibliothèque personnelle de Voltaire conservée à Leningrad. » *Etudes soviétiques* 8, n° 88 : 88-90, juil. 1955.

79 FLOWER, Desmond & J. S. G. SIMMONS. « Voltairiana in the U.S.S.R. » *TLS* May 16, 1958, p. 276.

Exposé sommaire des études de Lublinsky sur V, surtout par rapport à sa bibliothèque.

80 HAVENS, George R. & Norman L. TORREY. « Private library of Voltaire at Leningrad. » *PMLA* 43 : 990-1009, Dec. 1928.

81 — « Private library of Voltaire at Leningrad. » *SatR* 5 : 1192, 20 July 1929.
Réimpr. d'une partie du précédent.

82 — « Voltaire's books : a selected list. » *MP* 27 : 1-22, Aug. 1929.

83 — *Voltaire's catalogue of his library at Ferney*. Edited for the first time [...] Genève, Institut et Musée Voltaire, 1959. 258 p. (*SV*, 9).

Ce travail se compose du catalogue de V et d'un catalogue alphabétique, interprétant le précédent, et établissant la liste des livres que V aurait eus dans sa bibliothèque.
C.R. : William F. Bottiglia, *RR* 50 : 292-294, Dec. 1959 [voir la réponse des auteurs, *RR* 51 : 156-158, Apr. 1960] ; J. H. Brumfitt, *FS* 14 : 68-70, Jan. 1960 ; J. Robert Loy, *MLN* 75 : 453-455, May 1960 ; F. Orlando, *SFr* 3 : 495, set.-dic. 1959 ; René Pomeau, *RHL* 61 : 85-87, janv.-mars 1961.

84 — « Voltaire's library. » *Fortnightly R* 132 : 397-405, Sept. 1929.

85 Копреева. Т. « Фернейский каталог » [Le Catalogue de Ferney]. [In] Библиотека Вольтера : каталог книг. Москва-Ленинград, 1961. P. 1052-1150. Résumé en français, p. 1157-1159.

Voir surtout p. 1052-1064 pour une introduction à ce catalogue.

86 Люблинский, Владимир С. « Библиотека Вольтера » [La Bibliothèque de Voltaire]. Исторический журнал 1945, n° 1-2 : 84-88.

Une discussion de quelques-unes des notes marginales de V.

87   — « La Bibliothèque de Voltaire. » *RHL* 58 : 467-488, oct.-déc. 1958.
      Analyse sommaire de la bibliothèque et étude des notes marginales,
      avec des données bibliographiques sur des études voltairiennes récentes
      en U.R.S.S.

88   — « Voltaire and his library. » *BC* 7 : 139-151, summer 1958. pl.
      Présentation moins détaillée que le numéro précédent.

89   — « Вольтер в советских фондах » [Voltaire dans les collections so-
      viétiques]. [In] Академия Наук СССР. Вольтер : статьи и ма-
      териалы [Voltaire : articles et matériaux]. Москва-Ленинград, 1948.
      P. 315-337. fac-sim.
      Des renseignements sur la bibliothèque de V et sur sa correspondance.

90   NAOUMOV, I. « La Bibliothèque de Voltaire. » *Etudes soviétiques* n° 143 :
      71-72, fév. 1961.

91   POMEAU, René. « Voltaire et ses livres. » [In] *Saggi e ricerche di letteratura*
      francese. Con la collaborazione di R. de Cesare. [Milano] Feltrinelli,
      1961. 22 cm (U degli studi di Pisa. Studi di filologia moderna, 10).
      2 : 133-138.
      Bref examen des notes, annotations marginales, marques et signets
      dans les livres de la bibliothèque de V à Leningrad.

92   « Privatbibliothek Voltaires in der Saltykov-Ščedrin-Bibliothek, Leningrad. »
      ZfB 74 : 302, 1960.
      Annonce de la prochaine publication en Russie du catalogue.

93   Варбанец, Н. В. & Т. Н. Копреева. « Библиотека Вольтера в
      Ленинграде » [La Bibliothèque de Voltaire à Leningrad]. В защиту
      мира 1960, n° 4 : 54-61. ill.
      Traduction française : « La Bibliothèque de Voltaire à Leningrad. »
      Horizons (Paris) 9 : 121-129, juin 1960. ill.
      Article général sur l'histoire de la bibliothèque, les notes marginales
      et la prochaine publication d'un catalogue.

94   Варбанец, Н. В. « Особенности состава библиотеки Вольтера и
      ее описание » [Particularités de la composition de la bibliothèque de
      Voltaire et sa description]. [In] Библиотека Вольтера : каталог
      книг. Москва-Ленинград, 1961. P. 68-96. Fac-sim.
      Résumé en français, p. 1151-1157.

95   VERCRUYSSE, Jérôme. « Le 150ᵉ Anniversaire de la Bibliothèque publique
      de Leningrad. » *BIV* 3, n° 19 : 198-199, 1964.

II

BIOGRAPHIE

A. 1694-1734

96   ABBOTT, O. F. « A son of Voltaire. » *ConR* 178 : 163-167, Sept. 1950.
L'auteur prétend que Michel Lambert, le libraire-éditeur, serait le fils naturel de V.

97   CHANCELLOR, E. Beresford. « Some bygone foreigners in London. » *The Nineteenth century and after* 116 : 297-307, Sept. 1934.
P. 298-299, bref récit du séjour de V en Angleterre.

98   CHASE, Cleveland B. *The young Voltaire.* New York, Longmans, Green, 1926. 253 p. 21 cm.
Etude de la période anglaise où l'auteur expose surtout la publication de la *Henriade.*

99   CROWLEY, Francis J. « Voltaire et sa petite vérole (1723). » *BIV* n° 4 : 30-31 mars 1962.

100 — « Voltaire spy for Walpole ? » *FS* 18 : 356-359, Oct. 1964.
Rapports de V avec Bacon Morris, agent secret du gouvernement britannique.

101 FABRE, Marcel. « Voltaire et Pimpette de Nîmes. » *Mém Acad Nîmes* 7ᵉ sér., 50 : xli-lxix, 1935.

102 « Généalogie de Voltaire. » *Intermédiaire* 90 : 661, 748, 10-20-30 août, 10 oct. 1928.

103 GOOCH, George Peabody. « Voltaire in England. » *ConR* 195 : 349-353 ; 196 : 31-36, 90-93, June-Sept. 1959.
Réimpr. [in] *French profiles ; prophets and pioneers.* [London] Longmans [1961]. 291 p. 23 cm. P. 44-61.

104 LAUGHLIN, R. A. « Famous premature babies. » *Hygeia* 17 : 203-206, Mar. 1939.

105 LECOCQ, le colonel [Lucien François]. « François Arouet, dit *Voltaire*, clerc de procureur chez Maître Alain, rue des Grands Degrés, sur la Montagne Ste-Geneviève. » *La Montagne Ste-Geneviève* (Bulletin mensuel de la Société historique, archéologique et artistique des Vᵉ, XIIIᵉ et XIVᵉ arrondissements) mai 1950, p. 1-8.
Relation de la vie de V comme clerc à Paris.

106   LEVIN, Lawrence M. « A note on the Arouet > Voltaire problem. » *SP*
       34 : 52-54, Jan. 1937.

107   MORNAND, Pierre. « L'Etrange Destinée d'un discours latin de Voltaire. »
       Arts [beaux-arts, littérature, spectacles] 3 nov. 1950, p. 1-2.

108   ORIEUX, Jean. « François-Marie Arouet, l'enfant du siècle. » *RDM* 15 août
       1964, p. 550-563 ; 1ᵉʳ sept. 1964, p. 100-112.
       Présentation anecdotique des premières années de V jusqu'à l'affaire
       avec Pimpette de Nîmes.

109   PETIT, Léon. « Saint-Loup-sur-Thouet (Deux-Sèvres), lieu de rencontre des
       ancêtres de Voltaire et de La Fontaine. » *Cahiers de l'Ouest* n° 4 :
       24-26, oct. 1954.
       Voir p. 24-25 pour une discussion généalogique des ancêtres poitevins de V.

110   POMEAU, René. « Voltaire au collège. » *RHL* 52 : 1-10, janv.-mars 1952.
       Précisions sur la vie de V au collège des Jésuites.

111   — « Voltaire en Angleterre. Les enseignements d'une liste de souscrip-
       tion. » *Annales publiées par la Faculté des lettres de Toulouse*, Littéra-
       tures III, 4 : 67-76, janv. 1955.
       Une liste de souscription d'une édition de la *Henriade* (Londres, 1728)
       présente des renseignements sur les relations anglaises de V.

111A   P[OUVEREAU], H[enry]. « Souvenirs d'Intervilles 1963 : Où donc Voltaire
       est-il né ? » *Le Vieux Saint-Maur* 42, n° 31 (5ᵉ s.) : 499, 1964.

112   PRICE, J. Roy. « Voltaire's name again. » *FR* 31 : 53-54, Oct. 1957.

113   RAT, Maurice. « Comment le jeune Arouet fut couché sur le testament
       de Ninon de Lenclos. » *FL* 20 oct. 1956, p. 9.
       Discussion des rapports entre V et Mlle de Lenclos.

114   — « Voltaire et Ninon de Lenclos. » *Le Cerf-volant* n° 41 : 15-17, janv. 1963.

115   — « Voltaire, le plus brillant élève des Jésuites. » *FL* 1 fév. 1958, p. 7.

116   RAYNAUD, Ernest. « Voltaire et les fiches de police. » *MdF* 199 : 536-556,
       1 nov. 1927.
       Le dossier de police de V contient souvent des erreurs.

117   RENAUD, Jacques. « A la recherche des Arouet poitevins, ancêtres de
       Voltaire. » *Le Pays d'Ouest* 36, n° 2 : 5-9, 1 mars 1947.

118   — « Les Ancêtres poitevins de Voltaire. » *Bulletin de la Société historique
       et scientifique des Deux-Sèvres* 11, n° 5 : 185-244, 1ᵉʳ trimestre 1960.
       Etude détaillée des Arouet.

119   ROMANE-MUSCULUS, Paul. « Les Ancêtres réformés de Voltaire. » *BSHPF*
       108 : 28-30, janv.-mars 1962.
       Résumé du précédent.

120   « Two hundred years ago. » *N&Q* 162 : 289, 307, Apr. 23, 30, 1932.
       Réimpr. d'extraits de *Read's weekly journal* (Apr. 22, 29, 1732).
       A propos de l'emprisonnement de V et de son séjour à Paris.

121   « Two hundred years ago : from *The British journal...* » *N&Q* 152 : 74,
       29 Jan. 1927.
       Sur la présentation de V à la cour britannique.

122   WADE, Ira O. « Voltaire and Baillet's Manual of pseudonyms. » *MLN* 50 :
       209-215, Apr. 1935.
       Sur son changement de nom.

123   — « Voltaire's name. » *PMLA* 44 : 546-564, June 1929.
       Etude approfondie des diverses hypothèses.

B. 1735-1754

1. Cirey et Mme du Châtelet

124 [AIMERY DE PIERREBOURG, Marguerite (Thomas Galline) baronne]. *Madame du Châtelet, une maîtresse de Voltaire [par] Claude Ferval [pseud.]* Paris, A. Fayard [1948]. 241 p. 19 cm.

125 BALDENSPERGER, Fernand. « Voltaire et la Lorraine. » *Pays lorrain* 26 : 1-20, 209-228 ; 27 : 56-69, 403-417 ; janv., mai 1934 ; fév., sept. 1935.

126 BAUCHY, Jacques-Henry. « Les Séjours de Voltaire dans l'Orléanais. » *Bulletin trimestriel de la Société archéologique et historique de l'Orléanais* N.S. 3, n° 24 : 221-224, 1964.

Etudes des nombreux séjours de V dans la région à part ceux à Sully-sur-Loire.

126A — « Les Séjours de Voltaire en Orléanais [notes complémentaires]. » *Bulletin trimestriel de la Société archéologique et historique de l'Orléanais* N.S. 4, n° 25 : 6, premier trim. 1965.

Sur ses visites chez les Bolingbroke à La Source et chez Mlle de Livry à La Ronce.

127 BERTAUT, Jules. « L'Infortune sentimentale de Voltaire. » *FL* 17 mai 1952, p. 1, 8.

Mme du Châtelet, Saint-Lambert et V.

128 BOOTH, Edward Townsend. *God made the country.* New York, Alfred A. Knopf, 1946. xxv, 330, xx p. 19 cm.

P. 85-109 ; « Voltaire : *cultivez votre jardin* », sur sa vie à Cirey, Les Délices et Ferney.

129 CADILHAC, Paul-Emile. « Voltaire et Madame du Châtelet à Cirey et en Lorraine. » [In] *Demeures inspirées et sites romanesques.* Textes et documents réunis par Paul-Emile Cadilhac et Robert Coiplet. Vol. 4. Paris, Editions de l'Illustration [1963]. 397 p. ill. 37 cm. P. 53-64.

130 [CHARPENTIER, John]. *Voltaire en ménage.* Monaco, Editions LEP, 1962. 30 p. (Ecrivains contemporains, n° 76, mai 1962).

P. 3-27, V et Mme du Châtelet. Erreur sur le lieu de la mort de V.

131 CHÂTELET-LOMONT, Gabrielle Emilie (Le Tonnelier de Breteuil, marquise du). *Discours sur le bonheur.* Edition critique et commentée par Robert Mauzi. Paris, Les Belles Lettres, 1961. cxxvii, 67 p. (Bibliothèque de la Faculté des lettres de Lyon, Fasc. 5).

P. xxiv-xlii, les relations entre Mme du Châtelet et V ; p. lxxiv-cx, une comparaison de la pensée et des attitudes des deux.

132 — *Les Lettres de la Marquise du Châtelet ; publiées par Theodore Besterman.* Genève, Institut et Musée Voltaire, 1958, 2 v. 24 cm (Publications de l'Institut et Musée Voltaire. Série d'études, 3-4).

1 : 11-20, les relations entre Mme du Châtelet et V.
Extrait des « Notes préliminaires » traduit [in] *Voltaire essays and another.* London, Oxford U P, 1962. 181 p. ill. 22 cm. P. 61-73.
Une seule lettre est adressée à V, mais il est souvent question de lui.
C.R. : P. Alatri, *Società* 14, n° 5 : 990-997, set.-ott. 1958 ; J. H. Brumfitt, *FS* 13 : 168-169, Apr. 1959 ; Otis E. Fellows, *RR* 50 : 216-218, Oct. 1959 ; A. J. Freer, *SFr* 3 : 322, mag.-ag. 1959 ; Robert Shackleton, *MLR* 54 : 432-433, July 1959 ; Norman L. Torrey, *MLN* 74 : 466-468, May 1959.

133   Cocteau, Jean. « Voltaire académicien (1746). » *TR* n° 122 : 27, fév. 1958.
       J. Cocteau comparé à V.

134   Conlon, P. M. « Voltaire's election to the Accademia della Crusca. » *SV*
       6 : 133-139, 1958.
       Détails sur son élection.

135   Cox, J. F. « Hommage à la marquise du Châtelet. » *Ciel et terre* 66 :
       1-11, 1950.
       Sur les connaissances newtoniennes de la marquise, avec quelques
       observations sur V.

136   Delage, J. « Les Grands Hommes de France en Alsace. » *Annuaire de
       la Société littéraire et scientifique du club vosgien* n.s. 1 : 60-73, 1933.
       Voir surtout p. 61-62.

137   Dunan, Marcel. « La Nièce de Voltaire. » *RHD* 71 : 261-263, 1957.
       Sur les relations entre Mme Denis et V.

138   Folman, Michel. « La « fausse couche » de Mme Denis. » *PM* 85 : 69,
       10 fév. 1957.

139   — *Les Impuissants de génie.* Paris, Debresse, 1957. 143 p. (Médecine et
       littérature).
       P. 33-39, « Voltaire. »

140   — « Sur quelques impuissants de génie. I. L'Aigri, J.-J. Rousseau. II. Le
       Philosophe, Voltaire. » *PM* 84 : 130-133, 24 mars 1956.
       Voir surtout p. 133.

141   — *Voltaire et Madame Denis.* Genève [Imprimerie de la Tribune de
       Genève] 1957. 3-46 p.
       C.R. : F. Orlando, *SFr* 3 : 320-321, mag.-ag. 1959.

142   Forster, Edward M. « Voltaire's laboratory. » *Life and letters* 7 : 157-
       173, Sept. 1931.
       Réimpr. [in] *Abinger harvest.* London, Arnold [1936]. viii, 351 p.
       P. 199-211 ; New York, Harcourt, Brace [1936]. x, 363 p. 22 cm. P.
       204-218.
       Ses expériences sur le feu et les mollusques.

143   Gigot, Jean-Gabriel. « Autographes inédits de Voltaire et de la marquise
       du Châtelet à l'occasion d'une affaire de vols commis au château de
       Cirey (1736). » *Cahiers haut-marnais* 66 : 123-131, 3e trim. 1961.
       fac-sims.

144   Gooch, George Peabody. « Madame du Châtelet and her lovers. » *ConR*
       200 : 648-653 ; 201 : 44-48, 203-207, Dec. 1961, Jan., Apr. 1962.

144A   Horne, Henri. « Voltaire amoureux. » *Miroir de l'histoire* 8, n° 95 : 583-
       585, nov. 1957.
       V et Mme du Châtelet.

145   Lacretelle, Jacques de. « La Galerie des amants. » *RDM*, 1 août 1963,
       p. 334-349.
       Voir surtout p. 334-337, « Voltaire. »
       Réimpr. [in] *La Galerie des amants.* Paris, Perrin [1963]. 9-333 p.
       22 cm. P. 110-119.

146   Liebrecht, Henri. « Un Séjour de Voltaire à Bruxelles. » *BARL* 26 :
       57-68, août 1948.

147   Lowenthal, Dr. « Epoux et amants au xviiie siècle. *R mondiale* 185 :
       119-132, 234-240, 15 sept., 1 oct. 1928.
       Mme du Châtelet, Saint-Lambert et V.

148   MAUREL, André. *La Marquise du Châtelet, amie de Voltaire*. Paris,
      Hachette, 1930. 239 p. 22,5 cm (Figures du passé).

149   MITFORD, Nancy. *Voltaire in love*. London, Hamilton [1957] 229 p. ;
      New York, Harper [1957] 320 p. ill. 22 cm.

      Traduit en français : *Voltaire amoureux*. Traduit de l'anglais par
      Jacques Brousse. Paris, Stock [1959]. 290 p.
      Traduit en italien : *Voltaire innamorato*. Traduzione dall'inglese di
      Bruno Oddera. [Milano] Bompiano, 1959. 294 p. 20 cm.
      Réimpr. en extraits : « A visit to Voltaire in 1738. » *History today*
      7 : 18-27, Jan. 1957 [visite de Mme de Graffigny] ; « Voltaire in love :
      the last phase... » *Harper's bazaar* Feb. 1958, p. 120 sqq. Ce livre
      traite des relations de V avec Mme du Châtelet et Mme Denis.
      C.R. : Albert Delorme, *RdS* 3e sér., n° 15-16 : 310-312, juil.-déc.
      1959 ; André Maurois, *Time & tide* 38 : 1434-1435, 16 Nov. 1957 ;
      TLS Oct. 25, 1957, p. 638 ; J. G. Weightman, *New statesman* 54 :
      536-538, Oct. 26, 1957.

150   ORIEUX, Jean. « Comment Voltaire força les portes de l'Académie. » *FL*
      25 nov. 1965, p. 12.

151   — « Les Enchantements de l'exil : Voltaire à Cirey. » *RdP* 72 : 68-79,
      janv. 1965. ill.

      A propos de la visite de Mme de Graffigny.

152   OULMONT, Charles. « Au Château de Cirey avec Voltaire. » *Temps* 9 nov.
      1934, p. 4.

      Description de Cirey de nos jours.

153   PARAF, Pierre. « Un Soir avec Voltaire. » *Nouvelle R* 98 : 260-270 ; 99 :
      20-29, 138-146, 15 déc. 1928, 1, 15 janv. 1929.

154   PHILIPS, Edith. « Madame du Châtelet, Voltaire and Plato. » *RR* 33 :
      250-263, Oct. 1942.

      Une étude des annotations marginales de Mme du Châtelet et de V
      dans un exemplaire de la traduction des dialogues de Platon par Dacier.

155   PIGNET, Gilbert. *M. de Voltaire et la vérité sur sa vie amoureuse*. Paris,
      Fasquelle [1938]. 207 p. 19 cm.

156   STERN, Jean. *Voltaire et sa nièce, Madame Denis*. Paris, Genève, La
      Palatine [1957]. 332 p. port. 21 cm.

      Biographie de Mme Denis où l'auteur souligne ses relations avec V.
      C.R. : A. Pizzorusso, *SFr* 3 : 149, gen.-apr. 1959.

157   VALOGNE, Catherine. « Soixante-treize lettres de la Marquise du Châtelet
      éclairent la maturité de Voltaire. » *LF* 18-25 fév. 1954, p. 1, 5. ill.

      L'article contient des extraits de lettres de la marquise au comte
      d'Argental qui datent de la fin de 1738.

158   « Voltaire et les du Châtelet. » *Cahiers haut-marnais* n° 19-20 : 198, été-
      automne 1949.

      Sur une lettre datée le 6 mai 1748 et écrite par Henrieng du Châtelet.

159   WADE, Ira Owen. *Voltaire and Madame du Châtelet : an essay on the
      intellectual activity at Cirey*. Princeton, N.J., Princeton U P ; London,
      H. Milford, Oxford U P, 1941 xii, [3]-241 p. 23 cm.

      C'est à Cirey que V a commencé à s'occuper de la critique biblique.
      C.R. : Harcourt Brown, *MLQ* 3 : 340-344, 1942 ; George R. Havens,
      RR 33 : 80-82, Feb. 1942 ; J. Lough, *MLR* 37 : 225-227, Apr. 1942 ;
      Emile Malakis, *MLN* 57 : 238-239, Mar. 1942 ; Albert Schinz, *FR*
      15 : 70-71, Oct. 1941 ; Norman L. Torrey, *AHR* 47 : 584-585, 1941-1942.

2. Frédéric le Grand

160 ALDINGTON, Richard. « Voltaire and Frederick the Great. » *Fortnightly R*
126 : 518-528, Oct. 1926.

161 BALDENSPERGER, Fernand. « Les Prémices d'une douteuse amitié : Voltaire
et Frédéric II de 1740-1742. » *RLC* 10 : 230-261, avr.-juin 1930.

162 BELLUGOU, Henri. « L'Arrestation de Voltaire à Francfort. » *Recherches et
travaux* 3, n° 3 & 4 : 70-74, juil.-déc. 1948.

163 — *Voltaire et Frédéric au temps de la marquise du Châtelet ; un trio
singulier.* Paris, Rivière, 1962. 219 p. 23 cm.

Premier volume d'une étude qui doit en comporter deux : de 1735
jusqu'au départ de V pour Berlin.
C.R. : André Bertière, *RHL* 64 : 678-679, oct.-déc. 1964 ; A. J.
Freer, *SFr* 8 : 355, mag.-ag. 1964.

164 BEONIO-BROCCHIERI, V., éd. *L'Anti-Machiavelli di Federico il grande nel
testo riveduto da Voltaire, con i capitoli originali del « Principe »
intercalati ai capitoli della confutazione.* Torino, Vincenzo Bona, 1956.
[v]-xlv, 141 p. 6 pl. 21 cm.

165 BESTERMAN, Theodore, éd. « Voltaire's commentary on Frederick's *L'Art
de la guerre.* » *SV* 2 : 61-206, 1956.

Le texte original de l'œuvre avec commentaire par V.
Réimpr. sans le texte original [in] *Voltaire essays and another.* London,
Oxford U P, 1962. 181 p. ill. 22 cm. P. 42-54.

166 DECHENT, H. « Voltaire im Urteil der Frankfurter Zeitgenossen. » *Volk
und Scholle. Heimatblätter für beide Hessen* 11 : 86-89, 1933.

167 FLEISCHAUER, Charles, éd. *L'Anti-Machiavel, par Frédéric II, roi de
Prusse, édition critique avec les remaniements de Voltaire pour les
deux versions.* Genève, Institut et Musée Voltaire, 1958. (*SV*, 5).

C.R. : Oscar A. Haac, *MLQ* 20 : 299-300, Sept. 1959 ; Edwin B.
Place, *Italica* 37 : 73-76, Mar. 1960 ; R. E. Taylor, *FR* 33 : 622-623,
May 1960.

168 GALÉRA, Karl S. von. *Voltaire und der Antimachiavell Friedrichs des Grossen.*
Halle, Mitteldeutsch Verlags-A.-G., 1926. 102 p. (Hallische Forschungen
zu neueren Geschichte, H. 2).

169 GOOCH, George Peabody. « Frederick the Great and Voltaire. » *ConR* 167 :
151-158, 212-221, 272-279, 351-359 ; 168 : 30-38, Mar.-July 1945.

Réimpr. [in] *Frederick the Great, the ruler, the writer, the man.*
New York, Knopf, 1947. ix, 376, iv p. 23 cm. P. 155-216.

170 HARDEKOPF, Ferdinand. « Ein Liebesversuch. » *Schweizerisches kaufmännisches Zentralblatt* 55, n° 43 : 426, 6 Okt. 1951.

Résumé du séjour de V à la cour de Frédéric II.

171 HAZEWINKEL, J. G. « De Koning van den Rococotijd. » *Historia* (Utrecht)
5 : 166-168, Juli 1939.

Sur Frédéric et V.

172 HENRIOT, Emile. *Voltaire et Frédéric II.* Paris, Hachette [1927]. 124 p.
19 cm.

Publié d'abord [in] *R hebdomadaire* année 35, t. 12 : 131-153, 299-325,
441-453, 1926.
C.R. : Daniel Mornet, *RHL* 36 : 301-302, 1929.

173 JAGDHUHN, Gertrud. « Die Dichtungen Friedrich des Grossen. » *RF* 50 :
137-240, 1936.

174   JAHN, Jahnheinz. « Voltaires Frankfurter Abenteuer. » *Antares* 1, n° 7 : 3-17, Sept. 1953. fac-sims.

175   KIEFFER, Eugène. « De la vie et de la « mort » de M. de Voltaire à Colmar. » *Annuaire de la Société historique et littéraire de Colmar* 3 : 85-115, 1953.

      Sur le séjour de V à Colmar et la raison de ce séjour : l'étude de l'histoire de l'Allemagne.

176   KRAMMER, Mario. « Friedrich der Grosse und Voltaire. » [In] Hans Kern, éd. *Schoeferische Freundschaft.* Jena, Eugen Diedrich [1932]. 205 p. P. 7-44.

177   LANGER, Werner. « Friedrich der Grosse und die geistige Welt Frankreichs. » *Hamburger Studien zu Volkstum und Kultur der Romanem.* Band 11. Hamburg, 1932. 195 p. [Précédemment *Seminar für romanische Sprachen und Kultur*].

178   MACHIAVELLI, Niccolò. *Le Prince, traduction de Guiraudet, revue et corrigée ; suivi de L'Anti-Machiavel de Frédéric II, avec toutes les corrections de Voltaire ; introduction et notes par Raymond Naves.* Paris, Garnier [1941]. xxxix, 274 p. 19 cm (Classiques Garnier).

      Voir surtout p. xxx-xxxi, xxxv-xxxix, sur le rôle de V dans la publication de l'œuvre de Frédéric II.

179   — *Le Prince, traduit par Guiraudet, suivi de L'Anti-Machiavel de Frédéric II adapté par Voltaire.* Préface et notes par Yves Florenne. [Paris] Club français du livre, 1962 [c. 1947]. xx, 227 p. 21 cm (Classiques, 71). 9 gravures de Piranèsi.

      P. i-xx, « Machiavel ou l'homme qui a fait son temps. »

180   MEINERTZ, Joachim. « Friedrich II. und die französische Aufklärung. » *Merkur* 12, 7 H. : 629-645, Juli 1958.

      Voir surtout p. 637-644, sur la pensée philosophique et littéraire et l'action politique de Frédéric dans leurs rapports avec V.

181   MÖNCH, Walter. « Voltaire und Friedrich der Grosse. » *Neuphilologische Monatsschrift* 11 : 134-147, Juni 1940.

      Sur la psychologie, l'esprit et la pensée des deux hommes.

182   — *Voltaire und Friedrich der Grosse : das Drama einer denkwürdigen Freundschaft ; eine Studie zur Literatur, Politik und Philosophie des XVIII. Jahrhunderts.* Stuttgart, Kohlhammer, 1943. 458 p. ill. 24 cm.

      Réimpr. des p. 103-112, 233-247, 323-330 [in] « Voltaire und Friedrich der Grosse. » *Deutschland-Frankreich* (Vierteljahresschrift des deutschen Instituts, Paris) 2, n° 5 : 23-45, 1943. Cette étude traite aussi des relations de V avec Catherine II et de la guerre contre l'Infâme.

183   MORGENTHALER, Alphonse. « Du nouveau sur Voltaire en Alsace. » *Saisons d'Alsace* 4, n° 4 (16) : 363-381, automne 1952. fac-sims. port.

      Des extraits de lettres inédites de V à Defresney, directeur des postes à Strasbourg.

184   PARAF, Pierre. « Voltaire au pays de Candide. » *Europe* 37, n° 361-362 : 75-87, mai-juin 1959.

      Résumé des relations entre V et Frédéric II.

185   PATZIG, Hermann. « Zu der Epître Friedrichs des Grossen an Voltaire vom 2. Nov. 1741. » *ZFSL* 51 : 303-318, 1928.

186   Skalweit, Stephan. *Frankreich und Friedrich der Grosse ; der Aufsteig Preussens in der öffentlichen Meinung des « ancien régime ».* Bonn, Ludwig Röhrscheid Verlag, 1952. 201 p. (Bonner historische Forschungen, 1).

Voir surtout p. 40-65 (« Roi philosophe » und « philosophe guerrier »), 136-144. Une étude de l'attitude changeante de V vis-à-vis de Frédéric II et sa réaction à la guerre de Sept Ans.
C.R. : *Antiquariat* 8, n° 7-8 : 155, 10. Apr. 1952.

187   Strachey, Giles Lytton. « Voltaire og Frederik den Store » [Voltaire et Frédéric le Grand]. *Tilskueren* 48 : 113-134, Feb. 1931.

Traduction danoise de l'essai [in] *Biographical essays.* New York, Harcourt, Brace [1949]. 294 p. 19 cm. P. 80-105.

188   Wright, Edna. « Interiors of olden times. » *Hobbies* 56, n° 9 : 120, Nov. 1951.

Description de la chambre de V à Sans Souci (Potsdam), avec un résumé des relations entre V et Frédéric II.

C. 1755-1778

1. Genève

189   Alatri, Paolo. « Note sul periodo ginevrino di Voltaire e sulle sue corrispondenze coi Tronchin e coi Cramer. » *NRS* 40 : 225-261, 442-477 ; 41 : 33-86, mag.-ag., set.-dic. 1956 ; gen.-apr. 1957.

Réimpr. [même titre] : Milano, Soc. ed. Dante Alighieri, 1957. 127 p. Réimpr. [in] *Voltaire, Diderot e il « Partito filosofico ».* Messina-Firenze, Casa ed. G. D'Anna [1965]. 490 p. 22 cm. P. 11-159. Cette étude considère les divers aspects de la personnalité et des activités de V pendant son séjour dans la région de Genève.
C.R. : Nicola Matteucci, *Mulino* 6 : 143-148, feb. 1957.

190   — « Voltaire e Ginevra. » [In] *Ginevra e l'Italia.* Raccolta di studi promossa dalla Facoltà Valdese di Theologia di Roma a cura di Delio Cantimori [...]. Firenze, Sansoni [1959]. x, 769 p. (Biblioteca storica Sansoni, Nuova Serie, 34). P. 613-649.

V et ses rapports avec Genève de 1755 à 1758 et son intervention par la suite en faveur des bourgeois et des natifs.

191   Angioletti, G. B. « Voltaire alle « Délices ». » [In] *L'Anatra alla normanna.* [Milano] Fratelli Fabbri [1957]. 236 p. 21 cm (Nuovi saggi). P. 100-104.

192   — « Voltaire in Svizzera : una vendetta ginevrina. » *Nuova Stampa* 11, n° 251 : 3, 22 ottobre 1955.

Sur V à Genève et sur une visite à l'Institut et Musée Voltaire.

193   Babel, Antony. « L'Abbé Galiani, Voltaire, Turgot et la Chambre des blés de Genève. » [In] *Etudes économiques et sociales publiées à l'occasion du XXVe anniversaire de la fondation de la Faculté des sciences économiques et sociales de l'Université de Genève.* Préface de M. Eugène Pittard [...]. Genève, Georg & Cie, 1941. 449 p. ill. 24 cm. P. 169-234.

P. 197-202, « Voltaire. » Chez V il n'y a pas d'idées systématiques au sujet du conflit des grains : les circonstances et l'intérêt gouvernent ses opinions.

194   Baehni, Charles. « Voltaire jardinier : les Délices de Voltaire. » *Les Musées de Genève* 2e année, n° 2 : [1], fév. 1945. ill.

195   BALDENSPERGER, Fernand. « Un Projet d'évasion des clercs, 1766. » *RdP*
      44 (2) : 656-669, 1 avril 1937.

      Les efforts de V pour faire publier l'*Encyclopédie* à l'étranger avec
      l'aide de Frédéric II.

196   CHAPONNIÈRE, Paul. *Voltaire chez les calvinistes.* Genève, Editions du
      Journal de Genève, 1932. 182 p. ; Paris, Perrin, 1936. 267 p. 22,5 cm.

      C.R. : Daniel Mornet, *RHL* 43 : 305, av.-juin 1936 ; Raoul Patry,
      BSHPF 81 : 440-442 ; *RLC* 12 : 436-437, 1932 ; F. Rouchon, *AJJR*
      20 : 274-275, 1931.
      Cette œuvre complète et corrige Desnoiresterres.

197   — « Un Pasteur genevois ami de Voltaire : Jacob Vernes. » *RHL* 36 :
      181-201, avr.-juin 1929.

198   CHAPUISAT, Edouard. *Salons et chancelleries au XVIIIe siècle, d'après la*
      correspondance du conseiller J.-L. Du Pan. Lausanne, Genève, Neu-
      châtel, Payot, 1943. 232 p. 19,5 cm.

      Voir surtout p. 77-135, « En écoutant M. de Voltaire » ; 137-161,
      « Autour de Rousseau. » Vue générale de V et ses rapports avec les
      Suisses pendant son séjour en Suisse et à Ferney.

199   CHENAIS, Margaret-R. « Des Délices à Ferney. » *Visages de l'Ain* 12,
      n° 46 : 30-32, avr.-juin 1959. ill.

      Les débuts des préoccupations sociales de V.

200   DELATTRE, André. « Voltaire and the ministers of Geneva. » *CH* 13 :
      243-254, Dec. 1944.

      Une préférence passagère du protestantisme suisse pour la morale aux
      dépens de la théologie a fait croire à V (à tort) que cette religion
      évoluait vers le déisme. Cette étude contient une lettre inédite à
      Théodore Tronchin, datée à Lausanne, 12 janvier [1758].

201   DONVEZ, Jacques. « Autour d'un inédit voltairien : le Testament de
      Lausanne. » *FR* 24 : 1-4, Oct. 1960.

      L'auteur présente le texte d'un testament fait le 1ᵉʳ mai 1758 et
      commente les rapports entre V et M. de Brenles et Polier de Bottens.

202   FERRIER, Jean-P. « Covelle, Voltaire et l'affaire de la génuflexion. » *Bulletin*
      de la Société d'histoire et d'archéologie de Genève 8 : 217-225 juil.
      1945-juin 1946.

      Sur le mémoire de Covelle adressé au Consistoire de Genève.

203   FULPIUS, Lucien. « Une Demeure historique : les Délices de Voltaire. »
      Genava 21 : 173-207, 1943. ill. Rééd. : *Versailles* n° 25 p. 14-22, 1965 ;
      n° 26 p. 9-16.

      Description de la propriété avant, pendant et après le séjour de V.

204   GAGNEBIN, Bernard. « La Diffusion clandestine des œuvres de Voltaire par
      les soins des frères Cramer. » [In] *Actes du cinquième Congrès national*
      de la Société française de littérature comparée, Lyon, mai 1962 :
      Imprimerie, commerce et littérature. Paris, Les Belles Lettres, 1965.
      227 p. ill. (Annales de l'U de Lyon, 3ᵉ sér., Lettres, fasc. 39). P. 119-132.

205   — éd. *Genève : textes et prétextes.* Choix et préface de Bernard Gagnebin
      [...]. [Lausanne] Mermod [1946]. 400 p. 17 cm ill. (Collection du
      Bouquet, 27).

      P. 95-112, « Voltaire aux Délices », qui contient les lettres suivantes :
      à M. de Tronchin, conseiller, 17 janv. 1755 ; au maréchal duc de
      Richelieu, 13 fév. 1755 ; à M. Tronchin, banquier, aux Délices, 2 avril
      1755 ; à Jean-Robert Tronchin, banquier, aux Délices, 18 avril 1755,
      8 août 1755, 16 août 1755 ; au marquis d'Adhémar [juil. 1757].

206 — « Le médiateur d'une petite querelle genevoise. » *SV* 1 : 115-123, 1955.

V est l'auteur d'un compliment adressé aux autorités de Genève par une délégation des natifs. Le texte est reproduit ici.

207 — « Voltaire à Genève. » *Genava* 23 : 70-85, 1945. ill.

P. 70-81, exposé sur les 550 lettres adressées aux Tronchin qui se trouvent à la Bibliothèque publique et universitaire de Genève, suivi de 12 lettres inédites ; p. 82-85, liste des portraits par Huber utilisés lors du 250e anniversaire de V, avec une indication de leur provenance.

208 — Kunz-Aubert, Ulysse. « Le Seigneur de Ferney reçoit... » *Journal de Genève* 23-24 mai 1964, p. vi.

Commentaire sur le théâtre de V à Genève et à Ferney.

209 Lacretelle, Jacques de. « Visite aux « Délices ». » *Figaro* 30 juil. 1959, p. 1.

Sur le château, l'Institut et Musée Voltaire et l'esprit voltairien.

210 Люблинский, Владимир С. « Вольтер и мучная война. » [Voltaire et la guerre des farines]. [In] Из истории общественных отношений (Сборник статей в память академика Евгения Викторовича Тарле). Москва, изд. Акад. Наук СССР, 1957. 736 p. P. 135-147.

Traduction française : « Voltaire et la guerre des farines. » *AHRF* 37, n° 156 : 127-145, avril-juin 1959.
Traduction allemande : « Voltaire und der *Mehlkrieg*. » [In] *Voltaire-Studien*. Berlin, Akademie-Verlag, 1961. P. 145-168.
Etude du pamphlet « Diatribe à l'auteur des *Ephémérides*. »

211 Meauprince, Natalie. [...] *La Clef de Genève*. Introduction de Lucien Fulpius [...] Genève, Editions du Verbe [1946]. 230 p.

P. 13-25, « Le Meilleur des mondes possibles (Voltaire, 1694-1778) » ; sur le séjour de V dans la région de Genève.

212 Oulmont, Charles. « Quand Voltaire allait aux eaux (Plombières). » *Temps* 9 nov. 1934, p. 5.

213 Pittard, Thérèse. « Un Natif turbulent et Voltaire. » *Journal de Genève* 12 juillet 1957, p. 11.

Texte d'un contrat signé par Georges Auzière (monteur de boîtes) à Gex, 5 juillet 1777.

214 Rat, Maurice. « Aux « Délices » quand Voltaire fit la conquête de Casanova. » *FL* 31 janv. 1953, p. 7.

Portrait de V basé sur les mémoires de Casanova.

215 Roulet, Louis-Edouard. *Voltaire et les Bernois*. Neuchâtel, La Baconnière [1950]. 247 p. 19 cm ; La Chaux-de-Fonds, Coopératives réunies, 1950. 247 p. 19 cm.

Corrige Desnoiresterres et ajoute des détails sur les relations de V avec Berne, ses familles principales et Haller.
C.R. : René Pomeau, *RSH* N.S. Fasc. 64 : 359-360, oct.-déc. 1951 ; Jacques Quignard, *LR* 7 : 162-164, 1 mai 1953.

216 Ruffini, Francesco. « Voltaire e Rousseau contro i sociniani di Ginevra. » Extr. de *La Cultura* 12, fasc. 1 (gen.-mar. 1933). Milano, Soc. ed. La Cultura, 1933. 36 p.

V et Rousseau ont tort l'un et l'autre. C'est le théâtre, condamné par les Calvinistes, qui est à l'origine des difficultés de V.

216A Sablé, J. « Voltaire à Ferney. » *L'Ecole* 53e année, p. 546, 586-588, 3 mars 1962.

217 Sayous, André E. « Genève au temps de Rousseau et de Voltaire. » *Compte rendu*, Académie des sciences morales et politiques. Séances et travaux 1935 : 372-392, nov.-déc.

218   VERCRUYSSE, Jérôme. « Lettre inédite de Marc-Michel Rey à Rousseau (18
       janvier 1765). » *Neophil* 48 : 298-301, 1964.

       Cette lettre donne des renseignements sur l'opinion de Rey à l'égard de V.

219   WATTS, George B. « The 1768 edition of Voltaire's *Œuvres, Les Questions
       sur l'Encyclopédie,* and the pastors and authorities of Geneva. » *FR*
       34 : 74-77, Oct. 1960.

       Aux yeux de V et des frères Cramer l'opinion protestante officielle
       compte peu.

220   WEIL, Françoise. « Amitiés franco-genevoises pendant les années 1725-
       1755. » Extr. des *Actes du troisième Congrès national, Société française
       de littérature comparée. Dijon, 1959.* P. 101-110.

       Valeur bibliographique pour les rapports de V avec ses visiteurs.

2. Ferney

221   AMIGUET, Philippe. « Als Voltaire in Ferney für seine Uhren warb. »
       Schweizerische Uhrmachen-Zeitung (Journal suisse des horlogers) 83,
       n° 7 : 47-49, 1 Juli 1961. ill.

       Trad. : « Quand Voltaire s'occupait à Ferney de publicité horlogère. »
       Ibid., p. 50-51.

222   BALDENSPERGER, Fernand. « Voltaire et la diplomatie française dans les
       « affaires de Genève », 1765-70. » *RLC* 11 : 581-606, oct.-déc. 1931.
       Réimpr. [in] *Etudes d'histoire littéraire,* 4. série. Paris, E. Droz, 1939.
       19 cm. P. 148-184.

223   BERTAUT, Jules. « A la cour du roi Voltaire, quand la Denis avait l'œil
       à tout. » *FL* 6 déc. 1952, p. 5.

       Description d'une journée typique à Ferney.

224   BESTERMAN, Theodore, éd. « Louis XVI, en 1774, avait tramé un complot
       pour saisir les papiers de Voltaire. Documents inédits. » *FL* 15 avril
       1961, p. 5, 12. ill.

       Ces inédits révèlent que le roi avait ordonné la saisie des papiers de
       V lorsque celui-ci mourrait. Cet ordre fut révoqué par la suite.

225   — « Le 1ᵉʳ mars 1768 : un drame dans la vie de Voltaire. Lettres inédites
       recueillies et présentées par Theodore Besterman. » *FL* 2 mai 1959, p. 5.

       Des extraits tirés de quelques-unes des 13 lettres écrites par V ce
       jour-là font connaître ses sentiments mêlés vis-à-vis de La Harpe et
       Mᵐᵉ Denis à cause de la publication, sans son consentement, du 2ᵉ
       Chant de la *Guerre civile de Genève.*

226   BURNEY, Charles. *An eighteenth-century musical tour in France and Italy ;
       being Dr. Charles Burney's account of his musical experiences as it
       appears in his published volume with which are incorporated his travel
       experiences according to his original intention.* Edited by Percy A.
       Scholes. London, New York, Oxford U P, 1959. xxxv, 328 p. port.
       26 cm (Musical Tours in Europe, 1).

       P. 42-45, « The meeting with Voltaire. »

227   CANDAUX, Jean-Daniel. « Ferney en 1775. D'après la description inédite
       d'un petit-neveu de Voltaire. » Extr. du *Bugey* 1961, p. 7-13.

       Une lettre d'Alex. Marie François de Paule de Dompierre d'Hornoy
       adressée à Johann Rudolph Sinner de Ballaignes trouvée dans les
       papiers de Sinner de la Bibliothèque de la Bourgeoisie à Berne et
       datée à Ferney, 17 oct. 1775.

228   CEITAC, Jane. *L'Affaire des Natifs et Voltaire ; un aspect de la carrière humanitaire du patriarche de Ferney.* Thèse [...] Lausanne. Genève, Droz, 1956. 222 p. 25 cm.
       Le même : *Voltaire et l'affaire des Natifs ; un aspect de la carrière humanitaire du patriarche de Ferney.* Genève, Droz, 1956. 222 p.
       Cette étude, qui contient des lettres inédites de V, corrige certains aspects de Desnoiresterres et présente V sous un jour plus favorable. C.R. : Nicola Matteucci, *Mulino* 6 : 143-148, feb. 1957 ; Norman L. Torrey, *RR* 48 : 307-308, Dec. 1957.

229   CHAPUISAT, Edouard. « A propos de Voltaire et de Marie-Françoise Corneille. » *Temps* 9 fév. 1938, p. 3.

230   COIPLET, Robert. « Voltaire à Ferney. » [In] *Demeures inspirées et sites romanesques.* Textes et documents réunis par Paul-Emile Cadilhac et Robert Coiplet. Vol. 2. Paris, SNEP-Illustration [1955]. 385 p. ill. 39 cm. P. 87-94.
       Sur le château et le village (autrefois et de nos jours) et sur les invités et le train de vie de V.

231   DE BEER, Sir Gavin [Rylands]. « John Morgan's visit to Voltaire. » *N&R* 10 : 148-158, Apr. 1953. port.
       Extrait du *Journal* d'un éminent médecin américain.

232   — et Bernard GAGNEBIN. « Une Visite à Voltaire. » *Musées de Genève* 11, n° 9, oct. 1954 [non paginé]. port.
       La visite de William Constable à Ferney en mai ou juin 1770.

233   DE BEER, Sir Gavin [Rylands]. « Voltaire's British visitors. » *SV* 4 : 7-136, 1957.
       Cette étude identifie 80 visiteurs dont une quarantaine ont laissé un récit de leur visite. L'auteur réimprime ces récits ainsi que plusieurs relations anonymes. Pour des additions voir les 2 articles suivants et R. A. Leigh, *MLR* 53 : 437-439, 1958.

234   — « Voltaire's British visitors : supplement. » *SV* 10 : 425-438, 1959.
       14 visiteurs supplémentaires.

235   — et André Michel ROUSSEAU. « Voltaire's British visitors : second supplement. » *SV* 18 : 237-262, 1961.
       28 visiteurs supplémentaires.

236   DEDIEU, Joseph. « Un Incident inédit de la vie de Voltaire. » *RHL* 42 : 218-222, avr.-juin 1935.
       Sur les relations de V avec l'abbé Hugonnet (de Ferney) et l'abbé Castin, curé de Gex, dans ses efforts pour arrondir ses terres.

237   DONVEZ, Jacques. « Une Idée voltairienne : Versoix, ville de tolérance. » *La Revue française de l'élite européenne* n° 67 : 17-23, avril 1955. ill.
       L'histoire de ce projet.

238   DUMAS, Gustave. « Voltaire's Jesuit chaplain. » *Thought* 15 : 17-25, Mar. 1940.
       Le père Adam.

239   ESCOMBE, Barbara. « Ferney-Voltaire. » *ConR* 204 : 33-37, July 1963.
       V propriétaire foncier a essayé de mettre en pratique ses idées humanitaires et scientifiques.

240   ETIENNE, J. « Voltaire et l'horlogerie ou un philosophe dans les affaires. » *Technica* (Bruxelles) 11, n° 127 : 139-143 ; n° 128 : 197-200, 1957. Réimpr. de *La Montre française.*
       Résumé de l'industrie fondée par V pour aider les horlogers exilés de Genève.

241   FLORIAN, J.-P. « Vacances à Ferney. » *Visages de l'Ain* 16, n° 65 : 2-7, janv.-fév. 1963.

La vie à Ferney révélée dans les *Mémoires d'un jeune Espagnol* de Jean-Pierre Florian.

242   GIDDEY, Ernest. « Les Voyages en Suisse de Charles James Fox et ses visites à Voltaire et à Gibbon. » *Revue historique vaudoise* 63 : 106-113, sept. 1955.

La relation de la visite à V en 1768 est basée surtout sur le témoignage de Sir Uvedale Price.

243   GRAY, W. Forbes. « The Douglas cause : an unpublished correspondence. » *QR* 276 : 69-79, Jan. 1941.

Voir surtout p. 77-79. D'après le témoignage du Dr John Moore sur ses visites à Ferney en 1773 V s'intéressait vivement à cette célèbre cause écossaise.

244   HENON, M. « Une Visite à Voltaire. » *Nouvelle Revue pédagogique* (Paris) 13, n° 1 : 2-5, 25 sept. 1957.

Commentaire sur une lettre de Frederick de Stolberg à sa sœur (août 1775) au sujet de sa visite à V.

245   HUMBOURG, Pierre. « Ferney-Lambert. » *NL* 28 juil. 1934, p. 4.

246   LEWIS, Frank R. « An Englishman visits Voltaire. » *TLS* Aug. 20, 1938, p. 543.

« Tour of the continent », ms. de Sir Thomas Pennant à la Welsh National Library, contient la relation de sa visite.

247   LÜTH, Paul. « Biographie und Altern ; Beiträge zur Typologie des Alternserlebens. » *FuF* 34 : 238-243, Aug. 1960.

P. 240-241, « Voltaire. »

248   METKEN, Günter. « Ins Theaterspielen verliebt : Monsieur Voltaire. » *Merian* 16, H. 1 : 70, 1963.

249   MICHAUD, Léon. « Deux Opinions inédites sur Rousseau et sur Voltaire. » *Revue historique vaudoise* 70 : 138-142, sept. 1962.

La relation d'une visite de Béat de Hennezel à V en 1766 qui se trouve dans la Collection Hennezel de la Bibliothèque publique d'Yverdon.

250   MONIER, M.-E. « Jean Baptiste du Tertre, notaire de Voltaire et premier commis du département des finances. » *RSSHN* n° 31 : 17-31, 3e trim. 1963.

Voir surtout p. 21-22 pour le récit de ses contacts avec V et avec la succession de celui-ci.

251   « M. de Voltaire, fabricant de bas de soie. » *Illustration* 6 déc. 1930, p. xlii. ill.

252   MOUSSAT, Emile. « Que fut Ferney pour Voltaire ? » *Visages de l'Ain* 12, n° 146 : 23-29, avr.-juin 1959. ill.

Coup d'œil sur les activités variées de V.

253   OULMONT, Charles. « Demeures françaises : Ferney-Voltaire (documents inédits). » *Temps* 15 sept. 1935, p. 3-4.

254   PAULDING, C. G. « The house. » *Commonweal* 36 : 533, Sept. 25, 1942.

Description du château de V à Ferney.

255   PINATEL, Joseph. « Une Querelle de Voltaire et le président de Brosses. » *L'Ecole* (2e cycle, enseignement littéraire) 43, n° 7 : 203, 213, 22 déc. 1951.

256   Rat, Maurice. « Bonne Maman Denis » trembla longtemps que Voltaire
       ne refît son testament. » *FL* 28 juin 1952, p. 9.

257   Régnier, Henri de. « Voltaire et Casanova. » *RDM* 7 pér. 47 : 338-355,
       15 sept. 1928.

       Essai qui met en contraste V et Casanova.

258   — éd. *Casanova chez Voltaire*. Présenté par Henri de Régnier. [Paris] Les
       Conversations, à la librairie Plon, 1929. 64 p. 23 cm ill.

       P. 1-30, « Présentation par Henri de Régnier » ; p. 31-64, « Entretiens
       avec Voltaire à Fernay [*sic*] les 22, 23, 24 et 25 août 1760. Extraits
       des Mémoires de Jacques Casanova de Seingalt, vénitien. »

259   Richard, abbé Antoine. « En bâtissant mon église » (Voltaire). » *Bull
       Belley* 5, n° 13 : 14-32, avr. 1950. ill.

       Réimpr. : « Voltaire bâtisseur d'église. » *Sacerdoce et poésie* n° 29 :
       247-250 ; 30 : 273-276 ; 31 : 299-300 ; 32 : 321-325, août 1956-fév. 1957.
       Sur les ennuis de V en faisant construire son église.

260   — « Voltaire et son curé. » *Bull Belley* 19, n° 39 : 1-36, 1964.

       Sur les divers prêtres dans la vie de V après 1758 : Burdet à Pregny,
       Gros et Hugonet à Ferney.

261   Rousseau, André-Michel. « Quand Voltaire vendait ses livres. Quelques
       notes à propos de listes de souscription. » [In] *Actes du cinquième
       Congrès national de la Société française de littérature comparée. Lyon,
       mai 1962 : Imprimerie, commerce et littérature*. Paris, Les Belles
       Lettres, 1965. 227 p. ill. (Annales de l'U de Lyon, 3ᵉ sér., Lettres,
       fasc. 39). P. 101-117.

       Etude des activités de V dans la publication de la *Henriade* et surtout
       des *Commentaires sur Corneille*.

262   Rowe, Edna. « Voltaire, master of business strategy. » *The Magazine of
       business* 56 : 163, Aug. 1929.

263   Spink, John S. « Mlle Clairon à Ferney, quelques documents inédits. »
       BSHT p. 65-74, juil. 1935.

264   Stern, Jean. *Belle et Bonne, une fervente amie de Voltaire (1757-1822)*.
       [Paris] Hachette [1938]. 254 p. 20,5 cm.

       Biographie de Mᵐᵉ de Villette, dont à peu près un tiers est consacré aux
       dernières années de V.

265   « Voltaire intime. » *NL* 21 avr. 1943, p. 6.

3. Maladies, Mort et Enterrement

266   Barraud, Georges. « Voltaire et la médecine. » *PM* 78, n° 2 : 49-53, 24
       janv. 1950. ill.

267   Bers, W. « Ist Voltaire als Katholik gestorben ? » *Theologisch-praktische
       Quartalschrift* 103 : 65-66, 1955.

268   Boissier, R. « Voltaire et ses médecins : 1. Voltaire et Tronchin. » *PM*
       10 déc. 1927.

269   Bourdais, Joseph-Emile. *Pourquoi et comment fut tué Henri IV*. Dinard
       [1930]. 61 p. ill. 27 cm.

       P. 48-52, « Les Restes mortels de Voltaire sont-ils au Panthéon ? »
       Encore de l'incertitude sur l'identité du crâne de V.

270   Candaux, Jean Daniel. « Des Documents nouveaux sur la mort de Voltaire ? »
       SV 20 : 261-263, 1962.

       Cet article réfute les arguments de Lebois tout en défendant ceux
       de Desnoiresterres et de Pomeau.

271 CHAUMARTIN, Henri. *L'Envers du roi Voltaire.* [Vienne-la-Romaine] 1951. 40 p. (Petite Histoire de la médecine, 11).

« Le « Petit Lever » d'un prince de l'esprit », « Le Paresseux Intestin de Monsieur de Voltaire », « Voltaire a-t-il accompli la légende d'Ezéchiel ? »

272 — *Ombres et silhouettes ; dix récits de petite histoire, avec une préface d'Edmond Pilon.* Paris, Emile-Paul Frères, 1938. 152 p. 18 cm.

P. 78-95, « Le Paresseux Intestin de M. de Voltaire. »

273 CHAUVIN, A. « La Translation du corps de Voltaire. » *Intermédiaire* 97 : col. 765-766, 30 oct. 1934.

273A « Cœur de Voltaire. » *Intermédiaire* 98 : col. 91, 15 fév. 1935.

274 DAGORNE, René. « Les Yeux de Voltaire. » *Archives médico-chirurgicales de Normandie* N.S. 43, n° 25 : 425-432, fév. 1953.

Commentaires par V sur la cécité et l'état de ses yeux.

274A DAULNOY, Ferdinand. « Les Circonstances de la mort de Voltaire, arrivée le 30 mai 1778. » *BBB* N.S. 6 : 119-122, mars 1927.

Des notes sur deux mss ayant rapport à la mort de V.

275 « Death of Voltaire. » *Sign* 13 : 409, Feb. 1934.

Des doutes sur la bonne foi de l'aveu fait au lit de mort.

276 DERRICK, Michael. « How Voltaire died ; new light on his last twelve weeks. » *Tablet* 204 : 202, Aug. 28, 1954.

L'auteur accepte la thèse que V est mort réconcilié avec l'Eglise.

277 DONVEZ, Jacques. « Voltaire mourut-il bon catholique ? [...] Texte autographe de sa rétraction et déclaration par-devant notaire de l'abbé Gaultier qui le confessa en mars 1778. Documents inédits [...]. » *FL* 7 août 1954, p. 1, 6-7.

C.R. : *Newsweek* 44 : 47, Sept. 6, 1954.

277A FAURE, Jacques. « Voltaire est-il au Panthéon ? » *Aux Carrefours de l'histoire* 1957, n° 3 : 245-249, oct. 1957.

278 GIRAUD, Victor. « Les Derniers Jours et la mort de Voltaire, lettres inédites de La Harpe à Boissy d'Anglas. » *RHL* 45 : 360-363, juil.-sept. 1938.

279 LAFONT, J. « Voltaire malade. » *PM* 1927 : 148, 150, 22 janv. 1927.

280 LEBOIS, André. « La Mort chrétienne de Voltaire (La Version de Duvivier) ; documents inédits. » *ALM* n° 32, 1960. 31 p. fac-sim.

Réimpr. sous le titre « Le Trépas chrétien de M. de Voltaire. » [In] *Littérature sous Louis XV. Portraits et documents.* Paris, Editions Denoël [1962]. 398 p. 20 cm. P. 297-323.
Récit de la mort de V qui ajoute foi surtout à la version de Duvivier.
C.R. : R. Pouillart, *LR* 16 : 203, 1 mai 1962.
Résumé par A. Billy, « Des Témoignages à l'histoire : la mort de Voltaire... et celle de Stendhal », *FL* 21 janv. 1961, p. 4.

281 LENÔTRE, Georges [pseud. de Louis Léon Théodore Gosselin]. *Existences d'artistes de Molière à Victor Hugo.* Paris, Grasset [1941]. 340 p. (La Petite Histoire, 11).

P. 91-121, « Voltaire. »
Détails sur sa santé, ses derniers jours, son enterrement, l'histoire de son cœur et son cerveau, etc.

282 MOORMAN, Lewis J. « Tuberculosis and genius : Voltaire. » *Annals of medical history* N.S. 3 : 626-637, Dec. 1931.

Révision [in] *Tuberculosis and genius.* Chicago, U of Chicago P [1940]. 271 p. 23,5 cm. P. 124-146.

283 PETIT, Georges, D^r. « Voltaire. » *Chr Méd* 37 : 141-148, 1er juin 1930. Considérations médicales.

284 — « Voltaire et la petite histoire. » *Chr Méd* 43 : 221-225, sept. 1936. Le physique de V.

285 PICCA, P[aulo]. *Medici e medicine di Voltaire.* [Roma] Fabbrica Romana Prodotti Chimici [1938]. 8 p. (Curiosità mediche nella scienza e nell'arte).

285A PLOURIN, Marie-Louise. « Les Pompes funèbres de Voltaire. » *Miroir de l'histoire* 4, n° 47 : 1353-1355, déc. 1953.

286 POMEAU, René. « La Confession et la mort de Voltaire d'après des documents inédits. » *RHL* 55 : 299-318, juil.-sept. 1955.

De nouveaux documents inédits servent à corriger le récit des derniers jours de V donné par Desnoiresterres.

287 « Prétendue découverte des restes de Voltaire. » *Intermédiaire* 90 : 913, 10 déc. 1927.

288 RAT, Maurice. « Comment un évêque ultramontain obtint, par arrêt, le cœur de Voltaire. » *FL* 11 avr. 1953, p. 9. ill.

288A RÉGIS, Roger. « Voltaire où es-tu ? Est-ce bien Voltaire que la Révolution a ramené au Panthéon ? » *Histoires de l'histoire* 1959, n° 2 : 6-13 fév. 1959.

289 ROLLESTON, John D. *Voltaire and English doctors.* Genève, Impr. Albert Kundig, 1926. 7 p.

Communication faite au 5e Congrès international d'histoire de la médecine.

290 — *Voltaire and medicine.* London, John Bale, Sons & Danielson, ltd., 1926. 27 p.

Réimpr. des *Proceedings of the Royal Society of Medicine* 19 : 17-28, 79-94, 1925-1926.

290A ROUGERON, G. « Le Cœur de Voltaire à l'évêché. » *Histoires de l'histoire* 1959, n° 5 : 7-11, juin 1959.

Détails sur le marquis de Villette et le destin de l'urne contenant (?) le cœur de V.

291 ROUSTAN, Mario. « Le Secret de l'abbé Mignot. » *Renaissance* 15, n° 49 : 3-4, 3 déc. 1927.

A propos de l'enterrement de V.

292 SABRAZÈS, J. « Th. Tronchin, médecin de Voltaire ; à propos d'une ordonnance. » *Aesculape* N.S. 16 : 121-127, mai 1926.

Voir surtout p. 124-127.

293 SCHOLL, Klaus. « Starb Voltaire wirklich als Christ ? » *Begegnung* 10 : 131-132, 1 Mai 1955.

294 SCHZ. « Starb Voltaire « wie ein Hund ? » *Hochland* 47 : 94-96, Okt. 1954.

294A STAHLER, Robert. « Voltaire est-il mort dans d'affreux tourments ? » *Le Protestant* 15 août 1961, p. 5-6.

295 VALLERY-RADOT, Pierre. « Voltaire. Tranches de sa vie d'après sa correspondance. » *Presse médicale* 70 : 2675-2676, 15 déc. 1962.

Citations choisies à propos de sa santé et ses maladies.

296 — « Voltaire (1694-1778), ses médecins, ses maladies, d'après sa correspondance. » *Presse médicale* 66 : 1803-1804, 15 nov. 1958.

297   — « Voltaire, sous un aspect inattendu. » *Histoire de la médecine* 8, n° 6 :
       61-64, juin 1958.

       Sur l'ingéniosité de V en parlant de ses diverses maladies.

298   VARIOT, G. « Le Cerveau de Voltaire : ce qu'il en reste dans le Musée
       de la Comédie Française. » *Bull S F H Méd* 21 : 260-276, 1927.
       Réimpr. [in] *PM* 1927 : 797-802, 21 mai 1927.

299   VAULTIER, Roger. « Voltaire et la médecine. » *Presse médicale* 60 : 111-
       112, 23 janv. 1952. ill.

       Esquisse des principales maladies de V, avec leurs remèdes.

300   « Voltaire, Arzt seiner selbst. » *Erfahrungsheilkunde* 12 : 487-491, 1963.

301   « Voltaire est-il au Panthéon ? » *Illustration* 5 nov. 1927, p. 493.

302   « Voltaire est-il mort catholique ? » *Ecclesia* n° 72 : 63-70, mars 1955.

       Réponse à l'article de Donvez.

303   « Voltaire's grave. » *Living age* 333 : 1022-1023, 1 Dec. 1927.

III

CRITIQUE ET BIOGRAPHIE GÉNÉRALES

304   Abbott, Lawrence F. *Twelve great modernists.* New York, Doubleday, Page and Co., 1927. 301 p. 21 cm.

P. 69-92, « Voltaire the humanitarian. »

305   Adamski, Jerzy. *Swiat Wolteriański. Szkice literackie* [Le Monde voltairien. Esquisses littéraires]. [Warszawa] Czytelnik, 1957. 299 p. 19,5 cm 23 ill.

306   Addamiano, Natale. *Voltaire.* Roma, Azione letteraria italiana [1956]. 769 p. 24 cm.

Etude de l'homme et l'œuvre ; défense de l'homme sensible et du champion de l'humanité.
C.R. : Nicola Matteucci, *Mulino* 6 : 143-148, feb. 1957 ; René Pomeau, *RHL* 58 : 382-383, juil.-sept. 1958.

307   Академия Наук СССР. Вольтер статьи и материалы [Voltaire : articles et matériaux]. Под ред. академика В. П. Волгина. Москва-Ленинград, Издательство Акад. Наук СССР, 1948. 498 p. 23 cm.

Trad. en tchèque : *Voltaire : stati a dokumenty.* Praha, Nakladatelství Rovnost, 1951. 428 p. (Socialistická věda, 20).
Recueil d'articles pour la plupart idéologiques, avec des matériaux inédits.
C.R. : Josef Kopal, *ČpMF* 36 : 85-89, Květen 1954 ; А . И. Молок, Вестник, ANSSSR 1948, n° 11 : 110-116 ; René Pomeau, *RHL* 53 : 556-557, oct.-déc. 1953.

308   Alatri, Paolo. « Problemi e figure del settecento politico francese nella recente storiografia. » *Studi storici* 5 : 137-168, 333-379, gen.-mar., apr.-giu. 1964.

C.R. détaillé d'études récentes dont beaucoup sont consacrées à V.

309   — « Studi Volterriani. » *Belfagor* 12 : 133-158, 31 marzo 1957.

Cet article étudie la critique voltairienne actuelle et souligne l'importance de la nouvelle édition de la correspondance.

310   — *Voltaire, Diderot e il « partito filosofico.* » Messina-Firenze, Casa editrice G. D'Anna [1965]. 490 p. 22,5 cm.

P. 11-159, « Note sul periodo ginevrino di Voltaire », p. 161-221, « Voltaire e la società del suo tempo », p. 223-253, « La Produzione letteraria di Voltaire », p. 428-433, « La Filosofia di Voltaire », p. 462-476, « Diderot, d'Alembert, Voltaire e Rousseau. »

311 — « Voltaire e la società del suo tempo. » *TP* 1963, fasc. 2 : 122-153.
Réimprimé dans le numéro précédent.

312 ALDINGTON, Richard. *Voltaire.* London, G. Routledge & Sons, ltd. ; New
York, E. P. Dutton & Co., 1925. 278 p. 19,5 cm.
Etude en deux parties égales : la vie et l'œuvre.

313 APPIA, Edmond. « Voltaire et la musique. » *Schweizer musikpädagogische
Blätter (Feuillets suisses de pédagogie musicale)* 42 : 104-108, Jan. 1954.
V s'intéressait surtout à la musique de Lully, Rameau et Gluck.

314 Артомонов, С. Вольтер ; критико-биографический очерк [Voltaire ;
essai critique et biographique]. Москва, Гос. изд-во худож. лит-
ры, 1954. 169 p. 21 см.

314A BACHELOT, Jean. « Voltaire, un mélange génial de contraires. » *BSBibliolâtres* nº 69 : 1096-1106, avril 1958.

315 BAINVILLE, Jacques. *Le Jardin des lettres.* Paris, Editions du Capitole,
1929. 2 v.
Voir 1 : 9-102.

316 BALDENSPERGER, F. « Intellectuels français hors de France. I. De Descartes
à Voltaire. II. De Voltaire à Chateaubriand. » *RCC* 35 (2) : 613-629 ;
36 (1) : 41-52, 227-238, 249-260, 289-298 ; 36 (2) : 353-362 ; 1934-1935.
Sur V en Hollande, en Angleterre et en Prusse.

317 — « Voltaire et les affaires sud-américaines. » *RLC* 11 : 76-77, janv. 1931.
Sur les capitaux de V engagés dans le navire *Le Pascal* et sur ses
placements sud-américains par rapport à *Candide.*

318 BALDUS, Alexander. « Besuch bei Voltaire. » *Antares* 3, nº 1 : 81-82, Feb. 1955.
Appréciation de la grandeur de V.

319 BARTHES, Roland. *Essais critiques.* Paris, Editions du Seuil [1964]. 275 p.
(Collection « Tel quel »).
P. 94-100, « Le Dernier des écrivains heureux » [réimpr. de la préface
aux *Romans et contes,* [Paris] Club des Libraires de France, 1958.
2 v.]. Ce qui nous sépare de V c'est le fait qu'il fut un écrivain heureux.

320 BELAVAL, Yvon. « L'Esprit de Voltaire. » *SV* 24 : 139-154, 1963.
Trad. en grec : « To pneyma toy Boltairoy. » *Epoches,* p. 17-23,
Ioynios 1964.
Cherche le véritable esprit de V. C'est l'homme d'esprit qui vit
aujourd'hui ; il est unique dans sa manière de lier esprit et action.

321 BERL, Emmanuel. « Situations de Voltaire. » *TR* nº 122 : 15-26, fév. 1958.
L'auteur voit la vie de V comme celle d'un homme qui est bien
content de lutter pour la justice.

322 BERTAUT, Jules. *La Vie littéraire en France au XVIIIᵉ siècle.* Paris,
Tallandier [1954]. 460 p. 20 cm (Histoire de la vie littéraire).
P. 7-17 (vue générale de V et son siècle), p. 139-149 (emprisonnements),
p. 205-218 (Ferney), p. 340-349 (l'homme d'affaires), p. 354-358 (V
et ses éditeurs).

323 BESTERMAN, Theodore. *Voltaire, discours prononcé [...] à l'inauguration de
de l'Institut et Musée Voltaire.* Genève, Institut et Musée Voltaire,
1954. 19 p.
Réimpr. : « Voltaire. » *SV* 1 : 7-18, 1955 ; « Voltaire. » [In] *Voltaire
essays and another.* London, Oxford U P, 1962. 181 p. P. 1-12.
Appréciation de V et ses œuvres qui souligne le rôle de la raison, de
la clarté et de la conscience sociale.

324   — *Voltaire essays and another.* London, Oxford U P, 1962. 181 p.
22 cm. ill.

Recueil d'essais dont tous sauf un sont des réimpressions.
C.R. : J. H. Brumfitt, *FS*, 18 : 59-60, Jan. 1964 ; R. Pouilliart, *LR* 19 :
87, 1965 ; Lionello Sozzi, *SFr* 7 : 359, mag.-ag. 1963 ; *TLS*, Jan. 4,
1963, p. 10 ; Norman L. Torrey, *RR* 54 : 134-136, Apr. 1963 ; Hugh
Trevor-Roper, *New Statesman* 64 : 901-902, Dec. 21, 1962.

325   — « Voltaire : with a glance at Johnson and Franklin. » [In] *Voltaire
essays and another.* London, Oxford U P, 1962. P. 131-153.

V vu par Samuel Johnson, les contacts entre V et Benjamin Franklin,
mais surtout une considération de la vie, de la personnalité, des écrits
et des idées de V.

326   BILLY. André. « Voltaire, Baudelaire, Sainte-Beuve, Gide, Thibaudet, etc. »
FL 9 déc. 1944, p. 2.

V défendu contre ses critiques.

327   BRAILSFORD, Henry N. *Voltaire.* New York, Henry Holt & Co. ; London,
T. Butterworth [1935]. 256 p. 17 cm (Home university library of
modern knowledge, n° 151).

Réimpr. : London & New York, Oxford U P, 1963. 141 p. 20 cm
(Oxford paperbacks, n° 74).
Trad. en allemand : *Voltaire.* In der Übersetzung von Dr. Oda von
Gal. Nürnberg, Nest-Verlag, 1949. 186 p.
V regardé comme idéologue bourgeois libéral, précurseur de la Révolution.
C.R. : Raymond O. Rockwood, *JMH* 9 : 500, Dec. 1937.

328   BRANDES, Georg. *Voltaire.* [Tr. Otto Kruger & Pierce Butler]. New York,
Boni, 1930. 2 v. 24 cm port.

Réimpr. : New York, F. Ungar Pub. Co. [1964]. 2 v. 22 cm port.
La vie et les œuvres étudiées en détail.
C.R. : George R. Havens, *YR* 20 : 852, summer 1931 ; James Orrick,
Symposium (Concord, N.H.) 2 : 270-273, Apr. 1931 ; G. L. van
Roosbroeck, *RR* 22 : 334-336, Oct.-Dec. 1931.

329   BRATTON, Fred Gladstone. *The legacy of the liberal spirit ; men and
movements in the making of modern thought.* New York, Scribners,
1943. x, 319 p. 21 cm.

P. 86-106, sur les influences anglaises, Cirey, Potsdam, Ferney, la
philosophie.

330   BRÉHIER, Emile. *Histoire de la philosophie. II. La Philosophie moderne.
2. Le Dix-huitième Siècle.* Paris, PUF, 1962.

P. 468-478, « Deuxième période (1740-1775) (suite) : les théories de
la société : Voltaire. » Esquisse de la vie et des œuvres qui souligne
surtout sa théorie de la nature, de l'homme et de l'histoire aussi bien
que sa lutte pour la tolérance. V est considéré comme un penseur sérieux.

331   BRONOWSKI, J. & Bruce MAZLISH. *The western intellectual tradition, from
Leonardo to Hegel.* New York, Harper and Bros. [1960]. xviii, 522 p.
22 cm.

P. 246-263, « Voltaire : science and satire. » V lie la méthode de
Descartes aux idées de Newton et de Locke.

332   CAJUMI, Arrigo. *Colori e veleni ; saggi di varia letteratura.* Con una prefazione di Pietro Paolo Trompeo. Napoli, Edizioni scientifiche italiane,
1956. xiv, 427 p. 22 cm (Collana di saggi, 16).

P. 45-59, « Volterriano. » Sur la traduction italienne du *Dictionnaire
philosophique* (éd. Naves) et des éditions des lettres aux Tronchin et
aux Cramer (éd. Gagnebin).

333 CASSOU, Jean. « Présence de Voltaire. » *Confluences* N.S., n° 1 : 62-64, janv.-fév. 1945.

Insiste sur le dynamisme de V.

334 CELARIÉ, Henriette. *Monsieur de Voltaire, sa famille et ses amis.* Paris, A. Colin, 1928. 231 p. 19,5 cm.

Etude basée entièrement sur des lettres et des mémoires.

335 CHARPENTIER, John. *Voltaire.* Paris, Tallandier [1938]. 318 p. 19 cm.

C.R. : Albert Schinz, *RR* 30 : 307, Oct. 1939.

336 CHATTERJEE, Asutosh. « Voltairianism. » *Calcutta R* 72, n° 2 : 161-171, Aug. 1939.

337 CHÉREL, Albert. *Déceptions et confiances de Voltaire.* Bordeaux, R. Picquot [1941]. 190 p. 19 cm.

L'auteur, catholique, montre de la sympathie à l'égard de V.

338 CIATTINO, Oreste. *Voltaire.* Buenos Aires, 1951. 76 p. port.

L'auteur essaie de montrer la complexité de V et de ses œuvres.

339 CIRAVEGNA, Marino. « Ritorno di Voltaire. » *Conv* 1952 : 616-619, lug-ag. 1952.

Un renouveau d'intérêt en Italie pour V historien et conteur.

340 CLARAZ, Jules. *Voltaire et son œuvre.* Conflans-Sainte Honorine, Impr. édit. de « l'Idée libre », 1927. 32 p.

341 COHEN-PORTHEIM, Paul. *The spirit of France.* Tr. Alan Harris. London, Duckworth ; New York, E. P. Dutton & Co., Inc. [1933]. 215 p. 22,5 cm.

Voir p. 67-75.
Sur l'intérêt de V pour les choses de l'esprit.
C.R. : *TLS* July 1933, p. 457.

342 CONDAMIN, Albert, S.J. *Le « Grand Homme » de M. Albert Bayet : Voltaire.* Paris, Ed. SPES, 1936. 106 p. 18,5 cm.

Hostile à V.

343 CONLON, P. M. *Voltaire's literary career from 1728 to 1750.* Genève, Institut et Musée Voltaire, 1961. 350 p. 22 cm (*SV*, 14).

Montre les rapports entre V et ses œuvres d'une part et l'ambiance littéraire et sociale de son époque d'autre part et étudie en détail les rapports entre V et ses éditeurs, l'influence de Newton, et ses pièces de théâtre.
C.R. : J. H. Broome, *MLR* 67 : 444-445, July 1962 ; *SFr* 6 : 157-158, gen.-apr. 1962 ; Leland Thielemann, *RR* 55 : 54-56, Feb. 1964 ; *TLS* Aug. 25, 1961, p. 566.

344 CONSTANTIN, C. « Voltaire. » [In] *Dictionnaire de théologie catholique.* Paris, Letouzey et Ané, 1950. 28 cm. 15, 2e partie : col. 3387-3471.

Analyse de la vie, des principaux ouvrages philosophiques et religieux, des idées et de l'influence, avec une bibliographie choisie.

345 CRESSON, André. *Voltaire, sa vie, son œuvre. Avec un exposé de sa philosophie.* Paris, PUF, 1948. 139 p. 19 cm.

Réimpr. : 2e éd., 1958.
Biographie succincte suivie d'extraits de l'œuvre.
C.R. : E. Caramaschi, *RLMC* 12 : 95-96, mar. 1959.

346 CROCKER, Lester G. « The problem of truth and falsehood in the age of enlightenment. » *JHI* 14 : 575-603, Oct. 1953.

Voir surtout p. 579, 581-582, 587-588.
V croyait à l'opportunisme.

347   CROUVEZIER, G. *Vie de Voltaire.* Paris, F. Sorlot [1938]. 163 p. 18,5 cm.

348   DELATTRE, André. *Voltaire l'impétueux ; essai présenté par R. Pomeau.* Paris, Mercure de France, 1957. 109 p. 19 cm.

Etude psychologique de V qui indique les rapports intimes entre son tempérament et ses meilleurs efforts littéraires.
C.R. : Jacques van den Heuvel, *RSH* N.S. fasc. 93 : 107-108, janv.-mars 1959 ; Roger Mercier, *RHL* 58 : 541, oct.-déc. 1958 ; F. Orlando, *SFr* 2 : 500, set.-dic. 1958 ; H. J. Perret, *L'Enseignement chrétien* 73 : 253-254, 1959-60 ; S. de Sacy, *MdF* 331 : 337-341, 1957 ; Norman L. Torrey, *RR* 49 : 67-68, Feb. 1958.

349   DENECKERE, Marcel. « La Conscience européenne chez Voltaire. » *Cahiers de Bruges* 1952, n° 1 : 43-52, mars 1952.

Résumé en anglais : p. 53-54.
Pour V la culture européenne est basée sur le goût français et la raison anglaise. Son idéal c'est l'unité culturelle et non pas politique.

350   Державин, К. Н. « Вольтер » [Voltaire]. Наука и жизнь 1945, n° 1 : 41-43.

351   — Вольтер [Voltaire]. [Москва] издат. Акад. наук СССР, 1946. 481 p. pl. port. 22 cm.

Etude de sa vie et de ses œuvres où l'accent est mis sur la pensée.
C.R. : Б. Реизов, IAN, Отделение и литературы языка 7 : 351-355, 1947.

352   DESNÉ, Roland. « Voltaire et les beaux-arts. » *Europe* 37, n° 361-362 : 117-127, mai-juin 1959.

Cette étude comprend aussi la réaction de Falconet et de Diderot aux opinions de V.

353   DIAZ, Furio. « Del « Ritorno all'illuminismo. » *RSI* 75 : 344-364, giu. 1963.

Voir surtout p. 344-356, sur l'importance des œuvres de V dans le monde de nos jours.

354   — *Filosofia e politica nel settecento francese.* [Torino] Giulio Einaudi editore, 1962. 669 p. (Biblioteca di cultura storica, 74).

Voir V passim : le partisan de la réforme, le politique, le diplomate, l'homme de justice et de tolérance, l'écrivain anticlérical, etc. Avec notes, bibliographie, index.
C.R. : John M. Roberts, *History* 50 : 371-372, Oct. 1965 ; George T. Romani, *AHR* 72 : 200-201, Oct. 1965.

355   — « Punti di vista sulla storia dell'illuminismo. » *RSI* 73 : 92-103, mar. 1961.

Voir surtout p. 92-96 pour des commentaires sur les articles de Caramaschi et de Thielemann.

356   DILTHEY, Wilhelm. *Die grosse Phantasiedichtung und andere Studien zur vergleichenden Literaturgeschichte.* Göttingen, Van den Hoeck & Ruprecht [1954]. 324 p. 24 cm.

P. 177-186, « Voltaire », réimpression d'un compte rendu de la biographie de V par Strauss.

357   DONVEZ, Jacques. *De quoi vivait Voltaire ?* [Paris] Deux Rives [1949]. 178 p. 19 cm (De quoi vivaient-ils ?).

Sur les finances de V, avec des recherches originales sur la loterie de Peletier-Desforts qui éclairent les débuts de V comme homme d'affaires.
C.R. : R. Bouvier, *RdS* 72 : 147-149, juil.-déc. 1952 ; Lois Gaudin, *FR* 24 : 70-71, Oct. 1950 ; Pierre Gaxotte, *FL* 9 sept. 1950, p. 3 ; G. Gillain, *LR* 6 : 281, 1ᵉʳ août 1952 ; A. Mousset, *Illustration* 6 : iii, 5 août 1950 ; René Pomeau, *RHL* 55 : 367-368, juil.-sept. 1955.

358 DOYLE, Louis F. « Voltaire myth. » *America* 89 : 400-402, July 18, 1953.
Attaque contre V.

359 DUBAS, V. « Voltaire. Kursas, Skaitytos V. D. Universitete per 1930 metu
rudens semestra. » *Lietuvos Universitetas Humanitariniu Mokslu fakultetas Humanitariniu Mokslu fakulteto Raštai* (Kaunas, Lithuanie) 10 :
1-254, 1932.

360 DURANT, Will & Ariel DURANT. *The story of civilization : Part IX. The
age of Voltaire, a history of civilization in western Europe from 1715
to 1756, with special emphasis on the conflict between religion and
philosophy.* New York, Simon & Schuster, 1965. xviii, 898 p. 25 cm.

Voir p. 3-5, 33-41, 245-248, 361-393, 461-489, 715-754. V est considéré
comme le personnage central dans l'histoire de la civilisation de cette
époque.
C.R. : Alfred J. Bingham *FR* 39 : 805-806, Apr. 1966 et *RLMC* 19 :
74-76, mar. 1966 ; Crane Brinton, *NYTBR* Sept. 30, 1965, p. 5 ; *SatR*
48 : 65-66, Oct. 23, 1965 ; *Time* 86 : 118, Oct. 8, 1965 ; Bernard
Weinberg, *Books today* (Chicago Tribune) Sept. 19, 1965, p. 1.

361 ENGEL, Otto. « Voltaire. » *Die Wochenpost* 3, n° 9, 10 : 4, 1948. ill.
Appréciation de V comme maître du Siècle des lumières.

362 FARMER, Henry George. « Voltaire as music critic. » *The Music review*
21 : 317-319, Nov. 1960.
Sur les réactions de V à Lully, Rameau et Quinault.

363 FELLOWS, Otis E. & Norman L. TORREY. *The age of enlightenment ; an
anthology of eighteenth-century French literature.* New York, F. S.
Crofts, 1942. xiii, 640 p. 23,5 cm.
P. 364-378, Voltaire.

364 FENGER, Henning. *Europa - eller ej ?* [Europe - ou non ?]. [København]
Gyldendal, 1958. 187 p. 22 cm.
P. 27-38, « Voltaire og hans århundrede » [Voltaire et son siècle].
Sur V épistolier, avec des références à son style et à sa vie personnelle.

365 FIORENTINO, Francesco. *Ritratti storici e saggi critici raccolti da Giovanni
Gentile.* Firenze, Sansoni, 1935. vi, 361 p. 23 cm.
P. 86-102, C.R. de la biographie par D. F. Strauss tiré du *Giornale
napoletano* (1876).

366 FORSTER, E. M. *Two cheers for democracy.* New York, Harcourt Brace &
Co. [1951]. xvi, 363 p. 21 cm.
P. 167-171, « Voltaire and Frederick the Great » (la lutte de V contre
la dictature allemande, surtout à Francfort) ; p. 340-344, « Ferney »
(une visite à Ferney avec des méditations sur l'humanité de V).

367 FRANCIS, Louis. *La Vie privée de Voltaire.* [Paris] Hachette [1948]. 256 p.
19 cm (Collection « Les Vies privées »).
Contient de nouveaux détails biographiques.
C.R. : René Jasinski, *RHL* 52 : 226, avr.-juin 1952.

368 FRÉMONT, Hélène. « A la recherche de Voltaire dans le VIe arrt (résumé
d'une communication). » *Bulletin de la Société historique du VIe arrondissement de Paris* n° 37 : 34, séance du 9 juin 1961.
Détails sur la vie de V dans cet arrondissement.

369 FUBINI, Riccardo. « Interpretazioni di Voltaire. » *CeS* 3, n° 12 : 50-60,
ott.-dic. 1964 ; 4, n° 15 : 49-54, lug.-set. 1965.
Cet article passe en revue quelques livres récents sur la religion, les
contes, l'histoire et les écrits politiques de V.

370   GALANTIÈRE, Lewis. « Voltaire : toujours touché ; a classic revalued. »
      SatR 33, n° 40 : 25, 65, Oct. 7, 1950. port.

371   GARRECHT, Franz. « Voltaire und die Musik. » *Musica* 10 : 675-678, Sept.
      1956.

      Sur ses rapports avec Rameau, ses tragédies comme sources de l'opéra
      italien et une comparaison de ses idées avec celles de Bizet.

372   GAXOTTE, Pierre. « Autour de Voltaire. » *RDM* 1951 : 713-722, 15 fév. 1951.

      Récit de ses efforts pour rentrer en France après son séjour en Prusse,
      compte rendu des 2 éditions de lettres aux Tronchin, essai d'explication
      de la froideur des relations entre V et Louis XV.

373   GAY, Peter. *The party of humanity ; essays in the French enlightenment.*
      New York, Alfred A. Knopf, 1964 [1963]. xiii, 289, viii p. 22 cm.

      P. 7-54, « The *Philosophe* in his Dictionary » (léger remaniement de
      son « Editor's Introduction » à sa traduction anglaise du *Dictionnaire*) ;
      p. 55-96, « Voltaire's *Idées républicaines* : from detection to inter-
      pretation » (remaniement de son article [in] *SV* 6 : 67-105, 1958) ;
      p. 97-108, « Voltaire's anti-semitism », (développement plus détaillé
      d'un article portant le même titre [in] *Voltaire's politics : the poet
      as realist.*
      C.R. : Arthur M. Wilson, *Diderot studies* 8 : 319-326, 1966.

374   GILLES, B. *Voltaire ; son temps, sa vie, son œuvre.* Paris, Centre de docu-
      mentation universitaire [1952]. 145, 4 p. 27 cm (Les Cours de Sorbonne).

      Réimpr. : Paris, Tournier et Constans [1953].

375   GIRNUS, Wilhelm. *François Marie Arouet de Voltaire.* Berlin/Leipzig, Verlags
      GMBH [1947]. 88 p. port. 15 cm (Volk und Wissen).

      Edition augmentée : *Voltaire.* Berlin, Aufbau-Verlag, 1958. 98 p.

376   GÖTZFRIED, Hans Leo. *Untersuchungen zur französischen Wesenkunde :
      Sieburgs Bild der Jungfrau von Orléans ; Der Mensch Voltaire.* Erlangen,
      Dipax-Verlag [1948]. 24 p. 21 cm.

      P. 15-24, « Der Mensch Voltaire. »

377   — « Versuch einer neuen Deutung des Charakters von Voltaire auf Grund
      moderner psychologischer Forschungen. » *ZFSL* 57 : 211-220, 1933.

378   GRIGGS, Edward H. *Great leaders in human progress.* Indianapolis, Bobbs,
      Merrill, 1939. 191 p. 19,5 cm.

      P. 160-173, Voltaire.

379   — *Voltaire and the heritage of the eighteenth century ; a handbook of
      six lectures.* Croton-on-Hudson, Orchard Hill P [c. 1933]. 44 p.

380   GROSS, Rebecca H. *Voltaire, nonconformist.* New York, Philosophical
      Library [1965]. 162 p. 22 cm.

      L'homme et ses idées. P. 159-162, bibliographie.

381   GUÉHENNO, Jean. « Notes sur Voltaire. » *NRF* 48 : 524-537, 1ᵉʳ avr. 1937.
      Impression légèrement remaniée [in] *Tableau de la littérature française,
      XVIIᵉ et XVIIIᵉ siècles* [...] Paris, Gallimard [1939]. 490 p. P. 257-274.

      Développement plus détaillé [in] *Aventures de l'esprit.* [Paris] Gallimard
      [1954]. 243 p. P. 43-68.
      Aperçus de l'homme, avec des comparaisons entre V, Pascal et Rousseau.

382   — « Voltaire. » [In] *Gloires de la France.* Par quarante membres de
      l'Académie Française. Avant-propos de Maurice Genevoix. [Paris]
      Collection académique [Perrin] [1964]. 396 p. 30,5 cm ill. P. 155-164.

      Essai sur les œuvres de V et sur sa contribution à la lutte perpétuelle
      pour la liberté individuelle.

383 GUÉRARD, Albert. *The life and death of an ideal : France in the classical age*. New York & London, Scribner's, 1928. 391 p. 22,5 cm.

Réimpr. : London, Ernest Benn ltd., 1929. 391 p. 22,5 cm.
Voir p. 225-346. L'auteur estime que la doctrine classique de l'uniformité humaine servait de base aux idées sociales, politiques et religieuses de V, aussi bien qu'à son goût littéraire.

384 GUILLEMIN, Henri. « François-Marie Arouet, dit Zozo, dit Voltaire. » *TR* n° 122 : 81-108, fév. 1958.

Réimpr. [in] *Éclaircissements*. [Paris] Gallimard [1961]. 290 p. 23 cm. P. 25-60.
Considérations sur la religion et le caractère de V.

385 GULIAN, Edith & I. FIRU, éd. *Voltaire, Rousseau. Studiile introductive și alegerea textelor* [Voltaire, Rousseau, Etudes introductoires et choix de textes]. [București] Editura Academiei Republicii Populare Romine, 1955. 7-275 p. (Colecția « Texte filozofice » [...]).

P. 7-32, commentaire d'Edith Gulian ; p. 33-192, traductions de lettres et d'écrits philosophiques et historiques.

386 GYERGYAY, Albert. *A francia felvilágosodás*. Valogatas Diderot es az enciklopedisták müveriböl [...] [Les Lumières françaises. Sélections des écrits de Diderot et des encyclopédistes]. Budapest, Müvelt Nép. Könyvkiado, 1954. 360 p. 20 cm.

P. 45-71, commentaires sur V, avec extraits. De nombreuses références dans l'ensemble du volume.

387 HARPER, Henry H. *Voltaire*. [Boston] Bibliophile Society [1934 ?]. 71 p. 23 cm.

388 HAVENS, George R. *The age of ideas : from reaction to revolution in eighteenth-century France*. New York, Henry Holt & Co., 1955. ix, 474 p. ill. 25 cm.

Ch. X-XIII (p. 157-220), V.

389 — éd. *Selections from Voltaire, with an explanatory comment upon his life and works*. Revised edition. New York & London, D. Appleton-Century Co., [1930]. xxvii, 439 p. pl. port. 19,5 cm (The Century modern language series).

390 — « Voltaire today. » *ASLHM* 18 : 380-390, winter 1947-48.
L'actualité de V.

391 HENRIOT, Emile. *Courrier littéraire. XVIIIᵉ siècle*. Paris, La Renaissance du livre, M. Daubin, 1945. 2 v. 19 cm.

Recueil d'articles publiés dans le *Temps*. 1 : 111-119, « Une Nouvelle vie de Voltaire » ; p. 120-127, « Le Goût de Voltaire » ; p. 128-142, « Voltaire amoureux » ; p. 143-149, « Voltaire et l'Encyclopédie » ; p. 150-155, « Palissot, *Les Philosophes* et *L'Ecossaise* » ; p. 156-162, « Voltaire à Genève » ; p. 163-171, « Voltaire et *Le Siècle de Louis XIV* » ; p. 172-178, « *L'Ingénu* ou l'art d'écrire en peu de mots. »

392 —— Nouvelle Edition augmentée. Paris, Albin Michel [1961]. Vol. 1.

P. 131-142, « Portrait de Voltaire » ; p. 143-149, « Le Goût de Voltaire » ; p. 150-156, « Voltaire et les *Lettres philosophiques* » ; p. 157-169, « Voltaire amoureux » ; p. 170-179, « Voltaire poète » ; p. 180-186, « Voltaire et l'*Encyclopédie* » ; p. 186-190, « Palissot, *Les Philosophes* et *L'Ecossaise* » ; p. 190-196, « Voltaire à Genève » ; p. 197-204, « Voltaire et *Le Siècle de Louis XIV* » ; p. 205-221, « Les Contes de Voltaire » ; p. 222-224, « Une Seconde Partie de *Candide* » ; p. 225-230, « Mme du Deffand et Voltaire » ; p. 231-237, « Voltaire peint par ceux qui l'ont vu » ; p. 238-244, « Les Cendres de Voltaire et Rousseau au Panthéon » ; p. 245-249, « Le Franc de Pompignan et Voltaire » ; p. 250-254, « Fréron réhabilité » ; p. 255-260, « L'Abbé Trublet qui compilait... » ; p. 261-267, « Voltaire inédit » ; p. 295-298, « Vauvenargues annoté par Voltaire. »

393 — « Voltaire. » *Bibliothèque mondiale* n° 3 : 5-14, 2 avr. 1953.

Sur l'homme et sur la valeur de son œuvre aujourd'hui.

394 HÉRARD, Lucien. *Voltaire à Semur.* Dijon, L'Auteur, 1962. 30 p. ill. 25 cm.

L'auteur prouve que la prétendue visite de V à Semur-en-Auxois n'est que légende.

395 HERLINGER, Hermann. « Voltaire, 1694-1778. » *Carnegie magazine* 24 : 280-282, Mar. 1950. port.

395A HEYMAN, Bertie. « Dans quelle mesure Voltaire incarne-t-il le xvIIIe siècle ? » *Cahiers des étudiants-romanistes* 2 : 52-60, avril 1964.

396 HOFMILLER, Josef. *Franzosen, Essays.* Leipsig, Karl Rauch Verlag [1939]. 251 p. 21 cm.

P. 137-147, « Voltaire (Rundfunkvortrag, 1930). »

397 HUSZAR, George B. « Voltaire. » *SAQ* 47 : 50-63, Jan. 1948.

Etude de l'esprit et du tempérament de V.

398 JAN, Eduard von. « Voltaire und die Gegenwart. » *GRM* 19 : 285-303, Juli 1931.

Article consacré surtout aux principaux ouvrages sur V de 1921-1930.

399 JOHANNET, René. « A la recherche du « vrai » Voltaire. » *RDM* 15 avr. 1959 : 740-742.

Résumé de nouvelles opinions sur V qui résultent de la publication de la correspondance par Th. Besterman.

400 JORDAN, W[illiam] G[eorge]. *Voltaire the crusader.* Toronto, The Ryerson P, 1930. 64 p. 20 cm (Ryerson essay, 44).

Biographie qui souligne le souci de V à l'égard de la tolérance religieuse.

401 JUIN, Hubert. « Lire Voltaire. » *LF* 3-9 sept. 1959, p. 2.

Sur le V éternel et son actualité, avec des références à des écrits récents.

402 KLEMPERER, V. *Geschichte der französischen Literatur im 18. Jahrhundert.* Band I, *Das Jahrhundert Voltaires.* Berlin, Deutscher Verlag der Wissenschaften, 1954. 25 cm.

P. 11-84, V. et sa position centrale dans les lettres françaises du xvIIIe siècle.

403 KOU SHAO-WEN. « Voltaire. » *Tan-chiang Hsüeh pao (Tamkang journal)* n° 1 : 191-212, 1958.

Article en chinois.

404 KOZMINSKI, Léon. *Voltaire financier.* Paris, PUF, 1929. 338 p.

C.R. : Daniel Mornet, *RLC* 10 : 111, janv.-mars 1930 ; *RHL* 37 : 111, janv.-mars 1930.

405 KRAUSS, Werner. *Studien zur deutschen und französischen Aufklärung.* Berlin, Rütten & Loening [1963]. 567 p. 24,5 cm (Neue Beiträge zur Literaturwissenschaft, 16).

Plus de 75 références à V dont la plupart sont assez brèves.

406 LABASTIE, Docteur. *Les Dessous de l'histoire. 4. Révélation. La vie de M. de Voltaire.* Paris Ed. Imprimor [1933]. 48 p.

407 LAFON, Henri-René. « Voltaire et la poste. » *Revue des P.T.T. de France* 5, n° 2 : 33-34, mars-avr. 1950.

Les réactions de V à la poste et ses rapports avec des employés de la poste.

408 LANSON, Gustave. *Voltaire*. Edition revue et mise à jour par René Pomeau. Paris, Hachette [1960]. 247 p. 19 cm.

Révision d'une étude fondamentale ; seules ont été corrigées des dates et certaines indications chronologiques ; un appendice de 20 pages indique les points de vue nouveaux résultant des recherches récentes.

409 LEBOIS, André. *Littérature sous Louis XV. Portraits et documents*. Paris, Editions Denoël [1962]. 398 p. 20 cm.

P. 203-236, « Bagatelle pour un pendu : le dossier Calas » ; p. 297-323, « Le Trépas chrétien de M. de Voltaire » (réimpression du nº 280). C.R. : John N. Pappas, *FR* 37 : 485-486, Feb. 1964.

410 LECOMTE, Jean. *Expliquez-moi Voltaire. 1. L'Homme et ses idées. 2. A travers l'œuvre*. Paris, Foucher [1953]. 2 v., 81 p., 73 p. (Expliquez-moi... Collection littéraire).

Introduction à V destinée à être utilisée dans les écoles françaises.

411 LEIGH, R. A. « An anonymous eighteenth-century character-sketch of Voltaire. » *SV* 2 : 241-272, 1956.

Publié en 1735 et réimprimé ici. L'auteur en serait Charost ou Ramsay. Voir Weil, « A propos du « portrait » anonyme de Voltaire, » nº 494.

412 LEITHÄUSER, Joachim G. *Er nannte sich Voltaire ; Bericht eines grossen Lebens*. Stuttgart, Cotta-Verlag [1961]. 376 p. ill. 23 cm.

C.R. : Rudolf Krämer-Badoni, *Frankfurter allgemeine Zeitung* 12 Aug. 1961.

413 Ленинград Университет. Вольтер, статьи и материалы. Труды научной сессии посвященной Вольтеру, 1694-1944 [Voltaire, articles et matériaux. Procès-verbaux d'une séance scientifique dédiée à Voltaire, 1694-1944]. Ленинград, Издательство Ленинградского Государственного Ордена Ленина университета, 1947. 224 p. ill. 21 cm.

Série d'articles et documents publiés lors du 250e anniversaire de V.

414 LÉONARD, Emile G. *L'Armée et ses problèmes au XVIIIe siècle* [...] Paris, Plon [1958]. [vi] iv, 363 [iv] p., table, 20 cm (Civilisations d'hier et d'aujourd'hui).

P. 215-237, « Voltaire expression du désarroi français. » V considéré comme critique amer et injuste de l'armée.

415 LÉVIS-MIREPOIX, Duc de. « L'Ecrivain roi. » *RDM* 1959 : 215-231, 15 janv. 1959.

P. 215-225, « Voltaire. »
Réimpr. [in] *Grandeur et misère de l'individualisme français*. Paris, Genève, La Palatine [1957-1962]. 3 v. 2 : 89-101.
Etude de V défenseur de la tolérance, son caractère et ses idées politiques.

416 LEWIS, Jay. *Other men's minds* [...] Selected and edited by Phyllis Hansen. Foreward by Harry Hansen. New York, P. G. Putnam's Sons [1948]. xvii, 172 p. 20 cm.

P. 108-116, V considéré comme génie de la raillerie et apôtre de la raison.

417 LEWIS, Joseph. *Voltaire, the incomparable infidel*. New York, Freethought P Assoc., 1929. 93 p. 19,5 cm.

418 LOUGH, John. *An introduction to eighteenth century France*. With illustrations. [London] Longmans [1960]. xv, 349 p. 21,5 cm.

La plupart des références à V se trouvent dans le Ch. VII, « The writer and his public » et dans le Ch. VIII, « Literature and ideas » (p. 231-319).

419   LUDWIG, Emil. *Genius and character.* New York, Harcourt Brace & Co.
      [1927]. 346 p. 22,5 cm.

      P. 199-212, « Voltaire in eighteen tableaux. »

420   Люблинский, В. С. (Ljublinski, W. S.). *Voltaire-Studien.* Berlin, Akademie-
      Verlag, 1961. 190 p. pl.

      P. 1-73, « Religionsgeschichte Quellen in der Bibliothek Voltaires » ;
      (traduction du n° 1075) ; p. 75-144, « Randbemerkungen Voltaires »
      (traduction du n° 655) ; p. 145-168, « Voltaire und der « Mehlkrieg »
      (traduction du n° 210) ; p. 169-180, « Ein unbekanntes Voltaire-Autograph
      in Puschkins Papieren » (traduction du n° 923).
      C.R. : P. Brockmeier, *SFr* 7 : 557-558, set.-dic. 1963 ; H. Dieckmann,
      Archiv 200 : 311-313, 1963 ; А. В. Гордон, Новая и новейшая
      история 1962, n° 6 : 183-184 ; M. Naumann, *DLZ* 84 : 579-581,
      1963 ; *Revue historique* 88 : 246-247, janv.-mars 1964 ; J. Vercruysse,
      RBPH 41 : 971-972, 1963.

421   MAUREL, André. *Voltaire.* [Paris] Editions Balzac [1943] [ii] 315 p.
      19 cm.

      Biographie.

422   MAUROIS, André. *Tre Ritratti : Voltaire, Dickens, Turghenief.* Trad. dal
      francese di Enrico Piceni. Milano, Mondadori, 1936. [10] 391 p.

      P. 11-116.

423   — *Voltaire.* New York, D. Appleton, 1932. 148 p. 19,5 cm.

      Edition française : Paris, Gallimard [1935]. 140 p. 18,5 cm. Versión
      española de Th. Scheppelmann. Buenos Aires, Editorial Juventud
      Argentina, S.A. ; Barcelona, Editorial Juventud [1943]. 116 p. 23 cm.
      C.R. : *TLS* Apr. 21, 1932, p. 284.

424   — « Voltaire. » [In] *Dictionnaire des lettres françaises.* Publié sous la
      direction du cardinal Georges Grente [...]. *Le Dix-huitième Siècle.*
      Paris, A. Fayard, 1960. 2 v. 2 : 640-660.

425   MEYER, Adolph Erich. *Voltaire : man of justice.* [New York] Howell,
      Soskin [1945]. 395 p. 20,5 cm.

      Réimpr. : London, Quality P [1951]. 250 p. 22 cm.
      Biographie qui présente assez peu de détails sur la lutte pour la justice.
      C.R. : Leo Gershoy, *AHR* 51 : 111-112, 1945 ; Hilden Gibson, *APSR*
      39 : 1242-1243, Dec. 1945 ; Albert Guérard, *NYHTBR* May 20, 1945,
      p. 20 ; William P. Sears, *Churchman* 159 : 16, May 1, 1945 ; Norman
      L. Torrey, *NYTBR* June 3, 1945, p. 18.

426   MICHEL, Pierre. « Dissertation : un portrait de Voltaire [par Mme de
      Genlis]. » *L'Ecole* (2ᵉ cycle, enseignement littéraire) 47, n° 14 : 447-
      448, 14 avr. 1956.

      Mme de Genlis insiste sur la complexité du personnage.

427   MISSENHARTER, Hermann. *Voltaire.* Urach, Port Verlag [1949]. 259 p.
      19 cm (Erbe und Schöpfung, 15).

      Introduction à V, avec citations en allemand.
      C.R. : Fritz Paepcke, *Neuphilologische Zeitschrift* 3 : 402-408, 1951.

428   Мокульский, С. С. « Вольтер и его школа » [Voltaire et son école].
      [In] История французской литературы [Histoire de la littérature
      française]. Москва, Ленинград, Акад. Наук СССР, Институт
      литературы Пушкинский дом, 1946-1956. 2 v. ill. 27 cm. 1 :
      640-704.

      Etude générale de la vie et des œuvres de V, avec un examen de
      son influence en Russie.

429   — Волтер и ньегова школа [V et son école]. Преводилау Илија
         Кеумановип Редактор Хаим Алкалај. Веоград, Загреб, Кул-
         тура, [1947]. 155 p. 16 cm (Велики ьуди и ньи хова Делна,
         20)·

430   MONTFORT, Fritz. « Voltaire als Finanzmann. » *Merian* 2, 11 H : 85-86,
         1950.

431   MURDOCH, Walter. *Collected essays* [...] Sydney & London, Angus and
         Robertson, 1945. xi, 904 p. 22,5 cm.

         P. 413-417, « One crowded hour. » Appréciation de V dont le point
         de départ est son couronnement à la Comédie-Française le 30 mars 1778.
         Réimpr. [in] *72 essays ; a selection.* Sydney & London, Angus and
         Robertson, 1947. 371 p. 23 cm. P. 161-165.

432   NAVES, Raymond. Voltaire, l'homme et l'œuvre. Paris, Boivin [1942].
         176 p. 17 cm (Le livre de l'étudiant, 10).

         Réimpr. : Note complémentaire par Jean Fabre. Paris, Hatier, 1947.
         180 p. (Connaissance des lettres, 10).
         C.R. : P. Jourda, *Revue universitaire* 52 : 109, mai-juin 1943.

433   NERI, Guido. « La Mitraglia di Voltaire. » *Contemp* nº 1-2 : 58-60, apr.-
         mag. 1958.

         Sur l'actualité de V.

434   NICOLSON, Harold. *The age of reason (1700-1789).* London, Constable,
         [1960]. 424 p. ill. 24 cm.

         P. 74-92, sur le scepticisme de V ; p. 106-112, esquisse des rapports
         entre V et Frédéric II.
         Réimpr. en partie comme « He taught us to be free » [in] *Horizon* 3,
         nº 4 : 114-119, Mar. 1961. ill., port.

435   NOLHAC, Pierre de. *Portraits du XVIIIᵉ siècle : la douceur de vivre.* Paris
         Plon [1933]. 229 p. 20 cm (Editions d'histoire et d'art).

         P. 5-14, « Le Vrai Caractère de Louis XV » (en partie sur les écrits
         de V à ce sujet) ; p. 61-91, « Voltaire et Mᵐᵉ de Pompadour » ; p. 92-
         100, « L'Acquisition de Ferney. »

436   NOYES, Alfred. *Voltaire.* New York, Sheed and Ward, 1936. 643 p. 22 cm.
         Trad. en allemand : München, Verlag Georg D. W. Callway, 1958.
         456 p.

         Cette biographie insiste sur la sincérité de la profession de foi de
         V lors de ses communions.
         C.R. : W. H. Auden, *Nation* 148 : 352-353, Mar. 25, 1939 ; H. Binns,
         New statesman 16 : 316, Apr. 29, 1938 ; Edward Henry Blackeney,
         National Review (London) 111 : 408-411, Sept. 1938 ; Ernest Boyd,
         SatR 14 : 7, Sept. 12, 1936 ; Charles Gardener, *Pax* 26 : 239-240,
         Jan. 1937 ; Albert Guérard, Sr., *NYHTBR* Oct. 4, 1936 ; Raymond O.
         Rockwood, *JMH* 9 : 497-500, Dec. 1937 ; I. Fetscher, *Antares* 7 :
         268-269, Mai 1959.
         Voir aussi :
         Gwyn, Denis. « *Voltaire* and the censors. » *DubR* 203 : 179-211, Oct.
         1938 [M. Noyes et le Saint-Office] ;
         Mercier, L. J. A. « Voltaire. » *Commonweal* 29 : 179-181, Dec. 9,
         1938 [la censure du livre de Noyes] ;
         Ryan, Mary. « Alfred Noyes on Voltaire. » *Studies* 26 : 281-296,
         June 1937.
         Pour encore des discussions voir le *Times* (Londres) Aug. 10-13, 15,
         20, 25, 27, 30, 31, Sept. 5-7, 9, 10, 1938.

437   — « Voltaire's character. » *British medical journal* Apr. 7, 1951, p. 759.
         Considérations médicales.

438   O'Flaherty, Kathleen Mary Josephine. *Voltaire : myth and reality*. [Cork]
         Cork U P, 1945. vii, 169 p. 21,5 cm.

         S'efforce de répondre à Noyes.
         C.R. : Austin Clarke, *The Dublin magazine* 20, n° 3 : 45-47, Oct.-
         Dec. 1945 ; *TLS* Oct. 13, 1945, p. 490 ; voir aussi *TLS* Dec. 1, 1945,
         p. 571 et Dec. 22, 1945, p. 607.

439   Onufrio, Salvatore. « Attualità di Voltaire. » *Mondo* 1 giugno 1965, p. 9-10.

         Les écrits polémiques de V gardent toujours leur qualité mordante.

440   Oulmont, Charles. *Voltaire en robe de chambre*. Paris, Calmann-Lévy,
         1936. 224 p. 19,5 cm (Nouvelle Collection historique).

         Considération particulière de la personnalité et de la psychologie de
         V, avec des inédits.
         C.R. : Raymond O. Rockwood, *JMH* 9 : 500-501, Dec. 1937.

441   Paulding, Gouverneur. « Visit to Voltaire. » *Commonweal* 22 : 66-68, May
         17, 1935.

         Portrait et appréciation de V dans le cadre de Ferney.

442   Peattie, Donald Culross. « Voltaire — spark of liberty. » *Reader's digest* 54,
         n° 322 : 127-131, Feb. 1949.

443   Plesner, K. F. *Voltaire*. København, Munksgaardsforlag, 1965. 79 p. 19,5
         cm (Søndagsuniversitetet, 60).

         Sur sa vie et ses œuvres.

444   [Polybios]. « Voltaire. » *Befreiung* 1 : 3-12, 1 Jan. 1953.

         Résumé de sa vie et ses œuvres.

445   Pomeau, René, éd. *Voltaire par lui-même. Images et textes* [...]. Paris,
         Editions du Seuil [1955]. 190 p. 18 cm ill. port. (Ecrivains de
         toujours, 28).

         P. 5-100, « Présentation. »
         C.R. : Antoine Adam, *RSH* N.S. fasc. 81 : 106-107, janv.-mars 1956 ;
         Jean-Louis Bruch, *Antares* 3, n° 4 : 53-55, 1955 ; R. Coiplet, *Monde*
         10 juin 1955, p. 9 ; Charles Govaert, *Le Thyrse* 48 : 306-308, juil.-août
         1955 ; Nicola Matteucci, *Mulino* 6 : 143-148, feb. 1957 ; F. A. Taylor,
         FS 10 : 263-265, July 1956.

446   Proal, Louis. « Le Rire moqueur de Voltaire. » *Nouvelle R* 82 : 211-224,
         317-331 ; 1, 15 avr. 1926.

         Sur les techniques de moquerie.

447   Prod'homme, J. G., éd. *Voltaire raconté par ceux qui l'ont connu (de Paris
         à Genève)*. Préface d'Edouard Herriot. Paris, Stock, 1929. 286 p. 19 cm.

         Présentation de documents choisis ayant rapport à la vie de V jusqu'en
         1754. On a remarqué plusieurs erreurs de dates.
         C.R. : Daniel Mornet, *RHL* 37 : 624, 1930.

448   Рабинович, М. « Вольтер » [Voltaire]. [In] Писатели фраиции [Au-
         teurs français]. Составитель Е. Г. Эткинд. Москва Изд, « Прос-
         вещение », 1964, 696 p. ill. P. 190-220.

         Etude générale sur l'importance de l'homme et de ses œuvres.

449   Read, Harlan Eugene. *Fighters for freedom ; the story of liberty throughout
         the ages*. New York, McBride [1946]. 287 p. 21 cm.

         Voir p. 183-189.

450   Riley, [Isaac] Woodbridge. *Men and morals ; the story of ethics*. Garden
         City, N.Y., Doubleday Doran, 1929. vii, 425 p. 23,5 cm ill.

         Réimpr. : New York, Frederick Unger [1960]. 425 p. 24 cm ill.
         P. 245-261, « Voltaire (1694-1778). »

451 RITCHIE, R. L. Graeme. *Voltaire*. London, Nelson, 1928. 230 p. (Modern studies series).

Des extraits choisis placés dans leur cadre biographique.

452 ROCKWOOD, Raymond O. « Voltaire. » *JMH* 9 : 493-501, Dec. 1937.

C.R. de livres par Brailsford, Libby, Morehouse, Noyes, Oulmont.

453 ROSSI, Pietro. *Gli Illuministi francesi* [...]. Torino, Loescher Editore [1962]. xxix, 378 p. (Classici della filosofia).

P. 59-121, « La Ragione e il mondo dell'uomo (Voltaire). » Une anthologie de textes avec commentaires.
C.R. : D. Rigo Bienaimé, *SFr* 9 : 363, mag.-ag. 1965.

454 ROSTEN, Leo. « They made our world... Voltaire. » *Look* 28, nº 12 : 94-95, June 16, 1964. port.

Esquisse de sa vie et de ses œuvres.

455 ROUSSEAU, André-Michel. « Studies on Voltaire and the eighteenth century, recueils publiés par Theodore Besterman. » *RLC* 34 : 282-304, avr.-juin 1960.

Etude critique des 10 premiers volumes de *SV*.

456 ROUSSEAUX, André. *Le Monde classique*. Paris, A. Michel [1942-1956]. 4 v.

2 : 109-117, « Inactualité de Voltaire » : le point de vue exprimé ici est essentiellement celui du numéro suivant ; 3 : 126-129 « A l'épreuve de Voltaire » (sur la réaction de V à l'œuvre de Corneille).

457 — « Un Philosophe impertinent. » *LF* 4, nº 32 : 1, 5 ; 2 déc. 1944.

L'esprit de V cadre mal avec le sentiment tragique du xxᵉ siècle.
Voir le nº précédent.

458 RUSSELL, Phillips. *The glittering century*. New York, Scribner, 1936. 326 p. 23,5 cm.

Voir p. 82-103 (V en Angleterre), p. 194-198 (relations avec Frédéric) et autres références.

459 SAINTE-BEUVE, Charles-Augustin. *Ritratti* [...] *preceduti da un saggio di Faguet*. Traduzione dal francese di Luigi Diemoz. Milano-Roma, Rizzoli [1943]. 437 p. (Il Sofa delle Muse [...] 21).

P. 127-165.

460 SAINT-RENÉ TAILLANDIER, Madeleine-Marie-Louise (Chevrillon). *Du Roi-Soleil au roi Voltaire*. Paris, La Palatine [1953]. 2 t. en 1 v. 19 cm.

P. 151-176, 193-202, vue générale de la vie de V.

461 — « En visite chez Voltaire. » *Hommes et mondes* 9 : 218-228, mai 1954 ; 11 : 573-583, juil. 1956.

Vie de V surtout à Cirey et à Ferney.

462 SAINTSBURY, George. *French literature and its masters*. Edited by Huntington Cairns. New York, Knopf, 1946. ix, 326, xxx p. 22 cm port.
P. 94-118, « Voltaire » (réimpr. de la 11ᵉ éd. de l'*Encyclopaedia Britannica*).

463 SANDER, Ernst. « Voltaire (1694-1778). » [In] *Die Grossen der Kunst, Literatur und Musik : Frankreich*. Ed. Hermann Missenharter. Stuttgart, Union Verlag [1961]. 523 p. pl. port. P. 48-62.

463A SCHEER, P. van der. « Het Satanisme in de fransche literatuur : Voltaire. » *Studiën* 116 : 319-345, 1931 ; 118 : 354-372, 1932.

464 SERINI, Paolo. « Voltaire oggi. » *Mondo* 11 mar. 1958, p. 9-10.

L'actualité de V.

465   SIPRIOT, Pierre. « Au temps des lumières. » *TR* n° 122 : 153-158, fév. 1958.
      Sur V l'écrivain engagé.

466   SMITH, Horatio. *Masters of French literature.* New York, Scribner [1937].
      338 p. 20,5 cm.
      P. 109-162, V.
      C.R. : Daniel Mornet, *RHL* 45 : 92-94, janv. 1938.

467   SMITH, Preserved. *A history of modern culture.* Vol. 2 : *1687-1776.* New
      York, Holt, 1934. 703 p. 22 cm.
      Beaucoup de références à V.

468   SNETHLAGE, J. L. *Voltaire.* Den Haag, Kruseman [1961]. 144 p. port.
      (Helden van de geest, 13).
      Biographie en néerlandais.
      C.R. : *BIV* 1, n° 7 : 56, juin 1962.

469   SOUDAY, Paul. « Voltaire está de moda. » *La Nación* (Buenos Aires) 29 de
      marzo de 1925.

470   STRACHEY, [Giles] Lytton. *Biographical essays.* New York, Harcourt, Brace
      & Co. [1949]. 294 p. 19 cm.
      Réimpr. d'essais : p. 50-55, « Voltaire » (1919) ; p. 56-77, « Voltaire
      in England » (1914) ; p. 80-105, « Voltaire and Frederick the Great »
      (1917).

471   — *Characters and commentaries.* London, Chatto, 1933. 22,5 cm.
      P. 239-245, « Voltaire », sur les contradictions dans le caractère de V.

472   STRAUSS, David Federico. *Voltaire.* Traducción directa del alemán por
      Luis del Monte. México, Biografías Gandesa, 1953. 321 p.
      Outre la biographie de Strauss, ce livre contient aussi une traduction
      du *Dîner du comte de Boulainvilliers,* un bref article sur Meslier et son
      Testament et « Voltaire y el conde de Aranda », basé sur la *Historia
      de los heterodoxos* (v. 3) de Menéndez y Pelayo.

473   THADDEUS, Victor. *Voltaire, genius of mockery.* New York, Brentano, 1928.
      291 p. 24 cm.

474   THOMAS, Henry & Dana Lee THOMAS. *Living adventures in philosophy.*
      Garden City, N.Y., Hanover House [1954]. 320 p. 22 cm.
      P. 174-188, « Voltaire's adventure in laughter. »
      Remanié, avec le titre « Voltaire (François Marie Arouet) » [in] *Un-
      derstanding the great philosophers.* Garden City, N.Y., Doubleday,
      1962. 384 p. P. 237-249.
      Esquisse de sa vie et résumé de sa philosophie.

475   — *Living biographies of great philosophers.* Garden City, N.Y., Garden
      City Books [1959]. viii, 335 p. 22 cm.
      P. 171-187, « Voltaire. »

476   TORREY, Norman L. *The spirit of Voltaire.* New York, Columbia U P,
      1938. 314 p. 22,5 cm.
      Réimpr. : Oxford, Marston, 1963. 314 p.
      Essai sérieux sur l'esprit, la personnalité et les actions de V qui
      étudie surtout le rôle du déisme, du mysticisme, de l'humanisme et
      du sentiment.
      C.R. : E. P. Dargan, *MP* 37 : 217-218, Nov. 1939 ; Robert E. Fitch,
      JP 36 : 134, Mar. 2, 1939 ; W. E. Garrison, *JR* 19 : 414-415. Oct.
      1939 ; George R. Havens, *PhR* 49 : 375-376, May 1940 ; Andrew
      R. Morehouse, *SatR* 19, n° 1 : 6, Jan. 7, 1939 ; Daniel Mornet, *RHL*
      45 : 532-533, oct.-déc. 1938 ; Justin O'Brien *NYTBR* Feb. 5, 1939,
      p. 19 ; Edith Philips, *RR* 31 : 178-181, Apr. 1940 ; J. Salwyn Schapiro,

AHR 44 : 979-980, July 1939 ; Ira O. Wade, *MLN* 54 : 383-384, May 1939.

477 TRIEBEL, L. A. « Voltaire : rebel and reformer. » *ConR* 177 : 299-302, May 1950.

478 VALÉRY, Paul. « Portrait de Voltaire. » *FL* 16 déc. 1944, p. 2.

479 — *Voltaire : discours prononcé le 10 décembre 1944 en Sorbonne.* Paris, Domat-Montchrestien, 1945. 36 p. 20 cm (Coll. « Au Voilier », 1).
Appréciation de V qui traite surtout de la période de Ferney et qui souligne son actualité.
C.R. : F. A. Taylor, *FS* 1 : 186, Apr. 1947.

480 VAUNOIS, Louis. « Voltaire citoyen de la liberté courant sur les routes de l'Europe. » *Conferencia* 35 : 62-74, fév. 1946. port.
Conférence sur la vie de V qui insiste sur son souci de la liberté et de la justice.

481 VIAL, Fernand. *Voltaire, sa vie et son œuvre (avec textes complets et annotés).* Paris, Didier [1953]. 678 p. 22 cm.
P. 7-122, biographie.
C.R. : Clifton Cherpack, *MLN* 71 : 156-158, Feb. 1956 ; Auguste Viatte, *FR* 28 : 199-200, Dec. 1954.

482 VIANU, Elena. *Moralistii francezi* [Moralistes français]. [Bucureşti] Editura Pentru Literatura, 1963. 446 p. 20 cm.
P. 316-351, « Deo erexit Voltaire » : sur V comme philosophe, avec un résumé de sa vie et de son œuvre.
C.R. : Michel Launay, *RHL* 65 : 349-350, avr.-juin 1965.

483 VIANU, Tudo. *Voltaire.* [Bucureşti] Editura Tineretului, 1955. 102 p. 20 cm (Oameni de Seama).

484 VIAU, Alfred. « Voltaire, vida y filosofía. » *Anales de la Universidad de Santo Domingo* 20, nº 73-76 : 43-74, enero-dic. 1955.
La moitié de cet article est une présentation hostile de la vie de V.

485 ВОЛГИН, В. П. « Историческое значение Вольтера » [L'importance historique de Voltaire]. [In] Академия Наук СССР. Вольтер : статьи и материалы. Москва-Ленинград, 1948. P. 5-55.
Sur l'importance historique de la vie et de la pensée de V.

486 VOLTAIRE, François-Marie Arouet de. *The portable Voltaire.* Edited with an introduction by Ben Ray Redman. New York, Viking P, 1949. v, 569 p. 17 cm (The Viking portable library, 41).
P. 1-47, « Editor's introduction. »

487 « Voltaire et le vin de Bourgogne. » *PM* 1936 : 1020-1021, 13 juin 1936.
Commentaire sur un chapitre qui porte le même titre dans *Voltaire en robe de chambre* d'Oulmont. Dans sa correspondance avec le conseiller Le Bault, V indique que le vin est un de ses grands plaisirs.

488 VON SALIS, Jean Rodolphe. *Im Lauf der Jahre ; über Geschichte, Politik und Literatur.* Zürich, Füssli [1962]. 379 p.
P. 40-46, « Voltaire » : sur l'actualité de V.

489 VRIES, Philip de. *Voltaire burger en edelman* [Voltaire bourgeois et gentil-homme]. Bussum, F. G. Kroonder, 1951. 255 p. 23 cm port.
Biographie en néerlandais.
C.R. : Johannes Tielrooy, *Critisch Bulletin* 18 : 487-492, 1951.

490   VULLIAMY, C. S. *Voltaire.* New York, Dodd, Mead, 1930 ; London, Geoffrey
       Bles, 1930. 353 p. 22,5 cm.

       C.R. : Matthew Josephson, *New republic* 65 : 196-197, 31 Dec. 1930.

491   WADE, Ira O. « The « new » Voltaire. » *University of Pennsylvania bulletin.*
       Forty-second annual Schoolman's Week proceedings 1955 : 70-76.

       Des travaux récents révèlent le besoin d'une nouvelle évaluation de V.

492   — *The search for a new Voltaire ; studies based upon material deposited*
       at the American Philosophical Society. TAPS 48, part 4, 1958.

       P. 13-17, « Voltaire and Mr. Rieu » : 43 lettres à son ami genevois ;
       p. 17-22, « Voltaire and Végobre » : lettres à l'avocat protestant exilé
       à Genève ; p. 22-31, « Voltaire and Labat » : 30 lettres, la plupart
       déjà publiées, au banquier suisse dont la famille aurait inspiré une
       partie de *Candide* ; p. 31-34, « The explosion of 1768 » : sur l'expulsion
       de La Harpe et de Mme Denis ; p. 34-35, « A note on *Micromégas* » :
       sources ; p. 35-37, « From *Memnon* to *Zadig* » : étude de variantes
       entre un ms. à Leningrad et le texte des deux contes ; p. 37-38, « A
       propos the sources of an incident in *Zadig* » : une source du Ch. « Les
       Généreux » ; p. 38-40, « Some notes of Mme du Châtelet » : sur l'impor-
       tance de Descartes à Cirey ; p. 40-42, « An unpublished article by
       Polier de Bottens » : l'article « Fornication » soumis à V ; p. 42-48,
       « Lisbon and the *Désastre de Lisbonne* » : étude serrée de la chrono-
       logie des événements entre nov. 1755 et janv. 1756, avec une considé-
       ration de sources et de changements dans le ms. ; p. 48-49, « A variant
       to a verse in the *Epître à M. Marmontel* » ; p. 49, « The first edition
       of the *Philosophe ignorant* » ; p. 49-52, « Notes on *L'Ingénu* » ; p. 52-
       56, « Voltaire and Boulanger » ; p. 56-58, « The Authorship of the
       Commentaire historique » (voir aussi Вайнштейн) ; p. 58-59, « A
       second conclusion to the *Histoire du Christianisme* » ; p. 59-82, « Vol-
       taire's method of working » : étude de mss à la Bibliothèque Natio-
       nale ; p. 83-86, « The genesis of the *Questions sur l'Encyclopédie* » ;
       p. 86-94, « Voltaire and Christin » : lettres à l'avocat de Besançon ;
       p. 94-105, « Versoix, Voltaire's El Dorado » : lettres à M. de Caire,
       ingénieur en chef à Versoix ; p. 105-114, « Towards a new Voltaire » ;
       p. 115-150, « An inventory of the microfilms of Voltaire material in
       the American Philosophical Society collected by the late Professor
       Delattre » ; p. 150-199, « An inventory of microfilms of Voltaire
       material from the Ricci Collection at the Bibliothèque Nationale. »
       C.R. : J.-D. Candaux, *SV* 8 : 243-251, 1959 ; [Walter M. Crittenden],
       Person 40 : 425, 1959 ; Francis J. Crowley, *MLN* 75 : 527-529, June
       1960 ; Edward T. Gargan, *RPol* 23 : 545-549, Oct. 1961 ; George R.
       Havens, *RR* 50 : 133-137, Apr. 1959 ; J. Michael Hayden, *Cross
       Currents* 10 : 297-300, summer 1960 ; F. Orlando, *SFr* 4 : 155, gen.-apr.
       1960 ; F. A. Taylor, *FS* 13 : 355-356, Oct. 1959.

493   — *Studies on Voltaire, with some unpublished papers of Mme du Châtelet.*
       Princeton, Princeton U P, 1947. xii, 244 p. 20 cm.

       P. 3-11, « Voltaire's *La Ligue* and de Renneville's *Vision* » : une
       source du Chant VI de *La Ligue* ; p. 12-21, « The genesis of *L'Ingénu* » ;
       p. 22-49, « Voltaire and Mandeville » ; p. 49-56, « A note on the
       genesis of *Le Mondain* » ; p. 56-114, « The *Traité de métaphysique* » ;
       p. 114-123, « Some aspects of Newtonian study at Cirey » : Mme du
       Châtelet est un intermédiaire important entre Newton et V.
       C.R. : Charles Frankel, *JP* 45 : 105, Feb. 12, 1948 ; George R. Havens,
       RR 39 : 164-167, Apr. 1948 ; C. Landré, *LanM*, janv. 1948 ; E. Malakis,
       MLN 62 : 497-498, Nov. 1947 ; Daniel Mornet, *RHL* 48 : 271-273,
       juil.-sept. 1948 ; Fernand Vial, *FR* 22 : 268-270, Jan. 1949 ; Eric
       Weil, *Critique* (Paris) n° 18 : 472-473, nov. 1947.

494   WEIL, Françoise. « A propos du « portrait » anonyme de Voltaire. » *SV*
       12 : 63-65, 1960.

Présente des renseignements supplémentaires à l'article de Leigh (*SV* 2 : 241-272, 1956), n° 411.

495 WHITMAN, Walt. « Voltaire. » [In] *New York dissected.* New York, Rufus R. Wilson, 1936. xiii, 257 p. 23,5 cm. P. 70-73.

Réimpr. d'un article de *Life illustrated* May 10, 1856.

496 WILKINSON, L. A. « Voltaire : intellectual leader of the world. » *Thinker* 1, n° 2 : 40-52, Dec. 1929.

497 WILLIAMS, Charles W. S. *Stories of great names.* London, Oxford U P, 1937, 216 p. 19 cm.

Voir p. 141-164.

498 WINKLER, Emil. « Voltaire. » *Deutsches Volkstum* 18 : 742-748, Okt. 1936.

IV

RAPPORTS ET INFLUENCES INTELLECTUELS

A. L'ALLEMAGNE

499   ARONSON, Alexander. *Lessing et les classiques français. Contribution à l'étude des rapports littéraires entre la France et l'Allemagne au XVIIIe siècle.* Montpellier, Impr. de la Charité, 1935. 279 p. 24 cm. Thèse, U de Toulouse.

Voir p. 94-118, 231-235.

500   BELLUGOU, Henri. « Une Amie de Voltaire : Mme de Bentinck. » *MAA* 8e sér., 7 : 29-39, 1963.

501   CHENAIS, Margaret. « The « Man of the triangle » in Voltaire's correspondence with countess Bentinck. » *SV* 10 : 421-424, 1959.

L'homme du triangle est le comte de Kaunitz. Cet article traite aussi des prétentions diplomatiques de V.

502   GHIO, Michelangelo. « Fra illuminismo e romanticismo : Lessing. » *Filosofia* 14 : 55-98, gen. 1963.

P. 68-69, la réaction de Lessing à V.

503   GUÉHENNO, Jean. « Voltaire et Nietzsche. » *FL* 25 nov. 1944, p. 2.

Sur leur point de vue philosophique.

504   JAN, Eduard von. « Voltaire und Lessing. » *Mél Baldensperger* 1 : 365-382.

505   KRAUSS, Werner, éd. *Die französische Aufklärung im Spiegel der deutschen Literatur des 18. Jahrhunderts.* Berlin, Akademie-Verlag, 1963. clxxxvii, 484 p. 20,5 cm (Deutsche Akademie der Wissenschaften zu Berlin. Schriftenreihe der Arbeitsgruppe zur Geschichte der deutschen und französischen Aufklärung, 10).

Anthologie d'écrivains allemands, avec leurs observations sur leurs confrères français. V est jugé par Bodmer, Breitinger, Harder, Heine, Pezzl, Wekhrlin, Gœthe, etc.

506   PAQUOT, Marcel. « Voltaire, Rousseau et les Bentinck. » *RLC* 6 : 293-320, avr.-juin 1926.

507   SCHMIDT, Justus. « Voltaire und Maria Theresia ; französische Kultur des Barok in ihren Beziehungen zu Österreich. » *Mitteilungen des Vereines für Geschichte der Stadt Wien* 11 : 73-115, 1931.

508 TAKIZAWA, Juichi. « Voltaire in Thomas Mann. » *Hiroshima Daigaku Bungakubu* 20 : 392-405, Jan. 1962.

A la fin du vol. cet article écrit en japonais est résumé en allemand.

509 THURNHER, Eugen. « Grillparzer und Voltaire. » *Anzeiger der philosophisch-historische Klasse der Österreich* (Akademie der Wissenschaften, Wien) 1961, fasc. 7 : 44-62.

Sur leurs points de vue religieux.

510 WAIS, Kurt. « Das Schrifttum der französischen Aufklärung in seinem Nachleben von Feuerbach bis Nietzsche. Ein Kapitel deutsch-französischer Begegnung. » [In] *Forschungsprobleme der vergleichenden Literaturgeschichte*. II. Folge. Herausgegeben von Fritz Ernst und Kurt Wais. Tübingen, Max Niemeyer Verlag, 1958. viii, 199 p. P. 67-110.

Voir p. 92-105 : discussion de l'impression que produisit V sur Friedrich David Strauss et exposé de l'influence de V sur Hermann Grimm, Nietzsche et Karl Hillebrand.

1. Gœthe

511 BARNES, Bertram. *Gœthe's knowledge of French literature*. Oxford, Oxford U P, 1937. vii, 172 p. 23 cm (Oxford studies in modern languages and literatures).

Voir p. 45-50 et autres références.

512 BERTAUX, Pierre. « Gœthe et Voltaire. » [In] *Mélanges Lichtenberger*. Paris, Stock, 1934. 447 p. 22,5 cm.

P. 29-32, comparaison de leurs textes sur la nature.

513 BIANQUIS, Geneviève. « Gœthe et Voltaire. » *RLC* 24 : 385-393, juil.-sept. 1950.

Réimpr. [in] *Etudes sur Gœthe*. Paris, Les Belles Lettres, 1951. 168 p. (Publications de l'U de Dijon, 8). P. 91-98.
L'évolution des sentiments de Gœthe vis-à-vis de V comme homme.

513A BOURGET, Paul. « Notes sociales : Voltaire et Gœthe. » *Figaro* 14 novembre 1931, p. 1.

514 GLAESENER, Henri. « Gœthe imitateur et traducteur de Voltaire au théâtre. » *RLC* 13 : 217-231, avr.-juin 1933.

515 GRAPPIN, Pierre. « Gœthe und Voltaire. » [In] *Deutschland-Frankreich* (Ludwigsburger Beiträge zum Problem der deutsch-französischen Beziehungen. Herausgegeben vom deutsch-französischen Institut, Ludwigsburg) 3 : 201-212 [1963].

Etude de l'évolution des sentiments de Gœthe concernant V.

516 HARRIS, Alexander L. *Das Voltairische im Mephistopheles*. Leipzig, Edelmann, 1930. 143 p. (Thèse, Kingston, Ontario).

V pourrait être le modèle du héros de Gœthe.

517 KILCHENMANN, Ruth J. « Gœthes Übersetzung des Voltairedramen *Mahomet* und *Tancred*. » *CL* 14 : 332-340, 1962.

Résumé [in] *Langue et littérature*. Actes du XVIIIe congrès de la Fédération internationale des langues et littératures modernes. Paris, Les Belles Lettres, 1961. (Bibliothèque de la Faculté de philosophie et lettres de l'U de Liège, fasc. 161). P. 192-193.
Sur la technique de Gœthe comme traducteur.

518 MOWAT, Robert B. *The age of reason. The continent of Europe in the eighteenth century*. Boston, Houghton Mifflin, 1934. 336 p. 21 cm.

P. 35-49, « Gœthe and Voltaire : the war against prejudice » ; autres références.

519   STRICH, Fritz. *Gœthe und die Weltliteratur.* Bern, A. Francke Ag. Verlag [1946]. 23,5 cm.

P. 149-156, l'influence de V sur Gœthe.

520   TOKUZAWA, Tokuji. « Schiller und Frankreich—über die Gœthesche Über-setzung des *Mahomet* von Voltaire. » *Doitsu Bungaku* 23 : 43-49, 1959.

En japonais, avec résumé en allemand.

521   WUNSTORF, Klara. *Metrische Gestaltungsproblem in Gœthes Mahomet nach Voltaire.* Düsseldorf, G. H. Nolte, 1934. 46 p. Thèse, Bonn.

2. Leibniz

522   BARBER, W. H. *Leibniz in France from Arnauld to Voltaire : a study in French reactions to Leibnizianism, 1670-1760.* Oxford, The Clarendon P, 1955. xi, 276 p. 23 cm.

P. 174-243, la métaphysique, le problème de la liberté et l'optimisme chez V et Leibniz.
C.R. : Antoine Adam, *RSH* fasc. 80 : 520, oct.-déc. 1955 ; Theodore Besterman, *SV* 2 : 317-318, 1956 ; Richard A. Brooks, *RR* 47 : 66-68, Feb. 1956 ; R. Fargher, *FS* 10 : 70-71, Jan. 1956 ; George R. Havens, *MP* 54 : 63-64, Aug. 1956.

523   BROOKS, Richard A. *Voltaire and Leibniz.* Genève, Droz ; Paris, Minard, 1964. 152 p. 25 cm.

Etude des réactions de V à la philosophie de Leibniz au sujet de la théodicée. Cet ouvrage souligne les contrastes et les différences d'atti-tude fondamentales des deux philosophes.
C.R. : J. H. Brumfitt, *FS* 20 : 191-192, Apr. 1966.

524   — « Voltaire, Leibniz and the problem of theodicy : from *Œdipe* to *Candide.* » *DA* 20 : 2795, 1960.

525   HAAC, Oscar A. « Voltaire and Leibniz : two aspects of rationalism. » *SV* 25 : 795-809, 1963.

526   HAZARD, Paul. « Voltaire et Leibniz. » *Bulletin de la Classe des lettres et des sciences morales et politiques* 5ᵉ sér., 23 : 435-439, 1937.

527   MLADENOV, Stefan. « Voltaire im Unrecht gegen Leibniz als genialen Sprachforscher. » [In] *Miscellanea academica Berolinensia. Gesammelte Abhandlungen zur Feier des 250 jährigen Bestehens der deutschen Akademie der Wissenschaften zu Berlin.* Berlin, Akademie-Verlag, 1950. 2 t. en 3 v. 2, nᵒ 1 : 15-29.

Etude linguistique dans laquelle V ne sert que de point de départ.

B. L'AMÉRIQUE DU NORD

528   ADAMS, Percy G. « Poe, critic of Voltaire. » *MLN* 57 : 273-275, Apr. 1942.

529   ALDRIDGE, Alfred Owen. « Benjamin Franklin and the philosophes. » *SV* 24 : 43-65, 1963.

P. 43-48, ce que Franklin savait de V et de son œuvre et ce qu'il en pensait avant leur entrevue de 1778 ; la réputation de Franklin chez Voltaire ; détails importants de leur entrevue.

530   ALLEN, Mozelle S. « Poe's debt to Voltaire. » *TxSE* nᵒ 15, p. 63-75.

531   BARR, Mary-Margaret H. *Voltaire in America, 1744-1800.* Baltimore, Md.,
      The Johns Hopkins P ; London, H. Milford, Oxford U P, 1941.
      150 p. 25 cm (Johns Hopkins studies in Romance literatures and
      languages, 39).
      Etude de l'accueil fait à V et de la diffusion de ses œuvres.
      C.R. : Donald F. Bond, *MLQ* 3 : 144-146, 1942 ; John L. Brown,
      CathHR 27 : 517-518, 1941-42 ; Michael Kraus, *AHR* 47 : 944-945,
      July 1942.

532   BAYM, Max I. « John Fiske and Voltaire. » *SV* 4 : 171-184, 1957.
      La réaction de Fiske à V ; son admiration pour l'historien, le philosophe
      et l'ironiste.

533   CHINARD, Gilbert. « Notes de John Adams sur Voltaire et Rousseau. »
      MLN 45 : 26-31, Jan. 1931.

534   CLARK, Harry H. « Thomas Paine's relation to Voltaire and Rousseau. »
      R anglo-américaine 9 : 305-318, 393-405, avr., juin 1932.

535   DAVIDSON, Frank. « Voltaire and Hawthorne's *The Christmas banquet.* »
      BPLQ 3 : 244-246, July 1951.
      Analyse des similarités entre cet ouvrage et le Ch. XIX de *Candide.*

536   HARASZTI, Zoltán. « John Adams on Frederick the Great. His marginal
      notes on the King's poems and correspondence with Voltaire and
      d'Alembert now first published. » *More books* 9 : 117-133, 161-173,
      Apr., May 1934.

537   JAFFE, Adrian H. « French literature in American periodicals of the
      eighteenth century. » *RLC* 38 : 51-60, janv.-mars 1964.
      Voir p. 53-55.

538   JOBIN, Antoine J. « Concerning the influence of Voltaire in French Canada ;
      a commentary and refutation. » *CMLR* 10, n° 4 : 6-11, summer 1954.
      Voir Trudel ci-dessous.

539   MARION, Séraphin. « Le Problème voltairien. » *Canadian Catholic historical
      association. Report* 1939/40, French section, p. 27-41.

540   — « Le Voltairianisme de la Gazette littéraire de Montréal. » *RUO* 9 :
      393-408 ; 10 : 7-28, 1939, 1940.

541   McDERMOTT, J. F. « Voltaire and the free-thinkers in early St. Louis. »
      RLC 6 : 720-731, oct.-déc. 1936.

542   MORAIS, Herbert. *Deism in eighteenth-century America.* New York, Colum-
      bia U P, 1934. 205 p. 22,5 cm.
      Voir p. 26-28, 45-50.

543   STEELL, Willis. « Franklin and Voltaire. » *Forum* 77 : 900-902, June 1927.

544   TRUDEL, Marcel. *L'Influence de Voltaire au Canada* [...]. Montréal, Fides
      [1945]. 2 v. 21 cm (Publications de l'U de Laval).
      C.R. : George R. Havens, *BA* 21 : 60-61, winter 1947.

545   WALDO, Lewis P. *The French drama in America in the eighteenth century
      and its influence on the American drama of that period, 1701-1800.*
      Baltimore, The Johns Hopkins P, 1942. xvii, 269 p. port. ill. 24 cm.
      (Institut français de Washington).
      Voir p. 115-129 et autres références.

C. LA CHINE

546   Державин, К. Н. « Китай в философской мысли Вольтера »
      [La Chine dans la pensée philosophique de Voltaire]. [In] Ленинград
      Университет. Вольтер, статьи и материалы [...] Ленинград,
      1947. P. 86-114.

547   ETIEMBLE. « De la pensée chinoise aux « philosophes » français ; ou de
      quelques difficultés concernant la diffusion des idées philosophiques
      entre la Chine et la France au xviiie siècle. » *RLC* 30 : 465-478, oct.-
      déc. 1956.

      Voir surtout p. 466, 471-474. Etude de certains termes chinois et de
      leurs diverses interprétations françaises.

548   — « Mezzabarba en Chine et le silence de Voltaire. » [In] *Connaissance
      de l'étranger. Mélanges offerts à la mémoire de Jean-Marie Carré.*
      Paris, Didier, 1964. xx, 527 p. 5 pl. 23 cm. P. 247-255.

549   GUY, Basil. *The French image of China before and after Voltaire.* Genève,
      Institut et Musée Voltaire, 1963. 468 p. (*SV* 21).

      P. 218-284, « Voltaire, sinophile » ; p. 439, « The development of
      Voltaire's chapters on China in the *Essai sur les mœurs* » ; p. 440-441,
      « A list of significant works in which Voltaire mentions China. »
      C.R. : William W. Appleton, *RR* 55 : 216-217, Oct. 1964 ; René
      Pomeau, *RHL* 64 : 308-309, avr.-juin 1964 ; Robert Shackleton, *FS*
      18 : 272-273, July 1964 ; *TLS* Feb. 13, 1964, p. 128.

550   ROUSTAN, Mario. « Voltaire et Confucius. » *Renaissance* 15, n° 45 : 3-4,
      5 nov. 1927.

551   ROWBOTHAM, Arnold H. « China and the age of enlightenment in Europe. »
      Chinese social and political science review 19 : 176-201, July 1935.

552   — « Voltaire sinophile. » *PMLA* 47 : 1050-1065, Dec. 1932.

      L'influence des missionnaires jésuites sur les idées de V.

553   WANG TEH-CHAO. « *La Chine* in Voltaire. » *CHC* 1, n° 2 : 96-120, Oct. 1957.

D. L'ESPAGNE ET L'AMÉRIQUE LATINE

554   ARCINIEGA, Rosa. « El « Volterianismo » de Ricardo Palma. » *Cuadernos*
      n° 33 : 25-28, nov.-dic. 1958.

555   ARINOS DE MELHO FRANCO, Alfonso. *O Indio brasileiro e a Revolução
      francesa. As origins brasileiras da theoria da bondade natural.* Rio de
      Janeiro, José Olympio, 1937. 333 p. ill. 21 cm (Coleção documentos
      brasileiros dirigida por Gilberto Freyre, 7).

      P. 255-264, « Voltaire. »

556   ARROM, José J. « Voltaire y la literatura dramática cubana. » *RR* 34 :
      228-234, Oct. 1943.

      Réimpr. [in] *Prometeo* 1, n° 4 : 13-15, en.-feb. 1948.

557   BARDON, Maurice. *Don Quichotte en France au XVIIe et au XVIIIe siècle,
      1605-1815.* Paris, Champion, 1931. 2 v. pl. 25 cm (Bibliothèque de la
      RLC [...] 69).

      P. 548-562 et autres références : l'influence du roman sur V.

558   BROOKS, Richard A. « Voltaire and Garcilaso de la Vega. » *SV* 30 :
      189-204, 1964.

      Au sujet de sources.

559   CABAÑAS, Pablo. « Moratín anotador de Voltaire. » *RFE* 28 : 73-82, en.-
mar. 1944.

560   CIORANESCU, Alejandro. *Estudios de literatura española y comparada.* La
Laguna, Universidad, 1954. 309 p. 24 cm (Secretario de publicaciones).

P. 141-146, « Calderón y el teatro francés. Voltaire » ; p. 239-242,
« José Viera y Clavijo y la cultura francesa. Voltaire » ; autres références.

561   DEFOURNEAUX, Marcelin. « Las Amistades francesas de Pablo de Olavide. »
Mercurio peruano 45, n° 443-444 : 35-48, mar.-abr. de 1964.

562   — *L'Inquisition espagnole et les livres français du XVIIIᵉ siècle.* Paris,
PUF, 1963. 214 p. 26 cm.

P. 171-172, liste d'ouvrages de V condamnés par l'Inquisition.

563   DERLA, Luigi. « Voltaire, Calderón e il mito del genio eslege. » *Aevum*
35 : 109-140, gen.-apr. 1962.

564   HERR, Richard. *The eighteenth-century revolution in Spain.* Princeton,
Princeton U P, 1958. xii, 484 p. ill. 22 cm.

Voir p. 66-69.

564A   MIRÓ, César. « México y Perú en la tragedía clásica occidental. » *Cuadernos*
N° 100 (sept. 1965) p. 66-70.

565   MOLDENHAUER, Gerhard. « Voltaire und die spanische Bühne im 18.
Jarhhundert. » [In] *Philologische-Philosophische Studien. Festschrift für
Eduard Wechssler zum 19 Oktober 1929.* Jena und Leipzig, Verlag
von Wilhelm Gronau, 1929. 25 cm. (Berliner Beiträge zur romanischen
Philologie, 1). P. 115-131.

566   PAGEAUX, Daniel-Henri. « Voltaire en Espagne. » *Amitié franco-espagnole*
7 : 6-9, juin 1961. ill.

Résumé d'une étude sur la période 1735-1835 portant le même titre
et présentée pour le Diplôme d'études supérieures de l'Institut Hispa-
nique (Paris).

567   QUALIA, Charles B. « Voltaire's tragic art in Spain in the eighteenth
century. » *Hispania* 22 : 273-284, Oct. 1939.

A propos de traductions des tragédies de V.

568   SÁNCHEZ Y ESCRIBANO, F. « Actitud neoclásica de Voltaire ante el Barroco
español. » *MLJ* 37 : 76-77, Feb. 1953.

569   SARRAILH, Jean. *L'Espagne éclairée de la seconde moitié du XVIIIᵉ siècle.*
Paris, Klincksieck, 1954. vi, 779 p. 27 cm.

Voir p. 271, 312-314 et autres. Contient une bibliographie et un index.

570   SCHIER, Donald. « Voltaire's criticism of Calderón. » *CL* 11 : 340-346,
fall 1959.

571   STEIGER, Arnald. « Voltaire und Spanien. » [In] *Überlieferung und Gestal-
tung. Festgabe für Theophil Spoerri zum sechzigsten Geburtstag, am
10. Juni 1950.* Zürich, Speer-Verlag [1950]. 206 p. 22 cm. P. 77-87.

Les opinions de V sur l'Espagne.

572   WHITAKER, Arthur P., éd. *Latin America and the enlightenment.* Intro. by
Federico de Onís. 2ⁿᵈ edition. Ithaca, N.Y., Great Seal Books [1961]
156 p.

Voir p. 24-26, 45-48 et autres références.

E. LA FRANCE

573 ALATRI, Paolo. « Voltaire e l'Arcivescovo di Lione. » *Belfagor* 13 : 647-659, 30 nov. 1958.

574 BACH, Max. « Sainte-Beuve and Voltaire. » *FR* 31 : 109-115, Dec. 1957.
L'évolution de l'opinion de Sainte-Beuve à l'égard de V.

575 BARÈGES, Claude. « Pierre Bayle, auteur de prédilection de Voltaire. » *BIV* 1, n° 11 : 85-86, oct. 1962.

576 — « Voltaire et les odes d'Olivet. » *BIV* 1, n° 1-3 : 8, 15-16, 20-21, déc. 1961, janv., fév. 1962.

577 BARRIÈRE, P. *L'Académie de Bordeaux : centre de culture internationale au XVIIIe siècle (1712-1792).* Bordeaux & Paris, Editions Bière [1951]. 374 p. 24 cm.
20 références à V ayant rapport surtout à sa renommée comme écrivain. Index.

577A BAUCHY, Jacques-Henry. « Etienne Laureault de Foncemagne, de l'Académie Française (1694-1779), érudit orléanais et gâtinais, rival heureux de Voltaire. » *Bulletin trimestriel de la Société archéologique et historique de l'Orléanais* N.S. 1, n° 5 : 195-196, 1960.

577B — « La Reine Marie-Antoinette est-elle venue à Orléans voir jouer Voltaire et Sedaine ? » *Ibid.,* N.S. 3, n° 21 : 137-140, 1964.
Incident décrit par Vigny dans *Servitude et Grandeurs militaires* paraît vraisemblable.

578 BÉDARIDA, Henri. « Voltaire collaborateur de la *Gazette littéraire de l'Europe,* 1764. » *Mél Baldensperger* 1 : 24-38.
Réimpr. [in] *A travers trois siècles de la littérature italienne.* Paris, Didier, 1957. XIX, 500 p. 25 cm. P. 115-126.
V comme critique de livres anglais.

579 BERTAUT, Jules. « Voltaire et Mme de Genlis. » *Temps* 6 août 1941, p. 3.
La visite de Mᵐᵉ de Genlis chez V en 1775.

580 BESTERMAN, Theodore. « Voltaire jugé par Flaubert. » *SV* 1 : 133-158, 1955.
Trad. anglaise [in] *Voltaire essays and another.* London, 1962. P. 13-23.

581 BEYERHAUS, Gisbert. « Abbé de Pauw und Friedrich der Grosse, eine Abrechnung mit Voltaire. » *Hist Z* 134 : 465-493, 1926.

582 BÉZARD, Yvonne. *Le Président de Brosses et ses amis de Genève.* Paris, Boivin [1939]. 255 p. 25 cm.
Plus de 30 références à V.

583 BINGHAM, Alfred J. « The *Recueil philosophique et littéraire.* » *SV* 18 : 113-128, 1961.
Ce journal conservateur n'a pas publié grand'chose de V, mais voir p. 113-114, 121.

584 — « Voltaire and the Abbé Bergier : a polite controversy. » *MLR* 59 : 31-39, Jan. 1964.

585 — « Voltaire and the *Encyclopédie méthodique.* » *SV* 6 : 9-35, 1958.
Etude statistique du grand nombre d'extraits de l'œuvre de V utilisés dans la compilation de cet ouvrage.

585A BONNET, Henri. « Voltaire, Diderot et Rousseau. » *Humanités* (classes de lettres, sections classiques) 40e année, n° 393, févr. 1964, n° 6, p. 17-24.

586 Booy, Jean Th. de. « L'Abbé Coger, dit *Coge Pecus*, lecteur de Voltaire et de d'Holbach. » *SV* 18 : 183-196, 1961.

Texte de trois lettres de Coger adressées à Marc Michel Rey commandant 41 livres dont plusieurs de V.

586A Bréchemin, Salvador. « Après Fréron, parlons de Voltaire. » *MAA* 8ᵉ sér., 6 : 52-57, 1962.

587 Breuer, Johannes. *Claude François Nonnotte, S.J.; seine Bedeutung als philosophischer Gegner der Aufklärung im besonderen Voltaires.* Werl, Fortschritt-druckerei, 1933. 75 p. Inaug.-diss. Bonn.

588 Brockmeier, Peter. *Darstellungen der französischen Literaturgeschichte von Claude Fauchet bis Laharpe.* Berlin, Akademie-Verlag, 1963. x, 287 p. (Deutsche Akademie der Wissenschaften zu Berlin. Schriftsreihe der Arbeitsgruppe zur Geschichte der deutschen und französischen Aufklärung, 17).

Voir p. 128, 155-157, 192-195 : V jugé par Palissot, Sabatier et La Harpe.

589 Brombert, Victor. « Voltaire dans le *Journal* de Delacroix. » *FR* 30 : 335-341, Apr. 1957.

590 Brulé, André. *Les Gens de lettres.* Paris, Ed. Marcel Seheur [1929]. 121 p. 24 cm. (La Vie au dix-huitième siècle [1]).

Voir p. 90-95 et passim.

591 Brummer, Rudolf. *Studien zur französischen Aufklärungsliteratur im Anschluss an J. A. Naigeon.* Breslau, 1932. 338 p. 23 cm (Sprache und Kultur der germanisch-romanischen Völker, 11).

P. 126-130, 176-181, 240-243, etc.

592 Candaux, Jean-Daniel. « Les Débuts de François Grasset. » *SV* 18 : 197-235, 1961.

P. 223-228, « L'Affaire du manuscrit de la *Pucelle* » ; p. 228-232, « Le Procès criminel de Grasset. »

593 Caramaschi, Enzo. « Du Bos et Voltaire. » *SV* 10 : 113-236, 1959.

Les opinions de V à l'égard de Du Bos et le concept de l'histoire et de l'esthétique chez les deux écrivains. Voir Diaz n° 355.

594 Cellier, Léon. « Saint-Martin et Voltaire. » *SV* 24 : 355-368, 1963.

595 Chapuisat, Edouard. « Voltaire et Mallet du Pan. » *Revue des travaux de l'Académie des sciences morales et politiques* 4ᵉ sér. 105 : 152-164, 1ᵉʳ semestre 1952.

Résumé : Robert Laulan, « Voltaire et Mallet du Pan. » *MdF* 315 : 539-542, 1 juil. 1952.
Basé en grande partie sur la correspondance de Mallet du Pan.

596 Chervet, Maurice. « Les Tragédies de Mme de Meillonnas. » *Visages de l'Ain* 6, n° 23 : 1-7, juil.-sept. 1953.

Sur les relations de V avec Mme de Meillonnas.

597 « Claude-Marie Giraud. » *Chr Méd* 24 : 255-258, 315, sept., déc. 1935.

Les relations entre V et Giraud [Rigaud].

598 Cornu, Marcel. « Le Second Voltaire. » *Europe* 37, n° 361-362 : 136-151, mai-juin 1959.

L'influence de V sur Mérimée est identique à celle qu'il exerce sur le XIXᵉ siècle en France en général.

599 Crist, C. M. « Some judgments of Voltaire by contemporaries. » *MLN* 50 : 439-440, Nov. 1935.

600   Crowley, Francis J. « Voltaire and the printer, Walther. » *MLN* 70 :
       351-353, May 1955.

       Cet article sur les relations entre les deux hommes contient des additions
       à Delattre n° 1466 et une lettre inédite.

601   Daoust, Joseph. « Voltaire et la marquise de Bernières, châtelaine de
       Quevillon (1723-1726). » *Etudes normandes* livraison 54 : 1-16, 1ᵉʳ
       trimestre 1965. 5 ill.

601A   Dédéyan, Charles. « A propos d'un centenaire : les Goncourt juges de
       Diderot et de Voltaire. » *Droit et liberté* 3ᵉ année, n° 2, p. 24-31, 1ᵉʳ
       avril 1952.

602   De Feo Sandro. « Spleen di Voltaire. » *Nuovo Corriere della sera* 29 ott.
       1954, p. 3.

       Extraits de deux lettres à Mᵐᵉ du Deffand, avec commentaires.

603   Derla, Luigi. « Il Teatro di Baculard d'Arnaud . » *SFr* 4 : 434-455, set.-
       dic. 1960.

       Plusieurs références à V à propos d'influences et d'emprunts.

604   Des Guerrots, Philippe. « Launay et le souvenir de Cideville, l'ami de
       Voltaire. » *RSSHN* n° 19 : 45-49, 3ᵉ trimestre 1960. ill.

       En partie sur la visite de V au château de Cideville.

605   Dréano, Maturin. *La Renommée de Montaigne en France au XVIIIᵉ siècle.
       1677-1802.* Angers, Editions de l'Ouest, 1952. 589 p. 23 cm.

       Voir p. 313-334. V connaissait assez peu l'œuvre de Montaigne.

606   Duchet, René. « La Rencontre inattendue — Mallarmé et Voltaire. »
       Synthèses 14, n° 161 : 218-223, oct. 1959.

       Les similarités des deux écrivains.

607   Duckworth, Colin. « Flaubert and Voltaire's *Dictionnaire philosophique.* »
       SV 18 : 141-167, 1961.

       Analyse d'un ms. de Flaubert contenant des citations tirées du
       Dictionnaire, avec ses propres commentaires.

608   Duffo, Abbé Fr[ançois Albert]. *L'Abbé Guénée, agrégé de l'université,
       adversaire de Voltaire (1717-1803). Ses itinéraires de Paris en Italie.*
       Paris, P. Lethielleux, 1933. 107 p. 24 cm.

       P. 8-12, « Notice biographique. »

609   Dufresne, Hélène. *Erudition et esprit public au XVIIIᵉ siècle. Le biblio-
       thécaire Hubert-Pascal Ameilhon (1730-1811).* Paris, Nizet, 1962. vii,
       615 p. 24 cm.

       P. 65-68, 77-79 : *Le Journal de Verdun* ; quelques autres références
       à V.

610   Duisit, Lionel. *Madame du Deffand, épistolière.* Genève, Droz, 1963.
       128 p. 24 cm (Publications romanes et françaises, 78).

       Voir surtout p. 21-35. A peu près les mêmes détails se trouvent dans
       le n° suivant.
       C.R. : Vivienne Mylore, *MLR* 60 : 282-283, Apr. 1965.

611   — « Madame du Deffand et Voltaire : le mythe du progrès et la
       décadence du goût. » *FR* 36 : 284-292, Jan. 1963.

612   Duparc, P. « Un Voisin de Voltaire. » *Revue savoisienne* 84 : 104-109,
       1943.

       Le curé de Meyrin.

613 DUTHIL, René & Paul DIMOFF, éds. « Une Lettre inédite de Baculard d'Arnaud à Duclos sur l'affaire de Berlin. » *SV* 6 : 141-146, 1958.
V est cité comme la cause de ses maux.

614 ENGEL, Claire-Eliane. « Voltaire est-il l'auteur des Lettres de Mlle Aïssé ? » *RDM* 1953 : 530-539, 1 août.
V aurait joué le rôle d'éditeur.

615 « Les Erreurs de Voltaire. Essai sur le livre de Cl. Fr. Nonnotte, 1762. » *BIV* 1, n° 9 : 71-72, août 1962.

616 FARGHER, R. « The retreat from Voltairianism, 1800-1815. » [In] *The French mind. Studies in honour of Gustave Rudler.* Edited by Will Moore, Rhoda Sutherland, Enid Starkie. Oxford, Clarendon P, 1952. 360 p. ill. P. 220-237.

617 FAURE-SOULET, J.-F. *Economie politique et progrès au siècle des lumières.* Préface de Paul Harsin. Avant-propos d'André Piatier. Paris, Gauthier-Villars, 1964. xvii, 252 p. 24 cm (Collection Techniques économiques modernes [...] 4. Série histoire et pensée économique, 1).
Voir p. 18, 21-23, 32 n., 37, 65-67, 90, 218. Avec bibliographie.

618 FELLOWS, Otis E. « Voltaire and Buffon : clash and conciliation. » *Sym* 9 : 222-235, fall 1955.

619 — « Voltaire in liberated France. » *RR* 37 : 168-176, Apr. 1946.
Analyse du débat à l'occasion de la célébration du 250ᵉ anniversaire de V en 1944-45. L'auteur présente une liste d'articles de revues et de journaux, aussi bien que d'autres formes d'hommage.

620 FIELDS, Madeleine. « Voltaire and Rameau. » *JAAC* 21 : 457-465, summer 1963.

621 — « Voltaire et *Le Mercure de France.* » *DA* 21 : 189, 1960.

622 — « Voltaire et *Le Mercure de France.* » *SV* 20 : 175-215, 1962.
L'auteur essaie de déterminer la position de V dans son siècle d'après un examen de cette revue.

623 GAGNEBIN, Bernard. « La Publication du livre de d'Alembert *Sur la destruction des Jésuites en France* assurée en 1765 à Genève par Voltaire. » *BBB* 1950 : 190-197. fac-sim.
Selon des lettres inédites les Cramer ont publié cet ouvrage.

624 GAUTIER, René. *Deux Aspects du style classique : Bossuet et Voltaire.* La Rochelle, Librairie Pyollet, 1936. 43 p. (Institut d'études françaises de La Rochelle).

625 GENEVOY, Robert. « Un Correspondant de Voltaire : le conseiller Pajot de Vaux et sa famille. » *La Nouvelle Revue franc-comtoise* 5, n° 20, fasc. 4 : 205-216 [1959 ?].
Assez peu de choses sur V.

626 GILL-MARK, Grace A. *Une femme de lettres au XVIIIᵉ siècle : Anne Marie du Boccage.* Paris, Champion, 1927. 182 p. 25 cm (Bibliothèque de la *RLC,* 41).
P. 14-16, 19-20, 42-44, 107-110 et autres références.

627 GIRAUD, Victor. « Voltaire et Madame du Deffand. » *Revue politique et littéraire* 71 : 583-589, 7 oct. 1933.

628 GOOCH, George Peabody. *Louis XV, the monarchy in decline.* London, Longmans Green & Co. [1956]. 285 p. 23 cm.
Voir surtout p. 186-188, 255-257, 266-271, sur V et Choiseul et V et l'*Encyclopédie.*

629 Гордон, Л. С. « Вольтер-читатель Бейля и Неккера » [Voltaire lecteur de Bayle et de Necker]. [In] Французский ежегодник, статьи и материалы по истории Франции (Annuaire d'études françaises) 1961 : 469-480.

P. 479-480, résumé en français. Une étude de notes marginales révèle les dettes de V envers Bayle et son hostilité contre Necker.

629A Gorsse, Pierre de. « Un Ennemi de Voltaire aux Pyrénées : La Beaumelle à Bagnères et Barèges en 1766. » *Pyrénées* n° 54 : 101-109, avr.-juin 1963.

630 Green, F. C. *Eighteenth century France ; six essays.* London, J. M. Dent & Sons, Ltd. [1929]. 221 p. 20 cm.

P. 111-154, « Voltaire's greatest enemy, Elie Fréron. »

631 Grimsley, Ronald. *Jean D'Alembert, 1717-1783.* Oxford, Clarendon P, 1963. 316 p. port. 23 cm.

P. 108-131, sur les relations de V avec d'Alembert et sur leur opinion du rôle de la philosophie.
C.R. : Thomas L. Hankins, *Isis* 56 : 242-243, 1965 ; Marta Rezler, *Diderot Studies* 6 : 323-337, 1964.

632 Grosclaude, Pierre. *Malesherbes et son temps. Nouveaux documents inédits.* Paris, Fischbacher, 1965. 211 p. 24,5 cm ill.

P. 90-98, « Malesherbes et Voltaire » : nouveaux renseignements sur les relations entre les deux hommes. Ce livre sert de complément au n° suivant.
C.R. : Seymour Feiler, *BA* 40 : 175, spring 1966 ; Robert Shackleton, *FS* 20 : 67-68, Jan. 1966.

633 — *Malesherbes, témoin et interprète de son temps.* Paris, Fischbacher [1961]. xvi, 806 p. port. 25 cm.

P. 153-156 (l'affaire de l'*Ecossaise*), p. 187-205 (les relations entre Malesherbes et V à partir de 1751 et l'attitude de Malesherbes envers V et son programme philosophique).
C.R. : David D. Bien, *AHR* 71 : 203-204, Oct. 1965 ; Roger Mercier, *RLC* 39 : 316-318, avr.-juin 1965.

634 — *La Vie intellectuelle à Lyon dans la deuxième moitié du XVIIIᵉ siècle. Contribution à l'histoire littéraire de province.* Paris, A. Picard, 1933. 464 p. Thèse, Paris.

P. 263-305, « Voltaire et Lyon. »

635 Guiral, Pierre. « Quelques notes sur le retour de faveur de Voltaire sous le Second Empire. » [In] Faculté des lettres et sciences humaines d'Aix-en-Provence. *Hommage au doyen Etienne Gros.* Gap, Imprimerie Louis-Jean, 1959. 278 p. ill. 25 cm. P. 193-204.

636 Halász, Zsuzsanna. *Voltaire aXIX század itélletében* [Voltaire dans l'opinion du XIXᵉ siècle]. Budapest, Bethlen, 1934. 135 p.

Réactions d'écrivains français.

637 Hébert de la Rousselière, J. « Flaubert critique littéraire (Flaubert et Voltaire). » *Les Amis de Flaubert* n° 25 : 32-35, déc. 1964.

638 Hervier, Marcel. *Les Ecrivains français jugés par leurs contemporains.* 2 : *Le XVIIIᵉ Siècle.* Paris, Mellottée [1936 ?]. 274 p. P. 37-139.

639 Hole, Allen David. « Jean-Baptiste de Mirabaud (1675-1760) his contribution to the deistic movement and his relation to Voltaire. » *DA* 12 : 302, 1952.

640 Hornik, Henry. « Jean Bodin and the beginnings of Voltaire's struggle for religious tolerance. » *MLN* 76 : 632-635, Nov. 1961.

641   HUBERT, J.-D. « Une Appréciation inédite de Racine en 1764. » *Bulletin de liaison racinienne* n° 5 : 102-111, 1957.

Des notes marginales de P.-A. Le Guay de Prémontval dans un exemplaire de l'édition du *Théâtre* de Corneille par V (1764) attaquent l'interprétation de *Bérénice* par celui-ci.

642   JACOUBET, H. « Sources. » *AUG* N.S., Section lettres-droit 17 : 247-257, 1941.

Voir p. 256-257 : un passage dans « Le Mont des Oliviers » de Vigny n'est pas basé sur V.

643   JACQUART, Jean. *Un Témoin de la vie littéraire et mondaine au XVIIIᵉ siècle. L'abbé Trublet critique et moraliste, 1697-1770, d'après des documents inédits.* Paris, A. Picard, 1926. xiv, 453 p. port. 25,25 cm.

P. 186-191, critique de la *Henriade* ; p. 239-252, 363-381, relations avec V ; autres références.

644   JALOUX, Edmond. *Perspectives et personnages : l'esprit des livres, 3ᵉ série.* Paris, Plon, 1931. 252 p. 18,5 cm.

P. 15-24, « Voltaire et M. Jacques Bainville. »

645   JONES, Anne Cutting. *Frederick Melchior Grimm as a critic of eighteenth century French drama.* Bryn Mawr, Penn., 1926. xiv, 70 p. 23 cm (Thèse, Bryn Mawr).

P. xii-xiv, liste d'articles de critique dramatique dans la *Correspondance littéraire* (1753-1762) qui inclut *L'Orphelin de la Chine, Sémiramis, Socrate, L'Ecossaise, Tancrède, Zulime, L'Ecueil du sage.* Toutes ces pièces, sauf *Sémiramis,* sont discutées par la suite.

646   JUGE-CHAPSAL, Charles. « Une Polémique entre un Riomois et M. de Voltaire. » *Bulletin historique et scientifique de l'Auvergne* 68 : 123-140, 1948.

Résumé : Jacques Levron. « Voltaire et le testament de Richelieu. » *MdF* 308 : 557-561, 1ᵉʳ mars 1950.
Dispute avec J.-F. Gamonet au sujet de l'authenticité du Testament politique de Richelieu.

646A « Jugement de Voltaire sur le cognaçais Pierre de Villiers (1648-1728). » *Institut d'histoire et d'archéologie de Cognac et du Cognaçais* 2, n° 1 : 68-69, 1961.

647   KEMP, Robert. « Quelques réflexions autour d'*Athalie.* » *Temps* 17 avr. 1939, p. 5.

Commentaires sur la critique de la pièce de Racine faite par V.

648   KRAUSS, Werner, éd. *Cartaud de la Villate : ein Beitrag zur Entstehung des geschichtlichen Weltbildes in der französischen Frühaufklärung.* Eingeleitet und versehen mit Anmerkungen von Werner Krauss. Berlin, Akademie-Verlag, 1960. 2 v. 20 cm.

1 : 30-32, V historien ; 1 : 90-91, l'*Essai sur les mœurs* ; 2 : 79-82, « Lesepuren in Voltaires Exemplar des *Essai historique et philosophique sur le goût* » ; de nombreuses autres références.
C.R. : H. Dieckmann, *DLZ* 82 : 595-599, 1961 ; F. Schalk, *Archiv* 199 : 275-279, 1962-63.

649   LABRIOLLE, Marie-Rose de. *Le « Pour et Contre » et son temps.* Genève, Institut et Musée Voltaire, 1965. 2 v. (*SV,* 34-35).

Voir surtout p. 145-160 (la prose et la poésie de la jeunesse de V) ; p. 195-203 (ses tragédies) ; p. 241-243 (*L'Enfant prodigue*) ; p. 490-504 (V et la science de Newton) ; p. 512-513 (V et les sciences naturelles).

650   LA HARPE, Jacqueline de. « La « Muse et Grâce » de Voltaire (le conte
      de fée en France vers 1750). » *PMLA* 54 : 454-466, June 1939.

      Sur Marie-Madeleine de Lubert et ses contes ; peu de choses sur V.

651   LA SALLE, Henri de. « Un Amour de Voltaire : mademoiselle de Livry. »
      Annales de l'Académie de Mâcon 3e sér., 46 : 73-80, 1962-63 [1965].

652   LAUER, Rosemary. « Voltaire and the Society of Jesus. » *The Modern
      schoolman* 40 : 284-287, March 1963.

653   LEMKE, Charlotte. *Voltaire et Grasset.* Detroit, 1945. Thèse, microfilm.

654   « Lettre de Pierre Jean Lecorvaisier, secrétaire perpétuel de l'Académie
      d'Angers, à Voltaire (1748). » *Bulletin mensuel de l'Académie des sciences,
      belles-lettres et arts d'Angers* 8e sér., 7, n° 6 : xxii, 6 juin 1963.

      Lettre présentée à l'Académie.

655   Люблинский, Владимир С. « Маргиналий Вольтера» [Notes margi-
      nales de Voltaire]. [In] Ленинград Университет. Вольтер, статьи
      и материалы. Ленинград, 1947. P. 115-173.

      P. 124-145, notes marginales sur les drames de Crébillon ; p. 145-173,
      notes sur *Le Vrai Système de la nature* (Helvétius) et sur les *Pensées
      philosophiques* de Diderot.
      Traduit [in] *Voltaire-Studien.* Berlin, 1961. P. 75-144.

656   M. K. « Voltairiana. » (Trad. W. V. Steiner.) *Antiquariat* 16 : 169-174, 1961.

      Sur les relations entre V et Jore.

657   MARTINI, Mario Maria. « Il Presidente de Brosses e Voltaire. » *Le Opere
      e i giorni* 16 : 24-28, gen. 1937.

      L'opposition de V à l'élection du président de Brosses à l'Académie.

658   MASON, Haydn T. *Pierre Bayle and Voltaire.* [London] Oxford U P, 1963.
      xv, 159 p. (Oxford modern language and literature monographs).

      Etude d'ensemble sur l'influence de Bayle sur V. Contient un appendice
      de références à Bayle dans les œuvres et la correspondance de V.
      C.R. : W. H. Barber, *FS* 18 : 378-379, Oct. 1964 ; Arturo Deregibus,
      SFr 9 : 110-112, gen.-apr. 1965 ; John N. Pappas, *MP* 62 : 260-263,
      Feb. 1965.

659   — « Voltaire and Le Bret's digest of Bayle. » *SV* 20 : 217-221, 1962.

660   MATHIEZ, Albert. « Les Philosophes et le pouvoir au milieu du xviiie
      siècle. » *AHRF* 12 : 1-12, janv. 1935.

      Voir surtout p. 2-6.

661   MATTEUCCI, Nicola. *Jacques Mallet-Du Pan.* Napoli, Nella sede dell'Istituto,
      1957. 427 p. 25 cm (Istituto italiano per gli studi storici, 9).

      P. 29-69, « Ginevra e la querelle Rousseau-Voltaire » ; p. 72-108,
      « Rousseau e Voltaire nelle rivoluzioni ginevrine » ; voir aussi p. 114-120.

662   MAYER, J. « Robinet, philosophe de la nature. » *RSH* N.S. fasc. 75 :
      295-309, juil.-sept. 1954.

      P. 306-309, « Note : Robinet et Voltaire. *Les Lettres secrètes.* »

663   MICHAUX, F. « A travers les œuvres de Victor Hugo : notice sur Voltaire. »
      BBB N.S. 16 : 402-415, août 1937.

      P. 402-405, « Notice sur Voltaire », « Discours pour Voltaire. »

664   MILLER, John Richardson. *Boileau en France au dix-huitième siècle.* Balti-
      more, The Johns Hopkins P ; London, Humphrey Milford, Oxford U P ;
      Paris, Société d'édition « Les Belles Lettres », 1942. 626 p. 26 cm. (The
      Johns Hopkins studies in Romance literatures and languages, extra vol. 18).

      P. 199-224, Boileau et V, et autres références.

665 MONTY, Jeanne R. *La Critique littéraire de Melchior Grimm.* Genève, Droz ; Paris, Minard, 1961. 139 p.

P. 80-109, V historien, dramaturge, conteur, poète, philosophe et critique littéraire.

666 MORRIS, Thelma. *L'Abbé Desfontaines et son rôle dans la littérature de son temps.* Genève, Institut et Musée Voltaire, 1961. 390 p. 22,5 cm (*SV*, 19).

P. 49-59, « Ses Démêlés avec Voltaire » ; p. 59-68, « La Voltairomanie » ; beaucoup d'autres références.

667 MYERS, Robert L. « A literary controversy in eighteenth-century France : Voltaire vs. Desfontaines. » *RIP* 44, nᵒ 2 : 94-116, July 1957.

668 NAVILLE, Pierre. *Paul Thiry d'Holbach et la philosophie scientifique au XVIIIᵉ siècle.* [Paris] Gallimard [1943]. 471 p. 21 cm.

P. 108-115, « La Critique de Voltaire » (sa critique du *Système de la nature*).

669 NIVAT, Jean. « Voltaire et les ministres. » *TR* nᵒ 122 : 43-59, fev. 1958.

670 NOLHAC, Pierre de. « Voltaire juge de Louis XV. » *NL* 27 mai 1933, p. 1.

670A OEHLER, Helmut. « Prinz Eugen und Voltaire. » *Anzeiger der Akademie der Wissenschaften* (Wien), Philosophisch-Historische Klasse, 79 : 90-116, 1942.

Abschnitt aus *Prinz Eugen und die Nachwelt. Ein Mythus und sein Niederschlag in Dichtung und Geschichtschreibung.*

671 O'KEEFE, Cyril B., S.J. « Conservative opinion on the spread of deism in France, 1730-1750. » *JMH* 33 : 398-406, Dec. 1961.

Voir p. 401, 404-406, sur les *Lettres philosophiques* et d'autres ouvrages déistes.

672 ORTIZ ARIGÓS DE MONTOYA, Delia. « Pascal y Voltaire contra Descartes. » [In] La Plata. Universidad nacional. *Escritos en honor de Descartes.* 1938. P. 145-164.

673 PAPPAS, John N. *Berthier's Journal de Trévoux and the philosophes.* Genève, Institut et Musée Voltaire, 1957. 238 p. (*SV*, 3).

P. 85-137, « Voltaire » : étude serrée des relations de V avec le *Journal*, les Jésuites et Berthier en particulier.
C.R. : Alfred J. Desautels, S.J., *FR* 32 : 489-490, Apr. 1959 ; R. A. Leigh, *MLR* 53 : 437-439, July 1958 ; F. Orlando, *SFr* 3 : 149-150, gen.-apr. 1959 ; André-Michel Rousseau, *RLC* 34 : 301-303, avr.-juin 1960 ; F. A. Taylor, *FS* 12 : 268-270, July 1958 ; R. E. Taylor, *MLN* 74 : 465-466, May 1959 ; Fernand Vial, *RR* 49 : 129-132, Apr. 1958.

674 — « La Rupture entre Voltaire et les Jésuites. » *LR* 13 : 351-370, 1ᵉʳ nov. 1959.

La rupture, où le rôle de d'Alembert est important, est basée sur la nécessité de défendre l'*Encyclopédie*.

675 — *Voltaire and D'Alembert.* Bloomington, Indiana U P, 1962. 183 p. 23 cm (Indiana U humanities series, 50).

Réévaluation de d'Alembert qui souligne l'importance de son rôle dans la campagne de V pour le progrès des lumières.
C.R. : J. H. Brumfitt, *FS* 18 : 56-57, Jan. 1964 ; D. A. Day, *MLR* 59 : 295, Apr. 1964 ; Lionel Gossman, *MLN* 79 : 94-97, Jan. 1964 ; E. J. H. Greene *ECr* 3 : 90, summer 1963 ; Jacques Proust, *RHL* 64 : 105, janv.-mars 1964 ; Frederick A. Spear, *BA* 38 : 73-74, winter 1964 ; Renée Waldinger, *RR* 55 : 130-131, Apr. 1964.

676   — « Voltaire et la guerre civile philosophique. » *RHL* 61 : 525-549, oct.-déc. 1961.

Explication de la rupture entre V et les matérialistes et du rôle de d'Alembert dans l'attitude modérée de V vis-à-vis de la religion chrétienne.

677   PERKINS, Jean A. « Voltaire and La Mettrie. » *SV* 10 : 101-111, 1959.

Etude des notes marginales et des signets dans une édition de La Mettrie dans la bibliothèque de V à Leningrad.

678   PERKINS, Merle L. « Voltaire and the Abbé de Saint-Pierre. » *FR* 34 : 152-163, Dec. 1960.

679   — « Voltaire and the Abbé de Saint-Pierre on world peace. » *SV* 18 : 9-34, 1961.

680   PICHOIS, Claude. « Voltaire devant le xixe siècle. » *L'Ecole* (2e cycle, enseignement littéraire) 43, no 11 : 351-352, 346, 16 fév. 1952.

681   POMEAU, René. « Prévost et Voltaire. » [In] *Colloque : l'Abbé Prévost. Actes du colloque d'Aix-en-Provence.* [Aix-en-Provence] Editions Orphrys, 1965. xxviii, 270 p. ill. 24 cm (Publications des Annales de la Faculté des lettres d'Aix-en-Provence, N.S. 50). P. 23-30.

682   POMMIER, Jean. « Le Cycle de Chactas. » *RLC* 18 : 604-629, oct.-déc. 1938.

L'influence de V sur Chateaubriand.

682A PRESTREAU, Georges. « M. de Voltaire de l'Académie royale d'Angers. » *MAA* 8e sér., 5 : 110-114, 1961.

683   PRICE, E. H. « The opinions of Voltaire concerning Montesquieu's theories of Roman greatness. » *PQ* 16 : 287-295, July 1937.

684   PSICHARI, Lucien. « Voltaire et Anatole France. » *Europe* 37, no 361-362 : 151-161, mai-juin 1959.

685   RALPH, Dorothy M. *Jean de Meun, the Voltaire of the middle ages.* Urbana, Ill., 1940. 6 p.

Résumé d'une thèse.

686   RIDGWAY, Ronald S. « *Athalie* vue par Voltaire. » *Bulletin de liaison racinienne* no 6 : 18-22, 1958.

687   ROBIEN, Pierre Dymas & C.J.P. LA BELLANGERAIS. *Le XVIIIe Siècle breton. Autour des Etats et du Parlement* [...]. Publié par A. Le Moy. Rennes, J. Plihon, 1931. viii, 391 p. 25 cm.

P. 278-282, lettres de La Bellangerais à propos de V.

688   ROCKWOOD, Raymond O. *The cult of Voltaire to 1791 ; a revolutionary deity, 1789-May 30, 1791.* [Chicago] 1937. P. 137-178.

Extrait d'une thèse, U de Chicago.

689   — « The legend of Voltaire and the cult of the Revolution, 1791. » [In] *Ideas in history ; essays presented to Louis Gottschalk by his former students.* Edited by Richard Herr and Harold T. Parker. Durham, N. C., Duke U P, 1965. xx, 380 p. 25 cm. P. 110-134.

690   RZ, M. « Voltaire, tel qu'en un autre enfin les bien-pensants le changent. » *BIV* 1, no 3 : 17-20, fév. 1962.

690A SAINTE-BEUVE, Charles-Augustin. « Voltaire et le président de Brosses, ou une intrigue académique au XVIIIe siècle. » *BSBibliolâtres* no 69 : 1107-1118, avr. 1958.

Lundi, 8 nov. 1852.

691   SAINTVILLE, G. « Sur une comparaison de Vauvenargues et Pascal par Voltaire. » *RHL* 38 : 592-598, oct.-déc. 1931.

692 — *Le Vauvenargues annoté de la bibliothèque Méjanes.* Paris, Giraud-Badin, 1933. 26 p. (Extr. du *BBB*).

Commentaire détaillé à propos d'un exemplaire de Vauvenargues que V aurait lu et annoté.

693 SAREIL, Jean. *Anatole France et Voltaire.* Genève, Droz ; Paris, Minard, 1961. 502 p. 25 cm.

1ᵉ partie : A. France, sa connaissance de V et son jugement sur lui ; 2ᵉ partie : comparaison des idées des deux écrivains ; 3ᵉ partie : étude de leurs idées selon certains thèmes.
C.R. : Maria Laura Arcangeli Marenzi, *Annali della Facoltà di lingue e letterature straniere di Ca' Foscari* (Venezia) 1 : 135-136, 1962 ; George R. Havens, *RR* 53 : 236-238, Oct. 1962 ; W.-G. Klostermann, *Archiv* 200 : 77-80, 1963 ; Werner Krauss, *DLZ* 83 : 637-639, Juli-Aug. 1962 ; Maija Lehtonen, *NM* 62 : 230-232, 1961 ; John N. Pappas, *LR* 17 : 353-356, 1ᵉ nov. 1963 ; Henri Peyre, *FR* 35 : 334-336, Jan. 1962 ; Dietrich Schlumbohm, *RJ* 14 : 221-223, 1963 ; Marcello Spaziani, *SFr* 6 : 514-515, set.-dic. 1962 ; André Vandegans, *RHL* 63 : 136-137, janv.-mars 1963 ; H. van Tichelen, *De Vlaamse Gids* 46 : 253-258, 1962 ; J. Vercruysse, *RBPH* 61 : 973-975, 1963 ; R. Wiarda, *Neophil* 46 : 77-80, Jan. 1962.

694 — « Voltaire juge de Rabelais. » *RR* 56 : 171-180, Oct. 1955.

694A SASSO, Antonio dal. « L'influenza di Cartesio sulla formazione dell'Illuminismo francese. » [In] *Cartesio nel terzo centenario del « Discorso del metodo »*. Pubblicazione a cura della Facoltà di filosofia dell'Università cattolica del Sacro Cuore. Milano, Vita e pensiero, 1937. xii, 807 p. 25,5 cm (Rivista di filosofia neo-scolastica, supplemento speciale al volume XIX, luglio 1937). P. 227-238.

Bien des citations de V.

695 SCHIER, Donald. « Voltaire and Diderot in the Goncourt *Journal*. » *FR* 39 : 258-264, Nov. 1965.

696 SCHILTZ, Raymond. « Lumières nouvelles sur la querelle de Maupertuis et de Voltaire. » *Petite Revue des bibliophiles dauphinois* 2ᵉ sér., 5, n° 2 : 59-68, 1951-1958.

Traite de la *Vie privée du roi de Prusse.*

697 SEZNEC, Jean. « Voltaire and Fragonard : notes on a legend. » *JWCI* 10 : 109-113, 1947.

698 SGARD, Jean. « Prévost et Voltaire. » *RHL* 64 : 545-564, oct.-déc. 1964.

699 SOUDAY, Paul. « Voltaire y Turgot. » *La Nación* (Buenos Aires) 31 de julio de 1927.

700 STRACHEY, [Giles] Lytton. « The Président de Brosses. » *New republic* 66 : 267-270, 22 Apr. 1931 ; *New statesman* 1 : 250-251, 281-282 ; 11, 18 Apr. 1931.

701 STURM, Paul J. « Joubert and Voltaire : a study in reaction. » [In] *Studies by members of the French department of Yale University.* Ed. by Albert Feuillerat. Decennial volume. New Haven, Yale U P, 1941. 24 cm (Yale Romanic studies, 18). P. 185-220.

702 TAPONNIER, Paul. *Au gré des jours au XVIIIᵉ siècle : le Résident de France Pierre Michel Hennin.* (Extr. de la *Revue savoisienne* [1959 ?]). 13 p.

703 TRÉNARD, Louis. *Histoire sociale des idées. Lyon de l'Encyclopédie au préromantisme.* Paris, PUF, 1958. 2 v. 24 cm (Collection des Cahiers d'histoire publiée par les Universités de Clermont, Lyon, Grenoble).
P. 82-84, V et Beccaria, V et l'Académie de Lyon ; p. 131-133, les œuvres de V diffusées par la librairie et la bibliothèque à Lyon.

704   TRILLAT, Ennemond. « Voltaire et le père Adam. » *Le Crocodile* 38, n° 2 : 3-8, avr.-mai-juin 1961.

705   TROMPEO, Pietro Paolo. *L'Azzurro di Chartres e altri capricci*. [Caltanissetta, Roma] Salvatore Sciascia [1958]. 364 p. 20 cm (Aretuza ; collezione di letteratura, 5).

P. 103-109, « Voltaire e i tre Rousseau » : J.-B. et J.-J. Rousseau sont cités brièvement, mais l'essai traite surtout de V et Pierre Rousseau, éditeur du *Journal encyclopédique*.

706   VENTURI, Franco. « Postille inedite di Voltaire ad alcune opere di Nicolas-Antoine Boulanger e del barone d'Holbach. » *SFr* 2 : 231-240, mag.-ag. 1958. fac-sims.

Sur les notes marginales de V dans les *Recherches sur l'origine du despotisme oriental* (Boulanger) et dans le *Christianisme dévoilé* (d'Holbach), livres dans sa bibliothèque à Leningrad.

707   VERCRUYSSE, Jérôme. « Voltaire et Madame de Rupelmonde. » *Le Flambeau* 45 : 61-67, janv.-fév. 1962.

708   VIAL, Fernand. « Vauvenargues et Voltaire. » *RR* 33 : 41-57, Feb. 1942.
Sur la critique littéraire.

709   VILLARET, François. « Magistrats et écrivains parisiens dans la lutte des idées au XVIIIe siècle : Voltaire et l'avocat général Omer Joly de Fleury. » *La Vie judiciaire* n° 362 : 6-7, 10 ; 19-24 mai 1958.
Réimpr. à part : [Paris, 1958]. 5 p.

710   « Voltaire et ses maîtres. » *BIV* 1, n° 8 : 62-64, juil. 1962.

711   WADE, Ira O. « Voltaire and Malesherbes. » *FR* 8 : 357-369, 455-480, Apr., May 1935.
Présente des lettres inédites de Malesherbes.

712   WATTS, George B. « La Harpe's correspondence. » *FR* 32 : 362-363, Feb. 1959.
Contient une lettre de La Harpe à Panckoucke lui demandant 60 lettres de V déjà prêtées.

713   — « Voltaire, Christin, and Panckoucke. » *FR* 32 : 138-143, Dec. 1958.

714   — « Voltaire and Charles Joseph Panckoucke. *KFLQ* 1 : 179-197, 4th quarter 1954.

715   WEINTRAUB, Karl J. « Toward the history of the common man : Voltaire and Condorcet. » [In] *Ideas in history ; essays presented to Louis Gottschalk by his former students*. Edited by Richard Herr and Harold T. Parker. Durham, N. C., Duke U P, 1965. xx, 380 p. 25 cm. P. 39-64.

716   WILLIAMS, Basil. « Voltaire in eighteenth-century memoirs. » *ConR* 170 : 29-33, July 1946.

717   WOGUE, J., éd. « Voltaire vu par un de ses interprètes. » *NL* 30 oct. 1937, p. 10.
Boutet de Monvel.

718   WUEST, Anne. « Je demeure immobile... ». *PQ* 26 : 87-89, Jan. 1947.
Un hémistiche emprunté à Corneille fut employé quatre fois par V.

719   ZEEK, C. F. « Palissot and Voltaire. » *MLQ* 10 : 429-437, Dec. 1949.

1. Diderot

720 Бахмутский, В. « Вольтер и буржуазная драма (к вопросу об отношении Вольтера к эстетической теории Дидро) » [Voltaire et le drame bourgeois (sur la question de l'attitude de Voltaire envers la théorie esthétique de Diderot)]. *VLit* 12, n° 4 : 179-205, 1958.

721 FABRE, Jean. « Deux définitions du philosophe : Voltaire et Diderot. » *TR* n° 122 : 135-152, fév. 1958.

Réimpr. [in] *Lumières et romantisme. Énergie et nostalgie de Rousseau à Mickiewicz.* Paris, Klincksieck, 1963. xi, 304 p. P. 1-18.

722 SEZNEC, Jean. « Falconet, Voltaire et Diderot. » *SV* 2 : 43-59, 1956.

Contient une lettre inédite de Falconet à V qui sert de point de départ pour des études sur les rapports entre les deux et sur le goût artistique de V.

723 TORREY, Norman L. « Voltaire's reaction to Diderot. » *PMLA* 50 : 1107-1143, Dec. 1935.

724 WILSON, Arthur M. *Diderot : the testing years, 1713-1759.* New York, Oxford U P, 1957. xii, 417 p. ill. port. 24 cm.

Voir surtout p. 287-291, 253-254 pour les relations entre V, Diderot et d'Alembert.

725 — « Leningrad, 1957 : Diderot and Voltaire gleanings. » *FR* 31 : 351-363, Apr. 1958.

Voir p. 360-362 : notes marginales de V à propos de Diderot, notes marginales dans l'*Encyclopédie*, œuvres de Diderot dans la bibliothèque.

2. L'Encyclopédie

726 CAZES, André. *Grimm et les Encyclopédistes.* Paris, PUF, 1933. 408 p. 25,5 cm. Thèse, Paris.

Voir p. 76-79, 92-96, 181-185, 198-205, etc.

727 MATTEUCCI, Nicola. « *Genève* nelle polemiche dell'*Encyclopédie.* » *Mulino* 2 : 726-744, 1953.

728 NAVES, Raymond. *Voltaire et l'Encyclopédie.* Paris, Presses modernes, 1938. 206 p. 25,5 cm.

C.R. : George R. Havens, *MLN* 54 : 617, Dec. 1939 ; Ira O Wade, *RR* 31 : 78-81, 1940.

729 PINTARD, René. « Voltaire et l'*Encyclopédie.* » *AUP* 22 (numéro spécial) : 39-56, oct. 1952. pl.

730 REZLER, Marta. « Voltaire and the *Encyclopédie* : a re-examination. » *SV* 30 : 147-187, 1964.

731 Симон, К. Р. « Вольтер и энциклопедия » [Voltaire et l'Encyclopédie]. [In] Академия Наук СССР. Вольтер : статьи и материалы. Москва-Ленинград, 1948. P. 285-303.

732 VENTURI, Franco. *Le Origini dell'Enciclopedia.* Torino [Giulio Einaudi, 1963]. 161 p. (Piccola biblioteca Einaudi).

P. 81-83, 93-96 et autres.

3. Meslier

733 CAJUMI, Arrigo. *Pensieri di un libertino. Uomini e libri 1935-1945.* Milano, Longanesi [1947]. 495 p. 18,5 cm.

P. 78-79, « Voltaire e Meslier. »

733A CRISTIANI, L. « Documentation communiste et « testament » de l'abbé
Meslier. » *L'Ami du clergé* 64 : 268-271, 29 avril 1954.

734 DOMMANGET, Maurice. *Le Curé Meslier : athée, communiste et révolutionnaire sous Louis XIV.* Paris, Julliard [1965]. 553 p. (Dossier des
« Lettres nouvelles »).

P. 361-406, « Voltaire et Meslier » ; p. 513-540, bibliographie et
iconographie.

735 HAAR, Johann. *Jean Meslier und die Beziehungen von Voltaire und Holbach
zu ihm ; eine Studie zum Zeitalter der französischen Aufklärung.*
Hamburg, 1928. 79 p. Thèse, Hamburg.

736 MOREHOUSE, Andrew R. *Voltaire and Jean Meslier.* New Haven, Conn.,
Yale U P, 1936. 158 p. 24 cm.

C.R. : E. P. Dargan, *MP* 34 : 436-438, 1936-37 ; Daniel Mornet, *RHL*
43 : 594-595, 1936 ; Raymond O. Rockwood, *JMH* 9 : 495-497, Dec.
1937 ; Ira O. Wade, *RR* 28 : 285-289, Oct. 1937.

737 WADE, Ira O. *The clandestine organization and diffusion of philosophic
ideas in France from 1700 to 1750.* Princeton, N. J., Princeton U P ;
London, H. Milford, Oxford U P, 1938. 329 p. 23,5 cm.

P. 65-93, « Works of Jean Meslier » ; autres références.
C.R. : E. Malakis, *MLN* 54 : 385-386, May 1939 ; Norman L. Torrey,
RR 30 : 205-209, Apr. 1939.

738 — « The manuscripts of Jean Meslier's *Testament* and Voltaire's printed
Extrait. » *MP* 30 : 381-398, May 1933.

4. Pascal

739 ALESSIO, Franco. « Voltaire e Pascal. » *Giornale di metafisica* 7 : 106-119,
234-248, 15 gen.-feb., 15 mar.-apr. 1952.

Sur leurs différences de point de vue et de manière d'aborder les
questions religieuses.

740 EHRARD, Jean. « Pascal au siècle des lumières. » [In] *Pascal présent, 1662-
1962.* [Paul Viallaneix et autres]. Clermont-Ferrand, G. de Bussac
[1962]. 289 p. ill. (Collection Ecrivains de l'Auvergne).

P. 231-255.
V est cité partout, car il est au centre de la réaction des lumières
à Pascal.

741 FINCH, David. *La Critique philosophique de Pascal au XVIIIe siècle.*
Philadelphia, 1940. 84 p. 23 cm.

P. 13-38, « Voltaire. »

742 MAURIAC, François. *Voltaire contre Pascal.* Paris, Editions de la « Belle
Page », 1929. 23 p. (Collection « Rara Avis »).

Réimpr. [in] *Mes Grands Hommes.* Monaco, Editions du Rocher [1949].
253 p. P. 45-54.
Trad. en anglais : *Great men.* Tr. by Elsie Pell. London, Rockliff
[1949]. vii, 127 p. P. 22-26 ; *Men I hold great.* [Tr. by Elsie Pell].
New York, Philosophical Library [1951]. 130 p. P. 24-29.

743 MILLOT, Albert. *Pascal et Voltaire.* Extr. de *Littérature, philosophie et
pédagogie,* mai 1938. 13 p. 24 cm.

744 MOREHOUSE, Andrew R. « A few remarks on one or two aspects of the
Pascal-Voltaire controversy. » [In] *Essays in honor of Albert Feuillerat.*
Edited by Henri Peyre. New Haven, Yale U P ; London, H. Milford,
Oxford U P, 1943. viii, 294 p. 24 cm (Yale Romanic studies, 22).

P. 149-162.

745 Munot, Philippe. « Une Pensée de Pascal commentée par Voltaire. Etude comparative de deux textes d'idées. » *CAT* 4 : 38-54, 1962.

746 Spink, J. S. *French free-thought from Gassendi to Voltaire.* London, U of London P, 1960. ix, 345 p. 22 cm.

P. 312-324, « Voltaire versus Pascal. »
C.R. : Lester G. Crocker, *MP* 60 : 68-71, Aug. 1962 ; George Peabody Gooch, *ConR* 199 : 49-50, Jan. 1961 ; J. Lough, *EHR* 77 : 159, Jan. 1962 ; Leonard M. Marsak, *Isis* 53 : 263, June 1962 ; Jacques Morel, *RSH* N.S. fasc. 101 : 119-120, janv.-mars 1961 ; D. C. Potts, *MLR* 56 : 271-272, Apr. 1961 ; Ronald S. Ridgway, *QQ* 68 : 358-359, summer 1961 ; Robert Shackleton, *FS* 15 : 370-371, Oct. 1961 ; *TLS* Sept. 2, 1960, p. 559 ; H. R. Trevor-Roper, *New statesman* 60 : 355-356, 1960 ; Jean Varloot, *Pensée* N. S. n° 93 : 116-117, sept.-oct. 1960 ; Aram Vartanian, *ECr* 1 : 102-104, summer 1961 ; Ira O. Wade, *AHR* 66 : 1027-1029, July 1961 ; Roger Zuber, *RHL* 62 : 423-424, juil.-sept. 1962.

746A Troude, Robert. « Voltaire et Paul Valéry critiques de Pascal. » [In] *Précis analytique des travaux de l'Académie des sciences, belles-lettres et arts de Rouen pendant [...] 1963.* Paris, A. Picard, 1964.

P. 199-218.

747 Waterman, Mina. *Voltaire, Pascal and human destiny.* New York, King's Crown P, 1942. xvi, 130 p. 23 cm.

Etude basée surtout sur les *Remarques sur les Pensées de Pascal* de 1734 et de 1778.
C.R. Albert Guérard, *RR* 33 : 393, Dec. 1942 ; George R. Havens, *PhR* 52 : 526, Sept. 1943 ; Andrew R. Morehouse, *Review of Religion* 7 : 162-165, Jan. 1943 ; Roger B. Oake, *MLQ* 4 : 502-503, Dec. 1943.

748 Wautier, A. « Voltaire contre Pascal. » *BIV* 2, n° 14 : 121-127, fév. 1963.

5. Jean-Jacques Rousseau

749 Бахмутский, В. Я. « Полемика Вольтера и Руссо » [Dispute de Voltaire et Rousseau]. Вопросы философии 13, n° 7 : 99-111, 1959.

Leurs points d'accord et de différence dans leur pensée sociale et politique.

750 Choisy, Albert. « Libelles de Voltaire contre Rousseau, 1765. » *AJJR* 25 : 251-266, 1936.

751 Державин, К. Н. « Вольтер--читатель « Эмиля » Руссо » [Voltaire-lecteur de l'« Emile » de Rousseau]. IAN, Серия VII, Отделение общественных наук (*Bulletin de l'Académie des sciences de l'URSS, Série VII, Classe des sciences sociales*) 1932 : 317-339.

752 Fernández, Ramón. *Itinéraire français.* (Nouvelle édition). Paris, Editions du Pavois, 1943. 481 p. 18,5 cm.

P. 202-230, « L'Esprit classique en danger. Le couple Voltaire-Rousseau. »

753 Feugère, A. « Rousseau et son temps : la littérature du sentiment au xviiie siècle (I) : La « Lettre à d'Alembert. » La querelle de Rousseau et de Voltaire. » *RCC* 36[1] : 114-131, 30 déc. 1934.

Etude des relations des deux écrivains vers 1758-60 qui souligne leurs différences de caractère.

754 Fulchignoni, Enrico. « I Nemici del teatro. Voltaire e la *Lettera sugli spettacoli* di G. G. Rousseau. » *Rivista italiana del teatro* 7 : 147-171, 15 mar. 1943.

755 Gagnebin, Bernard. « Voltaire a-t-il provoqué l'expulsion de Rousseau de l'île Saint-Pierre ? » *AJJR* 30 : 111-131, 1943-1945.

L'auteur présente plusieurs lettres et documents inédits.

756   GUILLEMIN, Henri. *Les Philosophes contre Jean-Jacques : « cette affaire infernale », l'affaire J.-J. Rousseau-Hume — 1766.* Paris, Plon [1942]. ii, 354 p.

Voir p. 146-150, 277-282 et autres références.

757   — « Voltaire a-t-il cherché à faire exécuter Rousseau ? » *FL* 17 mai 1947, p. 6.

758   HACHTMANN, Otto. « Voltaire und Rousseau ; zu ihren 150. Todestagen (30. Mai und 2. Juli). » *DRs* 215 : 247-254, Juni 1928.

759   HAVENS, George R. « A corrected reading of one of Voltaire's notes on Rousseau's *Emile.* » *MLN* 47 : 20, Jan. 1932.

760   — « Voltaire's marginal comments on Rousseau. » *SAQ* 31 : 408-416, Oct. 1932.

761   — « Les Notes marginales de Voltaire sur Rousseau. » *RHL* 40 : 434-440. juil.-sept. 1933.

Traduction du numéro précédent.
Etude détaillée des notes marginales dans la bibliothèque à Leningrad.

762   — « Voltaire, Rousseau, and the *Lettre sur la Providence.* » *PMLA* 59 : 109-130, Mar. 1944.

763   — *Voltaire's marginalia on the pages of Rousseau : a comparative study of ideas.* Columbus, Ohio, The Ohio State U, 1933. 199 p. 23 cm. (Ohio State University studies. Graduate school series. Contributions in languages and literatures, 6).

C.R. : Daniel Mornet, *RHL* 41 : 135-136, janv. 1934 ; A. Schinz, *AJJR* 22 : 259-261, 1933.

764   — « Voltaire's note on *Emile* once more. » *MLN* 47 : 325, May 1932.

765   HEALEY, F. G. « Rousseau, Voltaire and Corsica : some notes on an interesting enigma. » *SV* 10 : 413-419, 1959.

766   JIMACK, P. D. « Rousseau misquoting Voltaire ? » *SV* 37 : 77-79, 1965.

767   KNAUER, Karl. « Voltaire und Rousseau Stil. Versuch einer Interpretation gehaltbeladener Prosa-rhythmen. » *GRM* 24 : 382-399, Juli 1936.

768   LECERCLE, J.-L. « Querelles de philosophes : Voltaire et Rousseau. » *Europe* 37, n° 361-362 : 105-117, mai-juin 1959.

769   LEIGH, R. A. « Rousseau's letter to Voltaire on optimism (18 August 1756). » *SV* 30 : 247-309, 1964.

Etude des sept mss connus au XVIIIe siècle, aussi bien que des premières éditions de cette lettre dont on n'a jamais établi le texte correctement.

770   MONGRÉDIEN, Georges. « Jean-Jacques annoté par Voltaire. » *NL* 17 mars 1934, p. 2.

771   NAVES, Raymond. « Voltaire éditeur de Rousseau. » *RHL* 44 : 245-247, avr.-juin 1937.

Etude d'un extrait de la *Profession de foi d'un vicaire savoyard* publié dans le *Recueil nécessaire.*

772   OUTREY, Amédée. « Un Episode de la querelle de Voltaire et de Jean-Jacques Rousseau : la publication des *Lettres de Venise.* » *RHD* 64 : 3-36, 1950.

773   PAPPAS, John N. « Rousseau and d'Alembert. » *PMLA* 75 : 46-60, Mar. 1960.

En partie sur les attaques de V contre Rousseau et sur les efforts de d'Alembert pour les adoucir.

774 RODDIER, Henri. *J. J. Rousseau en Angleterre au XVIIIe siècle ; l'œuvre et l'homme.* Paris, Boivin [1950]. 435 p. 25 cm (Etudes de littérature étrangère et comparée, 21).

P. 286-290, 299-300 et autres références sur les rapports entre V et Rousseau pendant le séjour de celui-ci en Angleterre.

775 SAINTSBURY, George Edward Bateman. *A last vintage, essays and papers.* Edited by John W. Oliver [...]. London, Methuen [1950]. 255 p. 23 cm.

P. 140-155, « Voltaire and Rousseau », réimpr. de la *Fortnightly R.* mai 1878.

776 SCHINZ, Albert. « Rousseau, les déistes et les pasteurs. » *RR* 28 : 46-53, Feb. 1937.

6. Stendhal

777 ALCIATORE, Jules C. « Stendhal et les romans de Voltaire. » *SC* 3, n° 10 : 15-23, 15 janv. 1961.

778 — « Stendhal lecteur de *La Pucelle.* » *SC* 2 : 325-335, 15 juil. 1960.

779 — « Stendhal, Mlle de Lespinasse et deux vers de Voltaire. » *FR* 35 : 319-321, Jan. 1962.

780 — « Stendhal, Voltaire et la tyrannie monastique. » *SC* 4 : 345-346, 15 juil. 1962.

781 — « Stendhal, Voltaire et le verbe *éduquer.* » *SC* 3 : 127-128, 15 avr. 1961.

782 Реизов, Б. Г. « Вольтеровские реминисценции у Стендаля » [Réminiscences voltairiennes chez Stendhal]. [In] Ленинград Университет. Вольтер, статьи и материалы. Ленинград. 1947. P. 219-222.

F. LES ILES BRITANNIQUES

783 BALDENSPERGER, Fernand. « Voltaire anglophile avant son séjour en Angleterre. » *RLC* 9 : 25-61, janv.-mars 1929.

V aurait été le propagandiste de Bolingbroke.

784 BERGMANN, Fred. L. « Garrick's *Zara.* » *PMLA* 74 : 225-232, June 1959.

Sa dette envers le texte de V.

785 BONNO, Gabriel. *La Constitution britannique devant l'opinion française de Montesquieu à Bonaparte.* Paris, Champion, 1931. 319 p. 24 cm. Thèse, Paris.

P. 110-118, l'anglomanie de V.

786 BOSWELL, James. *Boswell on the grand tour : Germany and Switzerland, 1764.* Edited by Frederick A. Pottle. New York, McGraw-Hill [1953]. xiii, 357 p. (The Yale editions of the private papers of James Boswell) ; et London, W. Heinemann, 1953. xxvi, 353 p. 25 cm.

P. 195-322, « Boswell with Rousseau and Voltaire, 1764. » Voir surtout p. 262-263, 279-322.
Réimpr. en français : *Boswell chez les princes. Les cours allemandes, Voltaire, J.-J. Rousseau, 1764.* Préface de A. Maurois. Texte français de Célia Bertin. Paris, Hachette [1955]. 317 p. 23 cm (Les papiers de Boswell).
P. 273-316, « Lausanne et Genève. Séjour chez Voltaire. »
Trad. allemande d'une partie de ce texte : « Bei Voltaire in Ferney ; aus dem Tagebuch der « Grossen Reise » III. » *Monat* 7 : 50-60, Okt. 1954.

787   — *Boswell with Rousseau and Voltaire, 1764.* New York, W. E. Rudge,
        1928. 155 p. f° (Private papers of James Boswell from Malahide Castle
        collection of Col. R. M. Isham, edited by Geoffrey Scott, v. 4).

        Voir surtout p. 129-152.

788   BROWN, Harcourt. « Voltaire and the Royal Society of London. » *UTQ*
        13 : 25-42, Oct. 1943.

        Etude des changements concernant la Royal Society dans les *Lettres
        philosophiques* entre 1733 et 1748.

789   BROWN, Joseph E. « Goldsmith's indebtedness to Voltaire and Justus van
        Effen. » *MP* 23 : 273-284, Feb. 1926.

        Voir p. 273-281 sur les emprunts de Goldsmith à V.

790   BRUMFITT, J. H. « Voltaire and Warburton. » *SV* 18 : 35-56, 1961.

        Sur leurs rapports et sur la dette de V envers Warburton, surtout dans
        sa *Philosophie de l'histoire.*

791   *Colloque sur Voltaire dirigé par R. Pomeau, 10-12 mars 1961.* Institut
        français du Royaume-Uni. 18 p. 33 cm polycopié.

        Des exposés sur V et ses rapports avec l'Angleterre.

792   CROWLEY, Francis J. « Voltaire at Stationer's Hall. » *Library* 5th Series,
        10, n° 2 : 126-127, June 1955.

793   — « Voltaire ; un épisode de son séjour d'outre-Manche. » *BIV* 3, n° 22 :
        223-225, 1964.

794   DARGAN, E. P. « The question of Voltaire's primacy in establishing the
        English vogue. » *Mél Baldensperger* 1 : 187-198.

795   DE BEER, Sir Gavin [Rylands]. « Voltaire, F.R.S. » *N&R* 8 : 247-252,
        Apr. 1951. port.

        Sur V homme de science et sur son élection à la Royal Society.

796   FENGER, Henning. « Voltaire et le théâtre anglais. » *OL* 7 : 161-287,
        1949. Imprimé à part aussi : Copenhague, Gyldendal, 1949. 127 p.

        C.R. : H. C. Lancaster, *MLN* 66 : 286-287, Apr. 1951 ; O. R. Taylor,
        MLR 46 : 518-519, Oct. 1951 ; Jacques Voisine, *RLC* 27 : 227-229,
        avr.-juin 1953.

797   GARDNER, Juliet. « Chesterfield and Voltaire. » *Cornhill* 155 : 107-119, Jan.
        1937.

        Sur leurs ressemblances essentielles.

798   GIARRIZZO, Giuseppe. *Edward Gibbon e la cultura europea del settecento.*
        Napoli, Istituto, 1954. 535 p. 23 cm (Istituto italiano per gli studi
        storici in Napoli).

        Beaucoup de références à V historien dans le texte et dans les notes.

799   HAVENS, George R. « Voltaire's marginal comments upon Pope's *Essay on
        Man.* » *MLN* 43 : 429-439, Nov. 1928.

        Annotations d'un exemplaire conservé à la bibliothèque de Leningrad.

800   ИДЕЛЬСОН, Н. И. « Вольтер и Ньютон » [Voltaire et Newton]. [In]
        Академия Наук СССР. Вольтер : статьи и материалы. Москва-
        Ленинград, 1948. P. 215-241.

801   KING, R. W. « A note on Shelley, Gibbon, Voltaire and Southey. » *MLR*
        51 : 225-227, Apr. 1956.

        Sur l'influence d'un passage de *L'Ingénu.*

802   LAS VERGNAS, Raymond. *Le Chevalier Rutlidge « gentilhomme anglais »*
      (1742-1794). Paris, Champion, 1932. 238 p. 24 cm (Thèse complémen-
      taire, Faculté des lettres de l'U de Paris).

      P. 33-35, l'enthousiasme de Rutlidge pour V au début ; p. 77-80, son
      attaque contre V pour sa critique de Shakespeare ; p. 114-145, la polé-
      mique Voltaire-Shakespeare.

803   LOVEJOY, Arthur O. « Optimism and romanticism. » *PMLA* 42 : 921-945,
      Dec. 1927.

      Explication de l'attaque de V contre l'optimisme de Pope.

804   LUTAUD, Olivier. « D'*Areopagitica* à la *Lettre à un premier commis* et
      de l'*Agreement* au *Contrat social.* » *SV* 26 : 1109-1127, 1963.

      Voir p. 1109-1124, à propos de l'influence de Milton sur V.

805   MAILLET, Albert. « Dryden et Voltaire. » *RLC* 18 : 272-286, avr.-juin 1938.
      Sources.

806   MEIKLE, Henry W. « Voltaire and Scotland. » *EA* 11 : 193-201, juil.-
      sept. 1958.

      Exposé d'une variété de sujets.

807   MEYER, Paul H. « Voltaire and Hume's *Descent on the coast of Brittany.* »
      MLN 66 : 429-435, Nov. 1951.

      Sur la réaction de Hume au récit de l'expédition britannique par V.

808   MOSSNER, Ernest Campbell. « Beattie on Voltaire : an unpublished parody. »
      RR 41 : 26-32, Feb. 1950.

809   — « Beattie's « The Castle of Scepticism » : an unpublished allegory
      against Hume, Voltaire, and Hobbes. » *TxSE* 27 : 108-145, June 1948.

      Voir sutout p. 138-140.

810   — « Hume and the French men of letters. » *RIPh* 6 : 222-235, 1952.

      Voir p. 229-230, sur les réactions réciproques de V et de Hume.

811   MURDOCH, Ruth T. « Newton and the French muse. » *JHI* 19 : 323-334,
      June 1958.

      Voir p. 324-326 sur V comme poète scientifique.

812   OAKE, Roger B. « Political elements in criticism of Voltaire in England
      1732-1747. » *MLN* 57 : 348-354, May 1942.

813   OREL, Harold. « Lord Byron's debt to the enlightenment. » *SV* 26 : 1275-
      1290, 1963.

      P. 1284-1286, sur les réactions de Byron à V et l'influence de celui-ci.

814   RAWSON, C. J. « *Tristram Shandy* and *Candide* ». *N&Q* N.S. 5 : 226, May
      1958.

      Sur l'influence possible de *Candide* sur l'ouvrage de Sterne.

815   RUSSELL, Bertrand. « Voltaire's influence on me. » *SV* 6 : 157-162, 1958.

      Traduction française : « Sous l'influence de Voltaire. » *TR* n° 122 :
      159-163, fév. 1958.

816   RUSSELL, Trusten W. « Dryden, inspirateur de Voltaire. » *RLC* 22 : 321-328,
      juil.-déc. 1948.

      Dans les tragédies.

817   — *Voltaire, Dryden and heroic tragedy.* New York, Columbia U P,
      1946. vii, 178 p. 21,5 cm.

      Sur l'influence de Dryden et de Shakespeare sur V.
      C.R. : H. C. Lancaster, *MLN* 62 : 492-495, Nov. 1947 ; F. A. Taylor,
      FS 2 : 170-171, Apr. 1948 ; J. F. Winter, *FR* 22 : 337-339, Feb. 1949.

818   SAENZ HAYES, Ricardo. *Perfiles y caracteres.* Buenos Aires, M. Gleizer, 1927. 161 p. 18 cm.

P. 7-59, « Voltaire y los Ingleses. » Un essai sur les rapports intellectuels anglo-français d'après les études anglaises sur V de Boswell à Carlyle.

819   SCHEFFER, John D. « A note on Joseph Warton and Voltaire. » *Bulletin of the Citadel. Faculty Studies* 4, nᵒ 1 : 3-5, Apr. 1940.

L'influence de V sur l'*Essay on Pope* de Warton.

820   SCHILLING, Bernard Nicholas. *Conservative England and the case against Voltaire.* New York, Columbia U P, 1950. xii, 394 p. 23 cm.

Essai sur la réputation de V en Angleterre à la fin du XVIIIᵉ siècle et explication des réactions de l'opinion publique.

C.R. : George Boas, *JP* 48 : 50-51, Jan. 18, 1951 ; Kenneth MacLean, *RR* 42 : 160-164, Apr. 1951 ; C. A. Moore, *AHR* 56 : 190-191, Oct. 1950, E. C. Mossner, *JEGP* 51 : 256-267, Apr. 1952 ; H. Roddier, *MLR* 47 : 226-227, Apr. 1952.

821   — « The English case against Voltaire : 1789-1800. » *JHI* 4 : 193-216, Apr. 1943.

822   SCHINZ, Albert, éd. « Documents nouveaux sur Rousseau et Voltaire. (Les « Boswell papers »). » *RdP* 40 (3) : 299-325, 630-667, 15 mai, 1ᵉʳ juin 1933.

Traite des « Boswell papers » édités par Geoffrey Scott. Voir p. 312, 635-641, 648-649, 660-662. Schinz souligne la similarité des vues de V et de Rousseau sur les grands problèmes de la religion, malgré leurs différences personnelles.

823   SCHLEGEL, Dorothy B. *Shaftesbury and the French deists.* Chapel Hill, U. of North Carolina P [1956]. 143 p. 24 cm (U of North Carolina studies in comparative literature, 15).

P. 12-28, « The dilemma of Voltaire » ; p. 29-42, « The influence of Shaftesbury on Voltaire's propaganda. »

824   SÉGUIN, J. A. R., éd. *Voltaire and the Gentleman's magazine, 1731-1868 ; an index compiled and edited with an introduction* [...]. New York, R. Paxton, 1962. 134 p. 20 cm.

Dates, pages et titres de tous les articles ayant rapport à V, avec index de sujets et index de noms.

825   SHENFIELD, M. « Shaw as music critic. » *M&L* 39 : 378-384, Oct. 1958.

Shaw se sert d'une méthode qui ressemble à celle de V dans ses écrits philosophiques.

826   SONET, Edouard. *Voltaire et l'influence anglaise.* Rennes, Impr. de l'Ouest-Eclair, 1926. 210 p. (Thèse, Rennes).

827   SPERRY, Stuart M., Jr. « Keats's skepticism and Voltaire. » *KSJ* 12 : 75-93, winter 1963.

828   STRACHEY, [Giles] Lytton. « Voltaire et l'Angleterre. » *R hebdomadaire* 44 (3) : 562-588, 30 mars 1935.

Traduit de *Books and characters.*

829   THIELEMANN, Leland. « Voltaire and Hobbism. » *SV* 10 : 237-258, 1959.

Etude de toutes les références de V à Hobbes et au « Hobbism » de 1733 jusqu'à la fin de sa vie. Voir Diaz nᵒ 355.

830   TORREY, Norman L. « Bolingbroke and Voltaire ; a fictitious influence. » *PMLA* 42 : 788-797, Sept. 1927.

831   — « Voltaire and Peter Annet's *Life of David.* » *PMLA* 43 : 836-843, Sept. 1928.

L'influence de cet ouvrage sur la critique religieuse de V.

Shakespeare

832 ADAMS, Percy G. « How much of Shakespeare did Voltaire know ? »
Shakespeare Association bulletin 16 : 126, Apr. 1941.

833 AMBRIÈRE, Francis. « Shakespeare en France. » *Les Annales (Conferencia)*
N.S. 72, n° 181 : 22-32, nov. 1965.

P. 24-25, « Voltaire et Shakespeare » ; p. 25, « Rousseauistes et Voltairiens » ; p. 25-26, « Racine ou Shakespeare. »

834 BABCOCK, R. W. « The English reaction against Voltaire's criticism of
Shakespeare. » *SP* 27 : 609-625, Oct. 1930.

Etude de la presse anglaise du xviiie siècle.
Résumé en allemand : Bernhard Beckmann & Hubert Pollert. « Voltaire
und Shakespeare. » *SJ* 67 : 119-120, 1931.

835 — « Preliminary bibliography of xviiith century criticism of Shakespeare. »
SP extra series n° 1, May 1929.

Voir p. 92-94.

836 BAILEY, Helen Phelps. *Hamlet in France from Voltaire to Laforgue (with
an epilogue).* Genève, Droz, 1964. xvi, 181 p. 12 ill.

Plus de 30 références à V dont la plupart se trouvent dans les deux
premiers chapitres (p. 1-42). Bibliographie et index.
C.R. : Walter P. Bowman, *FR* 39 : 943-944, May 1966 ; Robert J.
Nelson, *RR* 57 : 137-140, Apr. 1966 ; Raymond Trousson, *SFr* 9 :
299-301, mag.-ag. 1965.

837 BESTERMAN, Theodore. *Shakespeare and Voltaire.* New York, The Pierpont
Morgan Library, 1965. 46 p. 21 cm.

Texte de deux conférences à l'occasion du 400e anniversaire de
Shakespeare.

838 BOCHNER, Jay. « Shakespeare in France ; a survey of dominant opinion,
1733-1870. » *RLC* 39 : 44-65, janv.-mars 1965.

Voir surtout p. 44-54.

839 CANNADAY, Robert W., Jr. « French opinion of Shakespeare from the
beginnings through Voltaire, 1604-1778. » *DA* 17 : 2605-2606, 1957.

Insiste sur le grand rôle de V.

840 COYNE, Andre. « Shakespeare y Voltaire. » *La Palabra y el hombre* n° 32 :
627-644, oct.-dic. 1964.

Sur l'évolution de l'opinion de V à propos de Shakespeare, avec une
comparaison attentive de *Julius Caesar* et *La Mort de César.*

841 GREEN, F. C. *Minuet : a critical study of French and English literary ideas
in the eighteenth century.* London, J. M. Dent [1935]. 489 p. 23 cm.

P. 54-83, « Shakespeare and Voltaire. » Voir aussi p. 130-135, 198-204,
467-470 et plusieurs autres références.

842 GUICHARNAUD, Jacques. « Voltaire and Shakespeare. » *ASLHM* 27 : 159-
169, summer 1956.

843 HAVENS, George R. « Voltaire and the English critics of Shakespeare. »
ASLHM 15 : 177-186, summer 1944. port.

844 HORSLEY, Phyllis M. « George Keate and the Voltaire-Shakespeare controversy. » *Comparative literature studies* (Cardiff, Wales) 16 : 5-7, 1945.

845 LAWRENSON, T. E. « Voltaire and Shakespeare : ordeal by translation. »
[In] George Ian Duthie, éd., *Papers, mainly Shakespearian* [...]. Edinburgh, Pub. for the U of Aberdeen [by] Oliver and Boyd [1964]. 130 p.
24 cm (Aberdeen U studies, n° 147). P. 58-75.

Etude de traductions de Shakespeare par V.

846 MÖNCH, Walter. *Das Gastmahl; Begegnungen abendländischer Dichter und Philosophen.* Hamburg, H. von Hugo [1947]. 414 p.

P. 172-233, « Voltaire und Shakespeare. »

847 PICHOIS, Claude. « Préromantiques, Rousseauistes et Shakespeariens (1770-1778). » *RLC* 33 : 348-355, juil.-sept. 1959.

Montre la position de V dans la controverse sur Shakespeare.

848 — « Voltaire et Shakespeare : un plaidoyer. » *SJ* 98 : 178-188, 1962.

849 PRICE, Lawrence Marsden. « Shakespeare as pictured by Voltaire, Gœthe, and Oeser. » *GR* 25 : 83-84, Apr. 1950.

850 TOUCHARD, Pierre-Aimé. « Shakespeare en France. » *Europe* 42 ; nº 417-418 : 88-93, janv.-fév. 1964.

Voir surtout p. 88-89.

851 VAN TIEGHEM, Paul. *Le Préromantisme, études d'histoire littéraire européenne.* Vol. 3 : *La Découverte de Shakespeare sur le continent.* Paris, SFELT [1947]. xii, 412 p. 20 cm.

P. 18-30, « Voltaire explorateur d'un monde tragique nouveau » ; p. 250-287, « Voltaire en guerre contre Shakespeare. »

G. L'ITALIE

852 ADDAMIANO, Natale. « Voltaire e l'Italia. » *Ponte* 18 : 655-676, mag. 1962.

Toute sa vie V s'est intéressé à l'Italie et à ses écrivains.

853 ALATRI, Paolo. « Il Rinnovamento degli studi volterriani in Italia. » *Culture française* (Bari) 5, nº 2 : 83-88, mar.-apr. 1958.
Trad. française : « Le Renouveau voltairien en Italie. » *TR* nº 122 : 176-181, fév. 1958.
Renouveau grâce à Luporini, Sestan, Matteucci et Diaz.

854 BARETTI, Giuseppe. *Epistolario.* A cura di Luigi Piccioni. Bari, Laterza, 1936. 2 v. 21 cm (Scrittori d'Italia. G. Baretti, Opere, 5, 6).

1 : 96, Londres, 12 oct. 1752 : sur V et l'*Essai sur la poésie épique* ; p. 259-260, 25/8/1765 : sur V et Goldoni.

855 — *Prefazioni e polemiche.* A cura di Luigi Piccioni. 2ª ed. Bari, Laterza, 1933. 411 p. 20,5 cm.

P. 110-115, Baretti sur l'*Essai on epic poetry* de V dans sa *Dissertation on Italian poetry* ; p. 209-295, *Discours sur Shakespeare et sur Monsieur de Voltaire* (1777).

856 BEALL, Chandler, B. *La Fortune du Tasse en France.* Eugene, Oregon, U of Oregon and Modern Language Association of America [1942]. xi, 308 p. 25,5 cm (U of Oregon monographs. Studies in literature and philology, 4).

P. 134-159, « Voltaire et le Tasse. »

857 BINNI, Walter. « Il Periodo romano dell'Alfieri e la *Merope*. » [In] *Studi in onore di Carlo Pellegrini.* [Torino] Società editrice internazionale [1963]. xxxix, 846 p. (Biblioteca di Studi Francesi, 2). P. 351-370.

Voir surtout p. 361, 363, 368 : plusieurs références à la *Mérope* de V.

858 BRUNELLI, B. « Il Giudizio di Voltaire intorno ad una tragedia italiana. » *Rivista italiana del dramma* 2 : 252-256, 15 marzo 1938.

Cresfonte de G. Liviera (1588).

859 BRUNELLI, Giuseppe Antonio. « Voltaire : un manoscritto siracusano e altre testimonianze su Voltaire in Italia. » [In] *Studi in onore di Carlo Pellegrini.* [Torino] Società editrice internationale [1963]. P. 301-317.

La réputation de V et son œuvre en Italie au moment de sa mort.

860 CALCATERRA, Carlo. *Il Barocco in Arcadia e altri scritti sul settecento.* Bologna, Zanichelli, 1950. viii, 528 p. 24 cm.

P. 94-95, 470-471 et autres références sur les rapports et les influences littéraires entre V et l'Italie. Avec index.

861 CARLI, A. de. *L'Influence du théâtre français à Bologne de la fin du XVIIᵉ siècle à la grande Révolution.* Torino, Chiantore, 1925. 204 p.

P. 19-20, la traduction d'*Alzire* en prose par J. Francia (1737) ; p. 33-35, sa traduction en vers par Paolo Creponi (1757).

862 CASTIGLIONE, Tommaso R. « Fortunato Bartolomeo De Felice tra Voltaire e Rousseau. » [In] *Studi di letteratura, storia e filosofia in onori di Bruno Revel* [...]. Firenze, Olschki, 1965. xx, 662 p. port. 25 cm. (Biblioteca dell' « Archivum Romanicum ». Serie 1 : Storia, letteratura, paleografia, 74). P. 155-178.

863 CHERPACK, Clifton. « Voltaire's criticism of Petrarch. » *RR* 46 : 101-107, Apr. 1955.

864 CIORANESCU, Alex. *L'Arioste en France des origines à la fin du XVIIIᵉ siècle.* Paris, Presses modernes, 1939. 2 v. 25,5 cm (Publications de l'Ecole roumaine en France. Sér. historique 2, 3). 2 : 109-141.

865 COTTAZ, Joseph. *L'Influence des théories du Tasse sur l'épopée en France.* Paris, Impr. R. Foulon, 1942. 253 p. 24 cm.

P. 117-123 et autres références.

866 *La Cultura illuministica in Italia.* A cura di Mario Fubini. [Torino] Ed. radioitaliana [1957]. 304 p. 23 cm 31 pl. (Letteratura e civiltà, 8).

P. 247-251, 256-262 et autres références.

867 DEMARTINO, Carlo. « Monsieur de Voltaire nella letteratura bergamasca. » *Rivista di Bergamo* 10 : 496-502, nov. 1931.

868 DI CARLO, Eugenio. *Sull'influsso della cultura francese in Sicilia nel 700.* Extr. des *Atti dell'Accademia di scienze, lettere e arti di Palermo* Ser. 4, 23, 1962-63, parte 2. Palermo, Presso l'Accademia, 1963. 16 p. 24 cm.

Etude qui montre l'importance des œuvres de V en Sicile au XVIIIᵉ siècle.

869 FOLENA, Bianfranco. « Divagazioni sull'italiano di Voltaire. » [In] *Studi in onore di Vittorio Lugli e Diego Valeri.* Venezia, Neri Pozza, 1961. 2 v. 25 cm. 1 : 391-424.

870 FRIEDRICH, Werner P. *Dante's fame abroad, 1350-1850. The influence of Dante Alighieri on the poets and scholars of Spain, France, England, Germany, Switzerland and the United States. A survey of the present state of scholarship.* Roma, Ed. di storia e letteratura, 1950. 583 p. Autre éd. : Chapel Hill [N.C. University] 1950. 582 p. 24 cm.

Voir p. 92-102 et autres références.

871 *Giornali veneziani del settecento.* A cura di Marino Berengo. [Milano] Feltrinelli [1962]. lxviii, 735 p. 24 cm.

Voir p. 107-109, 344-348, 352-354, 415-419 et autres références. Important pour l'étude des rapports culturels de V avec l'Italie.

872 GRIZZUTI, Umberto. *Voltaire critique et imitateur du Tasse* [...]. Milano, S. A. Ed. Dante Alighieri, 1930. [5]-76 p. 21,5 cm.

873   HAZARD, Paul. « Voltaire et la pensée philosophique de la Renaissance italienne. » [In] *Mélanges offerts à M. Abel Lefranc* [...]. Paris, E. Droz, 1936. VII-XXXV, 506 p. 25 cm. P. 473-478.

874   *Illuministi italiani. Tomo 7 : Riformatori delle antiche repubbliche, dei ducati della Stato Pontificio e delle isole.* A cura di Giuseppe Giarrizzo [...]. Con l'aggiunta di un indice dei nomi e dei periodici citati, nonchè degli argomenti trattati in questo e nei tomi 3 & 5. Milano, Napoli, Riccardo Ricciardi [1965]. 1256 p.

875   JONARD, Norbert. *Giuseppe Baretti (1719-1789), l'homme et l'œuvre.* Clermont-Ferrand, G. de Bussac [1963]. 503 p. 23 cm.

      Voir p. 115-123, 157-160, 162-164, 197-199, 216-223, 283-285, 288-293, 309-311, 392-399, 401-405, 412-414, 448-455 et beaucoup d'autres références.

876   KEYSER, Sijbrand. *Contribution à l'étude de la fortune littéraire de l'Arioste en France.* Leyden, M. Dubbeldeman, 1933. 227 p. 27 cm.

      P. 129-178, l'Arioste et V.

877   *Letterati, memorialisti e viaggiatori del 700.* A cura di Ettore Bonara. Milano, Napoli, Riccardo Ricciardi [1951]. 1144 p. 23 cm (Letteratura italiana, storia e testi [...] 47).

      P. 469-477, « Giuseppe Baretti » ; p. 597-650, « Profilo biografico » ; (p. 597-600, « *Discours sur Shakespeare et sur Voltaire.* Introduction »).

878   MANGINI, Nicola. « Sul teatro tragico francese in Italia nel secolo XVIII. » *Conv* 32 : 347-364, ag. 1964.

      Voir surtout p. 351-360.
      Réimpr. comme « Considerazioni sulla diffusione del teatro tragico francese in Italia nel settecento » (avec trois paragraphes supplémentaires au début) [in] *Problemi di lingua e letteratura italiane del 700. Atti del quarto congresso dell'Associazione internationale per gli studi di lingua e letteratura italiana* [...]. Wiesbaden, Franz Steiner Verlag GMBH, 1965. 457 p. P. 141-156. Voir surtout p. 144-149.

879   MORONCINI, Gaetano. « L'Alfieri contro il Voltaire. » *Annuario*, R. Liceo-Ginnasio Vittorio Emanuele II (Napoli) 1931-32, p. 127-135.

880   MORTIER, Roland. « Un Adversaire vénitien des « lumières », le comte de Cataneo. » *SV* 32 : 91-268, 1965.

      Voir p. 155-157, 178-181, 194-198, 202, 213, 221-224, 254-256, 260-263 et beaucoup d'autres références. Cataneo attaqua l'œuvre philosophique, scientifique et historique de V tout en admirant son théâtre.

881   NATALI, Giulio. *Idee costumi uomini del 700. Studii e saggi letterarii.* 2ª ed. arricheta di nuovi saggi. Torino, STEN, 1926. 470 p. 18,5 cm.

      P. 177-194, (I Due Capolavori del Voltaire e i loro traduttori italiani » (sur la *Pucelle*, trad. par Vincenzo Monti et sur *Candide* trad. par Gaetano Marrè). Cet article ne se trouve pas dans l'édition de 1916.

882   NICCOLINI, Fausto, éd. *Amici e correspondenti francesi dell'abate Galiani : notizie, lettere, documenti.* Napoli, 1954. 244 p. port. fac-sims. 24 cm (Banco di Napoli, Biblioteca del « Bollettino » dell'Archivio storico, 1).

      Nombreuses citations de la correspondance de V.

883   ORTOLANI, Giuseppe. *Voci e visioni del 700 veneziano.* Bologna, Zanichelli [1926]. 293 p. 23 cm.

      P. 135-145, 149-155 sur Algarotti et V.

884   ROTTA, Salvatore. « Giuseppe Maria Galanti e Voltaire. » *RLI* ser. 7, 66 : 100-119, gen.-apr. 1962.

Présente deux lettres (Galanti à V, 20 sept. 1773, et V à Galanti, 1ᵉʳ janv. 1774) et traite des relations des deux. L'auteur suggère l'identité possible du « Mr. Mamaki » du *Taureau blanc*.

885 Russo, Luigi. *Ritratti e disegni storici. Serie 3ᵃ, Dall'Alfieri al Leopardi.* 3ᵃ ed. Firenze, Sansoni [c. 1963]. 311 p. 22,5 cm (Civiltà europea. Collana fondata da Giovanni Gentile).

P. 109-113, « La « Patria » di Voltaire e la « patria » di Alfieri. »

886 Scotti, Mario. « L'*Apologia di Sofocle* di P. de'Conti Calepio. » *GSLI* 139 : 392-423, 1962.

Edition annotée d'un ms. autographe de l'*Apologia*, une réponse aux « Lettres à M. de Genonville contenant la critique de l'*Œdipe* [...] » de V.

887 Silvestri, Giuseppe. *Un Europeo del settecento : Scipione Maffei.* Prefazione di Luigi Messedaglia. Traveso, Libr. ed. Canova, 1954. 290 p. 25 cm ill.

Voir p. 90-94 et autres références. Bibliographie, p. 273-276.

888 Simpson, Joyce G. *Le Tasse et la littérature et l'art baroques en France.* Paris, Nizet, 1962. 227 p. 6 pl. 23 cm.

Voir surtout p. 150-156, 161 et autres références.

889 Sirocchi, Maria Maddalena. « Leopardi e Voltaire. » *Conv* N.S. 30 : 30-39, gen.-feb. 1962.

Leopardi s'intéressa toute sa vie à V le poète et le penseur, malgré sa sensibilité et son esprit tout à fait différents.

890 « Voltaire nella letteratura bergamasca. » *Marzocco* 36, n° 46 : 3, 15 nov. 1931.

Manzoni

891 Ragonese, Gaetano. « Riflessi volteriani nelle postille storiche del Manzoni. » *Atti della Reale Accademia di scienze, lettere e belle arti di Palermo* ser. 4, vol. 3, pt. 2, fasc. 4 : 709-725, 1942-43.

892 — « Il Voltaire romanziere e il Manzoni dei *Promessi sposi*. » *Atti della Reale Accademia di scienze, lettere e belle arti di Palermo* ser. 4, vol. 4, pt. 2 : 65-92, 1942-44.
Sur les similarités entre le style narratif de V dans ses contes et celui de Manzoni.

893 Riva, Serafino. « La Fonte dei *Promessi sposi*. » *AV* 137 : 101-113, 1953. *Le Droit du seigneur* de V est une source de l'ouvrage de Manzoni.

894 — « I *Promessi sposi* ed una commedia del Voltaire. » *GSLI* 101 : 100-111, mar. 1933.
Réimpr. en partie comme : « I *Promessi sposi* in una commedia di Voltaire. » *NA* 367 : 156-160, 1 mar. 1933.
Sur *Le Droit du seigneur*.

895 — « Les *Promessi sposi* et une comédie de Voltaire. » *Dante* 1934, p. 14-20.
L'influence du *Droit du seigneur*.

896 Trompeo, Pietro Paolo. « Manzoni e Voltaire. » *Il Corriere della sera* 26 mag. 1955, p. 3.

897 — *Vecchie e Nuove Rilegature gianseniste.* Napoli, Ed. scientifiche italiane, 1958. 219 p. (Collana di saggi, 19).

P. 161-166, « Manzoni e Voltaire. »

898 Ziino, Michele. « Voltaire, Rousseau e i *Promessi sposi*. » *GSLI* 101 : 350-354, giu. 1933.

H. LES PAYS-BAS (Hollande-Belgique)

899   BOSCH, J. W. « Beccaria et Voltaire chez Goswin de Fierlant et quelques autres juristes belges et néerlandais. » *Tijdschrift voor rechtsgeschiedenis* 29 : 1-21, 1961.

Les *Commentaires* de V et l'œuvre de Beccaria étaient connues, mais rarement citées.

900   « De Erasmo a Voltaire. » *Repertorio americano* 25 : 328, 3 de dic. 1932.

901   DUBOSQ, Y. Z. *Le Livre français et son commerce en Hollande de 1750 à 1780 (d'après des documents inédits).* Amsterdam, H. J. Paris, 1925. 166 p. 24,5 cm.

P. 67-73, V et ses rapports avec les éditeurs hollandais de 1722 à 1764.

902   DUMONT-WILDEN, L. « Le Prince de Ligne chez Voltaire. » *RPL* 65 : 358-361, 18 juin 1927.

903   GOVAERT, Charles. « Voltaire en Belgique. » *Le Thyrse* 48 : 403-406, 1 oct. 1955.

904   HALLEMA, A. « Rousseau en Voltaire in Nederland ; aantekeningen en documenten voornamelijk betreffende het verschijnen van *Emile* in 1762 » [Rousseau et Voltaire en Hollande ; notes et documents principalement sur la publication d'*Emile* en 1762]. *Folium librorum vitae deditum* 4 : 142-157, 1954.

P. 145-149, les rapports de V avec les éditeurs hollandais, surtout Néaulme.

905   HAZARD, Paul. « Voltaire et Spinoza. » *MP* 38 : 351-364, Feb. 1941.

906   HESSLING, D. C. « P. de Wakker van Zon en Voltaire. » [In] *Mélanges offerts à J. J. Salverda de Grave.* La Haye, Soc. anonyme d'édition. 1934. 424 p. P. 165-174.

907   JANSSENS, Jacques. « Voltaire à Bruxelles. » *RDM* 15 juil. 1963, p. 263-273.

En 1722 (particulièrement ses relations avec J.-B. Rousseau) et en 1739-43, avec Mme du Châtelet.

907A LIGNE, Charles Joseph, prince de. *Lettres du prince de Ligne à M. de Voltaire.* Présentées par Franz Hellens. Liège, Editions Dynamo, 1962. 22 p. port. 19 cm.

908   TENHAEFF, N. B. *Erasmus en Voltaire als exponenten van hun tijd. Rede* [...] [Erasme et Voltaire comme interprètes de leur temps. Discours] [...]. Groningen, J. B. Wolters, 1939. 27 p.

909   VERCRUYSSE, Jérôme. « La Fortune de Bernard Nieuwentydt en France au XVIIIe siècle et les notes marginales de Voltaire. » *SV* 30 : 223-246, 1964.

Etude basée sur un exemplaire conservé dans la bibliothèque de V à Leningrad.

910   — « La Marquise du Châtelet, prévôte d'une confrérie bruxelloise. » *SV* 18 : 169-171, 1961.

911   — « Les Provinces-Unies vues par Voltaire. » *SV* 27 : 1715-1721, 1963.

912   VERNIÈRE, Paul. *Spinoza et la pensée française avant la Révolution.* Paris, PUF, 1954. 2 v. 23 cm (Publications de la Faculté de lettres d'Alger, 20) ; Thèse de doctorat ès lettres (U de Paris, Faculté des lettres).

Voir 2 : 495-527, 687-689.
C.R. : Roland Mortier, *RLC* 32 : 122-128, janv.-mars 1958.

I. LA RUSSIE

913 Алексеев, М. П. « Вольтер и русская культура XVIII Века »
[Voltaire et la culture russe du xviiie siècle]. [In] Ленинград Университет. Вольтер, статьи и материалы. Ленинград, 1947. P. 13-56.

914 Баранов, В. В. « Последнее стихотворение Вольтера « Прощание с жизнью » в переводе А. И. Полежаева » [Le dernier poème de Voltaire « Adieux à la vie » dans la traduction de A. I. Polezaev]. *VMU* 1955, n° 11 : 89-92.

Le poème, publié par Polezaev en 1839 et présenté comme une pièce originale, n'est en réalité qu'une traduction du poème de V.

915 Берков, П. Н. « Из русских откликов на смерть Вольтера »
[Des Commentaires russes sur la mort de Voltaire]. [In] Ленинград Университет. Вольтер, статьи и материалы. Ленинград, 1947. P. 197-201.

Commentaires du xviiie siècle.

916 BRIAN-CHANINOV, Nicolas. « Voltaire et quelques Russes de son temps. » *MdF* 257 : 628-633, 1 fév. 1935.

917 ČERNÝ, Václav. « Voltaire et Lomonosov, historiens rivaux de Pierre le Grand. » *RSH* N.S. fasc. 110 : 173-206, avr.-juin 1963.

L' « Apologie de Pierre le Grand » écrite par Lomonosov et traduite en français est publiée ici pour la première fois. V avait un exemplaire de ce ms. retrouvé à Prague quand il composait son *Histoire.*

918 Фейнберг, И. Незавершенные работы Пушкина [Œuvres inachevées de Pouchkine]. Москва, Гослитиздат, 1958. 363 p.

P. 136-145, « Пушкин в библиотеке Вольтера » [Pouchkine dans la bibliothèque de Voltaire].

919 GOOCH, George Peabody. « Catherine the Great and Voltaire. » *ConR* 182 : 214-220, 288-293, Oct., Nov. 1952.

Réimpr. [in] *Catherine the Great, and other studies.* London, New York, Longmans, Green [1954]. xi, 292 p. port. 23 cm. P. 55-71.
Récit des relations de ces deux personnages basé en grande partie sur leurs lettres.

920 Князев, Г. А. « Вольтер--почетный член Академии Наук в Петербурге » [Voltaire - membre honoraire de l'Académie des Sciences de Saint-Pétersbourg]. IAN, Серия истории и философии 3, n° 2 : 189-191, 1946.

Réimpr. [in] Акад. Наук СССР. Вольтер : статьи и материалы. Москва-Ленинград, 1948. P. 305-313.

921 LANG, D. M. « A Russian dramatist's views on Corneille and Voltaire. » *RLC* 23 : 86-92, janv.-mars 1949.

Soumarokov critique de *Brutus, Zaïre, Alzire* et *Mérope.*

922 LEFEBVRE, Georges. « Voltaire en Russie. » *AHRF* 25, n° 132 : 193-194, juil.-sept. 1953.

923 Люблинский, В. С. « Неизвестый] автограф Вольтера в бумагах Пушкина »[Un Autographe inconnu de Voltaire dans les papiers de Pouchkine]. Пушкин : временник пушкинской коммиссии 2 : 257-265, 1936. pl.

Trad. allemande : « Ein unbekanntis Voltaire-Autograph in Pushkins Papieren. » [In] *Voltaire-Studien*. Berlin, Akademie-Verlag, 1961. P. 169-180.

Cette étude montre que V employait quelques-uns des livres de sa bibliothèque dès la période de Cirey.

924 LORTHOLARY, Albert. *Le Mirage russe en France au XVIIIe siècle*. Paris, Boivin [1951]. 409 p. 26 cm.

P. 25-29, « L'Histoire de Charles XII. Première rencontre de Voltaire avec le Tsar-géant » ; p. 39-76, « Voltaire historien officiel de Pierre le Grand » ; p. 79-87, « Premiers rapports avec Catherine » ; p. 109-134, « La Croisade voltairienne contre la Pologne et la Turquie. »

925 Мартынов, Б[орис Федорович]. Журналист и издатель И. Г. Рахманинов (1753-1807 гг.) [Le Journaliste et éditeur I. G. Rachmaninov (1753-1807)]. Тамбовское Книжное Издательство, 1962. 71 p. 17 cm.

Une étude consacrée en partie aux traductions russes des œuvres de V.

926 MOHRENSCHILDT, Dimitri S. von. *Russia in the intellectual life of eighteenth-century France*. New York, Columbia U P, 1936. 325 p. 22 cm. P. 138-144, 220-224, 239-243, 272-273 et autres références. Index.

C.R. : G. Lozinski, *RLC* 18 : 392-400, avr.-juin 1938 ; Norman L. Torrey, *RR* : 289, oct. 1937.

927 MOOSER, R.-Aloys. *L'Opéra-comique français en Russie au XVIIIe siècle : contribution à l'histoire de la musique russe*. Genève-Monaco, Editions René Kister et Union européenne d'éditions, 1954. 246 p. 25 cm.

Voir : p. 91-95 et autres références.

928 Нечника, М. В. « Вольтер и русское общество » [Voltaire et la société russe]. [In] Акад. Наук СССР. Вольтер : статьи и материалы. Москва-Ленинград, 1948. P. 57-93.

Extraits importants trad. en français : « Voltaire et la société russe. » *AHRF* 25 : 194-216, juil.-sept. 1953.

929 Радовскии, М. « Ломоносов и Вольтер ». [Lomonosov et Voltaire]. Огонёк 39, n° 47 : 12-13, 19 Ноября 1961. ill.

930 RAMMELMEYER, Alfred. « Dostojevskij und Voltaire [...]. » *ZSP* 26 : 252-278, 1958.

L'influence de V sur Dostoïevsky.

931 TUMINS, Valerie A.« Voltaire and the rise of Russian drama. » *SV* 27 : 1689-1701, 1963.

932 VALLOTTON, Henry. « Catherine II et ses correspondants. Voltaire, Diderot, Grimm et J.-J. Rousseau. » *RDM* 15 août 1954 p. 659-674.

Voir surtout p. 659-664, 673.

933 Якубович, Д. « Пушкин в библиотеке Вольтера » [Pouchkine dans la bibliothèque de Voltaire]. Литературное наследство 16-18 : 905-922, 1934.

J. LA SUISSE

934   BARBER, Giles. « The Cramers of Geneva and their trade in Europe between 1755 and 1766. » *SV* 30 : 377-413, 1964.

Une analyse du livre des comptes révèle la contribution de V à leur succès.

935   BERTRAND, Pierre. « Genève et la discorde Voltaire-Rousseau. » *Journal de Genève*, 29-30 mars 1958.

936   CRAMER, Lucien. *Une Famille genevoise : les Cramer, leurs relations avec Voltaire, Rousseau, et B. Franklin-Bache ; documents inédits.* Genève, Droz, 1952. 104 p. pl. port. fac-sims 25 cm.

P. 13-43, « Voltaire et les Cramer » : contient beaucoup de lettres inédites et d'extraits de mémoires.

937   GUYOT, Charly, *Le Rayonnement de l'Encyclopédie en Suisse française.* Neuchâtel, Secrétariat de l'Université, 1955. 149 p. 23 cm (U de Neuchâtel. Recueil de travaux publiés par la Faculté des lettres, 26).

P. 123-136, « En marge de l'*Encyclopédie* de Voltaire à Mirabeau. » Voir surtout p. 122-128. Bibliographie, p. 140-144.

938   PERRET, Jean-Pierre. *Les Imprimeurs d'Yverdon au XVIIe et au XVIIIe siècle.* Lausanne, F. Rothe & Cie, 1945. 467 p. 23 cm.

De nombreuses références à V et à ses problèmes de publication. Index.

939   ROULIN, Alfred. « Premiers Contacts avec Lausanne et le pays de Vaud. » *Gazette de Lausanne* 24-25 déc. 1954. ill.

940   SAVIOZ, Raymond. « Facétie de Voltaire. » *Journal de Genève* 17-18 sept. 1955, p. 4.

Lettre de Charles Bonnet au sujet d'une attaque de V contre sa *Palingénésie philosophique* (1769).

941   SPIESS, Otto. « Voltaire und Basel. » *Basler Zeitschrift für Geschichte und Altertumskunde* 47 : 105-135, 1947. port.

Etude des rapports de V avec Bâle, particulièrement avec la famille Bernouilli.

942   TAPPOLET, Willy. « Johann Kaspar Weiss. Ein Beitrag zur Musikgeschichte Genfs im 18. Jahrhunderts. » [In] *Mélanges Karl Gustav Fellerer.* Regensburg, 1962. P. 530-534.

Sur les visiteurs étrangers chez V.

943   UGGLA, Arvid H. « Adolphe Murray hos Voltaire och Albrecht von Haller » [Adolphe Murray avec Voltaire et Albrecht von Haller]. *Lychnos* 1956 : 218-222.

Relations entre le médecin suédois, V et le physiologiste suisse entre 1770 et 1774.

944   WADE, Ira O. & Norman L. TORREY. « Voltaire and Polier de Bottens. » *RR* 31 : 147-155, Apr. 1940.

K. PAYS DIVERS

945   CAMARIANO, Ariadna. *Spiritul revoluționar francez și Voltaire in limbă greacă și română* [Le Révolutionnaire intellectuel français Voltaire en langue grecque et roumaine]. București, 1946. 200 p. 25,5 cm.

945A DAY, Douglas A. « Voltaire and Cicero. » *RLC* 39 : 31-43, janv.-mars 1965.

Cicéron n'est pas simplement un allié, mais un ami intime.

946   DEANOVIĆ, Mirko. « Odnosi između Voltaira, R. Boškovića i " Accademia degli Arcadi " » [Relations entre Voltaire, R. Boscovich et l'« Accademia degli Arcadi »]. *Godišnjak*, Sveričilišta Kraljevine Jugoslavije u Zagrebu 1924/25-1928/29, p. 174-203.

Contient un résumé en italien.

947   DIMARAS, C. Th. « La Fortune de Voltaire en Grèce. » [In] *Mélanges offerts à Octave et Melpo Merlier à l'occasion du 25e anniversaire de leur arrivée en Grèce.* Athènes, 1956-1957. 3 v. 1 : 199-222.

La période 1765-1821

948   DROUHET, Ch. « Grigore Alexandrescu și Voltaire » [Grigore Alexandrescu et Voltaire]. [In] *Omagiu lui I. Bianu. Din partea colegilar și foștilor săi elevi.* București, Tiparul cultura natională, 1927. P. 175-192.

L'influence de V sur le poète roumain.

949   ELEK, Oszkár. « Agis tragédiája » [Agis, tragédie]. *Filológiai közlöny* 3 : 193-209, 393-413, 1957.

P. 206-209, 404-408 et autres références : l'influence de V sur la tragédie du poète et dramaturge hongrois György Bessenyei.

950   FABRE, Jean. « Adam Mickiewicz et l'héritage des lumières. » [In] *Lumières et romantisme. Énergie et nostalgie de Rousseau à Mickiewicz.* Paris, Klincksieck [1963]. XI, 303 p. 23 cm. P. 201-242.

P. 204-205, 207, 209-210, 221 : références à V et à l'esprit voltairien.

951   — *Stanislas-Auguste Poniatowski et l'Europe des lumières.* Paris, Les Belles Lettres, 1952. 746 p. 26 cm (Publications de la Faculté des lettres de l'U de Strasbourg, 116) ; Paris, Institut d'études slaves, 1952. 746 p. (Collection de l'Institut d'études slaves, 16) ; [Paris] Publications de la Faculté des lettres de l'U de Strasbourg, 1952, 746 p. (U de Paris - Faculté des lettres).

Voir p. 312-330, 632-637.

952   FENGER, Henning. « Voltaire's dramer i Danmark ; en bibliografisk og smagshistorisk underøgelse » [Le Théâtre de Voltaire au Danemark ; une étude de bibliographie et d'histoire du goût]. *Edda* 37, n° 50 : 193-215, 1950.

Jusqu'en 1832. Une appendice présente une liste de traductions.

953   FUSIL, C. A. « Lucrèce et les littérateurs, poètes et artistes du XVIIIe siècle. » *RHL* 37 : 167-176, avr.-juin 1930.

954   GYERGYAI, Albert. « Un Correspondant hongrois de Voltaire : le comte Fekete de Galánta. » *SV* 25 : 779-793, 1963.

Sept lettres (1767-69) servent de base à cette étude.

955   HAZARD, Paul. « Voltaire et l'Europe. » *Figaro*, Supplément littéraire, 12-13 sept. 1942, p. 3-4. ill.

V considéré comme l'écho de l'Europe.

956   HOCKE, Gustav R. *Lukrez in Frankreich von der Renaissance bis zur Revolution.* Köln, Buchdruckerei Dr. Paul Kerschgens, 1935. 184 p.

P. 124-127, « Polignac und Voltaire » ; p. 127-136, « Voltaire und Lukrez. »

957   JOSEFSON, Ruben. « Andreas Knös om Voltaire och encyklopedisterna » [Andreas Knös sur Voltaire et les encyclopédistes]. [In] *Till Gustaf Aulén 19 15/5 39.* Stockholm, 1930. 413 p. P. 166-174.

958   KNÖS, Börje. « Voltaire et la Grèce. » *L'Hellénisme contemporain* 2e sér., 9 : 6-31, janv.-fév. 1955.

La réputation de V en Grèce et son opinion sur ce pays. Contient une lettre de V à Catherine II.

959   MEZEI, Márta. *Történetszemlélet a magyar felvilágosodás irodalmában.* [L'idée de l'histoire en Hongrie au siècle des lumières]. Budapest, Akadémia Kiado, 1958. 95 p. (Irodalmotörténeti füzetek, 19).

Voir p. 9-10, 16-17, 21-22, 25-27, 31-32 : l'influence sur les écrivains hongrois du concept de l'histoire et des héros historiques de V.

960   MINÁŘ, Jaroslav. « K historii Voltairova díla v Čechách » [Sur l'histoire des œuvres de Voltaire en Bohême]. *ČpMF* 41 : 193-204, 1959.

L'influence de V sur Arbes ; celui-ci et Vrchlický traducteurs de *Zaïre.*

961   — *Voltaire v naší společnosti a literatuře* [Voltaire dans notre société et notre littérature]. Praha, Nakladatelství Československé Adademie Věd, 1964. 71 p. (Rozpravy Československé, Akad. Věd. Rocník 74, sešit 6).

P. 65-71, résumé en français.

962   MUNTEANO, B. « Voltaire en Roumanie. » *RLC* 8 : 338-341, avr.-juin 1928.

Surtout l'influence de V sur Alexandrescu.

963   PASTOR, Ludovico baron von. *Storia dei Papi dalla fine del Medio Evo* [...]. Tomo 16 : *1740-1799.* Nuova ristampa. Roma, Desclée et Cie. Editori pontifici, 1953. 3 v. 25 cm.

Beaucoup de références à V. Important pour des recherches sur ses relations avec Catherine II, Frédéric II, l'Eglise, les philosophes, etc. Bibliographie, index.

964   POMEAU, René. « Voltaire européen. » *TR* n° 122 : 28-42, fév. 1958.

965   PROSCHWITZ, Gunnar von. « Gustave III et les lumières : l'affaire de *Bélisaire.* » *SV* 26 : 1347-1363 1963.

Etudie en partie les relations de V avec les membres de la famille royale suédoise et son rôle dans l'affaire de *Bélisaire.*

966   RACZ, Louis, éd. « Correspondance d'un pasteur français et d'un comte hongrois au xviiie siècle. » *BSHPF* 80 : 349-381, 1931.

Le comte Téléki et J. Duvoisin (Mᵐᵉ Duvoisin, née Calas) 1763-1780.

967   RÉAU, Louis. *L'Europe française au siècle des lumières.* Paris, A. Michel, 1938. 453 p. 20,5 cm (Evolution de l'humanité, synthèse collective, 3e section).

968   ROSSO, Corrado. *Le « Lumières » in Svezia nel « tempo della libertà »* (*1718-1772*). *Contributo alla storia dell' influenza francese nel nord.* Torino, Ed. di « Filosofia » [1959]. 47 p. 25 cm (Civiltà e idee, 8).

P. 9-12, « Lenti Progressi delle « lumières » : Luisa Ulrica e Voltaire » ; p. 32-33, notes ; p. 44-45, « Appendice : La Biblioteca di Luisa Ulrica. »

968A   SERGHERAERT, Gaston (Christian Gérard). *De Pantagruel à Candide. Présence de la Bulgarie dans les lettres françaises expliquée par l'histoire.* II. Paris, Ed. Pensée moderne [1963]. 172 p. 23 cm.

P. 123-139, V et les Bulgares.

969   SZARAMA, Maria. *Wolter w czasopismach Stanislawowskici* [Voltaire dans
       les périodiques de l'époque de Stanislas (Poniatowski)]. (1. wyd.)
       Kraków Nakł. Uniwersytetu Jagiellónskiego, 1963. 70 p. 26 cm. Page
       de titre supplémentaire : *Voltaerio in ephemeridibus Stanislai Augusti
       Poniatowski regis Polonorum temporibus legatur.* (Zeszyty Naukowe,
       Uniwersytetu Jagiellonskiego, 76).

       Contient un index chronologique de références à V et de fragments tirés
       de ses œuvres dans une vingtaine de périodiques de l'époque.
       P. 69-70, résumé en français.

970   TOLNAI, G. « Les Voyages d'un aristocrate transylvain, ses rencontres avec
       Voltaire et Rousseau. » *Nouvelle Revue de Hongrie* 35, n° 67 :
       230-238, août 1942.

       Résumé par Gaëtan Sanvoisin : « Voltaire et Rousseau vus et entendus
       par le comte Joseph Téléki. » *Journal des débats politiques et littéraires*
       20-21 fév. 1943, p. 3.
       Visite de Téléki à V en 1759 à Tournay.

971   TRONCHON, Henri. « Les Œuvres posthumes de Jean Fekete de Galántha,
       voltairien de Hongrie » *R études hongroises* 12 : 69-99, janv.-juin
       1934.

972   WILDOVÁ, Alena. « Voltairovy romány u nás ». [Les Romans de Voltaire
       chez nous]. *ČpMF* 37 : 301-306, Listopad 1955.

       V en Tchécoslovaquie.

L. LES JUIFS

973   AUBERY, Pierre. « Voltaire et les juifs : ironie et démystification. » *SV* 24 :
       67-79, 1963.

974   — « Voltaire était-il anti-sémite ? » *L'Arche* n° 90 : 26-27, 59, juil.
       1964.

975   BALLANTI, Lorenzo. « Polemica : Voltaire e gli ebrei. » *Difesa della razza*
       3, n° 11 : 21-23, 5 apr. XVIII (1940). ill.

976   CUNEO, Niccolò. « Voltaire ed il giudaismo. » *Le Opere e il giorni* 16 :
       3-8, dic. 1937.

       Essaie de donner une base philosophique à l'anti-sémitisme.

977   DUBNOW, Simon. *Weltgeschichte des jüdischen Volkes.* Band. 7 : *Die
       Geschichte des jüdischen Volkes in der Neuzeit.* Berlin, Jüdischer Verlag,
       1928. 10 v. 23,5 cm.

       Voir surtout p. 404-408.

978   EMMRICH, Hanna [...] *Das Judentum bei Voltaire.* Breslau, Preibatch,
       1930. 263 p. 24 cm (Sprache und Kultur des germanisch-romanischen
       Völker [...] C. Romanistische-reihe, Bd. 5).

       Etude des rapports de V avec les Juifs, de son attitude vis-à-vis
       de la culture juive, et du rôle joué par les Juifs dans son œuvre.

979   LABROUE, Henri. *Voltaire antijuif.* Paris, Les Documents contemporains
       [1942]. 262 p. 18 cm.

       V serait raciste et père de l'idéologie nazie.

980   LEHRMANN, Chanan. *L'Elément juif dans la littérature française.* Préface de
       Guglielmo Ferrero. 2e éd. Zürich & New York, Editions « Die Gestal-
       tung. » [1941]. [9]-263 p. ill. fac-sim. 21 cm.

       P. 129-139, « Voltaire ».

981   PAULER, Ludwig. « Voltaires Einstellung zum Judentum. » *Die Judenfrage in Politik, Recht, Kultur und Wirtschaft* 6 : 165-166, 1. Aug. 1942.

982   SOLOW, Herbert. « Voltaire and some Jews. » *Menorah J* 113 : 186-197, Apr. 1927.

983   SZECHTMAN, Joshua. « Voltaire on Isaac of Troki's *Hizzuk Emunah.* » *Jewish quarterly R* 48 : 53-57, July 1957.

V

VOLTAIRE ÉCRIVAIN ET PENSEUR

A. LE CONTEUR

984 ALFIERI, Vittorio Enzo. « Voltaire romanziere e i suoi personaggi. » *LM* 3 : 690-702, nov.-dic. 1952.

985 ALOMAR, Gabriel. « Una Nueva Actualidad de Voltaire. » *Repertorio americano* 19 : 337-338, 8 de dic. 1929.

986 AUGUSTÍN, Remon. « Un Cuento de Voltaire. » *La Nación* (Buenos Aires) 31 de julio de 1927.

987 BARCHILON, Jacques. « Uses of the fairy tale in the eighteenth century. » *SV* 24 : 111-138, 1963.

   Voir surtout p. 126-129.

988 BONGIE, Laurence L. « Crisis and the birth of the Voltairian *conte.* » *MLQ* 23 : 53-64, Mar. 1962.

   Le conte a son origine dans une crise personnelle.

989 BRENNER, Clarence D. *Dramatizations of French short stories in the eighteenth century, with special reference to the « contes » of La Fontaine, Marmontel, and Voltaire.* Berkeley & Los Angeles, U of Calif. P, 1947. 33 p. (U of Calif. publications in modern philology, 33, nº 1).

   P. 23-27, « Voltaire. »
   C.R. : Otis E. Fellows, *RR* 38 : 358-359, Dec. 1947 ; F. T. H. Fletcher, *MLR* 43 : 294-295, Apr. 1948.

990 CASTEX, P.-G. *Voltaire : Micromégas, Candide, L'Ingénu.* Paris, Centre de documentation universitaire, 1961. 110 p. polycopié. 27 cm (Les Cours de Sorbonne).

   C.R. : J. van den Heuvel, *IL* 13 : 28, janv.-fév. 1961.

991 DAGEN, Georges, « La Médecine et les médecins dans les romans de Voltaire. » *Echo médical du Nord* 37 : 587-588, 9 déc. 1933. (Extr. des *Nouvelles thérapeutiques*).

992 Держав Философские ин, К. « повести Вольтера (к 250-летию со дня рождения Вольтера)» [Les Contes philosophiques de Voltaire (en mémoire du 250ᵉ anniversaire de la naissance de Voltaire)]. Звезда 1944, nº 7-8 : 174-181.

993   DUFRENOY, Marie-Louise. *L'Orient romanesque en France, 1704-1789.*
      Montréal, Editions Beauchemin, 1946-47. 2 v. 27 cm.

      Voir surtout p. 213-229, 303-314, 376-384.

994   FRIEDRICH, Hugo. « Voltaire und seine Romane. » *NRs* 70 : 78-99, 1959.

995   GOBERT, David Lawrence. « A study of comic aspects of the principal
      contes philosophiques of Voltaire. » *DA* 21 : 1940, 1961.

996   GRAND, Guy. « Les Romans de Voltaire et le cinéma. » *RU* 62 : 6-10,
      janv.-fév. 1953.

      Comparaison de techniques.

997   HEUVEL, Jacques van den. « Le Conte voltairien ou la confidence déguisée. »
      TR n° 122 : 116-121, fév. 1958.

998   Каган, Л. « Философские повести Вольтера » [Les Contes philoso-
      phiques de Voltaire]. [In] Реализм XVIII века на западе, сборник
      статей под ред. с предисловием О. П. Шиллера. Москва,
      гос. изд. « художественная литература », 1936.

      261 p. P. 98-132.

999   KNOBLOCH, Hans. *Witzgegenstände und Witzformen in der erzahlenden
      Prosa Voltaires.* Wurzberg, K. Triltsch, 1937. 59 p. Inaug.-diss.

1000 MAUROIS, André. *Lecture : mon doux plaisir.* Paris, A. Fayard [1957].
      319 p. 19 cm.

      P. 41-56, « Voltaire : romans et contes. »
      Réimpr. [in] *De La Bruyère à Proust. Lecture mon doux plaisir.* [Paris]
      A. Fayard [1964]. 306 p. (Les Grandes Etudes littéraires).
      P. 43-53, « Romans et contes. »
      Extraits : « Il y a deux siècles Voltaire publiait *Candide.* » *Historia* 25 :
      186-190, 1959. ill.
      Trad. en anglais : *The art of writing.* Tr. from the French by Gerard
      Hopkins. London, The Broadly Head [1960]. 320 p. 19 cm.
      P. 35-50, « Voltaire : novels and tales. »

1001 McGHEE, Dorothy M. *Voltairian narrative devices as considered in the
      author's contes philosophiques.* Menasha, Wis., Banta pub. co., 1931.
      192 p. 23,5 cm.

      C.R. : H. B., *MLR* 30 : 415-416, 1935 ; Raymond Naves, *RHL* 41 :
      614-615, oct.-déc. 1934.

1002 NADEAU, Maurice. « Voltaire conteur. » *Bibliothèque mondiale* n° 3 : 15-
      18, 2 avr. 1953.

1003 NEWCOMB, Donald R. « Mutilation and the problem of evil in Voltaire's
      contes. » *RomN* 5, n° 1 : 45-48, autumn 1963.

1004 POMEAU, René. « Voltaire conteur : masques et visages. » *IL* 13 : 1-5,
      janv.-fév. 1961.

1005 SAREIL, Jean. « De *Zadig* à *Candide,* ou permanence de la pensée de
      Voltaire. » *RR* 52 : 271-278, Dec. 1961.

1006 — « La Répétition dans les *contes* de Voltaire. » *FR* 35 : 137-146, Dec.
      1961.

1007 SÉAILLES, André. « Voltaire est-il un précurseur du dessin animé ? »
      Cahiers pédagogiques pour l'enseignement du second degré 6 : 123-124,
      1 nov. 1950.

B. LE DRAMATURGE

1008   AGHION, Max. *Le Théâtre à Paris au XVIIIe siècle.* Paris, Librairie de France [1926]. 442 p. 28,5 cm.

De nombreuses notes bibliographiques.

1009   ALLAIN, Mathé. « Voltaire et la fin de la tragédie classique. » *FR* 39 : 384-393, Dec. 1965.

1010   ALLEN, Marcus. « Voltaire's theatre : a study of his adaptations of *Œdipe*, *Oreste* and *Mérope.* » *DA* 26 : 1034-1035, Aug. 1965.

1011   BARRAS, Moses. *Stage controversy in France from Corneille to Rousseau.* New York, Institute of French studies [1933]. 358 p. 20,5 cm.

Voir p. 186-210.

1012   BORGERHOFF, E. B. O. *Evolution of liberal thought and practice in the French theatre, 1680-1757.* Princeton, Princeton U P, 1936. 117 p. 22 cm.

1013   BREITHOLTZ, Lennart. *Le Théâtre historique en France jusqu'à la Révolution.* Uppsala, Lundequistska bokhandeln [1952]. 394 p. 25 cm.

P. 73-103, « Voltaire et le théâtre historique en Angleterre » ; p. 175-191, « Tancrède » ; beaucoup d'autres références.
C.R. : J. P. Laurent, *LR* 10 : 216, 1 mai 1956.

1014   BRENNER, Clarence D. *L'Histoire nationale dans la tragédie française du XVIIIe siècle.* Berkeley, U of Calif. P, 1929. P. 195-329. 25 cm (U of Calif. publications in modern philology, 14, n° 3).

1015   CHERPACK, Clifton. *The call of blood in French classical tragedy.* Baltimore, The Johns Hopkins P [1958]. vi, 136 p. 23 cm.

Voir p. 102-115.
C.R. : R. C. Knight, *FS* 13 : 164-165, Apr. 1959 ; J. Scherer, *RHL* 59 : 549-552, oct.-déc. 1959.

1016   CHEVALLEY, Sylvie. « Etat des représentations des pièces de Voltaire à la Comédie-Française : du 18 novembre 1718 au 31 décembre 1964. » [In] [Monographie établie [...] à l'occasion de la reprise du 21 février 1965]. Paris, S.I.P.E., 1965. 27 p. ill. P. 28-29.

1017   COURTINES, Pierre. « Voltaire, novateur dramatique. » *Messager de New York* 14 : 16-20, 15 août 1937.

1018   DANIEL, George B. *The development of the « Tragédie nationale » in France from 1552 to 1800.* Chapel Hill, U of North Carolina P [1964]. 212 p. 23 cm (Studies in Romance languages and literatures, 45).

P. 71-73.

1019   *Enciclopedia dello spettacolo.* Fondata da Silvio d'Amico. Roma, Casa ed. La Maschere, 1955-1962. 9. v. 29 cm.

9 : col. 1769-1778, en grande partie sur V dramaturge.

1020   Гордон, Л. С. « Вольтер--режиссёр » [Voltaire - metteur en scène]. Научные доклады высшей школы, филологические науки 1962, n° 1 : 129-137.

1021   GRANNIS, Valleria B. *Dramatic parody in eighteenth-century France.* New York, Institute of French studies [1931]. 429 p. 20,5 cm.

P. 245-349, « Parodies on Voltaire. »

1022   GUIET, René. « La Tragédie française au xviiie siècle et le théâtre de Métastase. » *PMLA* 53 : 813-826, Sept. 1938.

1023 LANCASTER, Henry Carrington. *French tragedy in the time of Louis XV and Voltaire, 1715-1774.* Baltimore, Johns Hopkins P, 1950. 2 v. 25 cm.

Voir p. 50-69, 124-150, 184-218, 333-360, 406-432, 596-613.

1024 LOCKERT, Lacy. *Studies in French classical tragedy.* Nashville, Tenn., Vanderbilt U P, 1958. 529 p. 23 cm.

P. 486-504, V.

C.R. : J. D. Hubert, *RR* 50 : 287-289, Dec. 1959.

1025 LOUGH, John. *Paris theatre audiences in the seventheenth and eighteenth centuries.* London, Oxford U P, 1957. xii, 293 p. ill. 21,5 cm.

Voir p. 163-268.

1026 LOWENSTEIN, Robert. *Voltaire as an historian of seventeenth-century French drama.* Baltimore, Johns Hopkins P, 1935. 195 p. 25,5 cm (Johns Hopkins studies in Romance literature and languages, 25).

C.R. : E. P. Dargan, *MP* 34 : 436-438, 1936-37 ; Raymond Naves, *RHL* 43 : 443-445, juil. 1936 ; Norman L. Torrey, *MLN* 51 : 477-478, Nov. 1936 ; Fernand Vial, *FR* 14 : 151-153, 1940-41.

1027 MOREL, Jacques. *La Tragédie.* Paris, A. Colin, 1964. 366 p. (Coll. U, Sér. « Lettres françaises »).

P. 144-145, 325-328, 333-339.

1028 NIKLAUS, Robert. « La Propagande philosophique au théâtre au siècle des lumières. » *SV* 26 : 1223-1261, 1963.

Voir surtout p. 1235-1240.

1029 PYLE, Robert E. « Voltaire's minor comedies and tragedies. » *DA* 17 : 1547, 1957.

1030 RIDGWAY, Ronald S. *La Propagande philosophique dans les tragédies de Voltaire.* Genève, Institut et Musée Voltaire, 1961. 260 p. (*SV*, 15).

C.R. : J. H. Brumfitt, *FS* 16 : 185-187, Apr. 1962 ; Ronald Grimsley, *MLR* 57 : 612-613, Oct. 1962 ; Hester Hastings, *RR* 52 : 304-306, Dec. 1961 ; *SFr* 6 : 158, gen.-apr. 1962 ; *TLS* Aug. 25, 1961, p. 566.

1031 — « Voltaire and tragedy. » *HAB* 13 : 26-36, 1962-63.

1032 ROBINOVE, Phyllis S. « Voltaire's theater on the Parisian stage, 1789-1799. » *FR* 32 : 534-538, May 1959.

1033 ROOSBROECK, G. L. van. « Voltaire as a vaudevilliste. » *RR* 17 : 355-358, Oct. 1926.

1034 Сигал, Н. Вольтер, 1694-1778 [Voltaire, 1694-1778]. Ленинград-Москва, Государственное издательство «Искусство», 1959. 149 p. 16 cm (Классики зарубежной драматургии. Научно-популя-рный очерк).

Etude générale du théâtre de V.

1035 STRACHEY, [Giles] Lytton. *Literary essays.* New York, Harcourt, Brace & Co. [1949]. 295 p. 19 cm.

P. 106-119, « Voltaire's tragedies », réimpr. d'un essai publié en 1906.

1036 TAYLOR, Samuel. « La Collaboration de Voltaire au *Théâtre français* (1767-1769). » *SV* 18 : 57-75, 1961.

La collaboration de V à la publication de ce recueil peu connu.

1037 TRAHARD, Pierre. *Les Maîtres de la sensibilité française au XVIIIe siècle (1715-1789).* Paris, Boivin, [1931-33]. 4 v. 23 cm. 1 : 237-259, « La Sensibilité dans le théâtre de Voltaire (1718-1743). »

C.R. : George R. Havens, *MLN* 49 : 268-269, Apr. 1933 ; M. E. I. Robertson, *MLR* 27 : 347-350, 1932 ; 29 : 97-99, 1934 ; 30 : 272, 1935.

1038   TROUSSON, R. « Quelques traits de critique sociale dans les comédies de
        Voltaire. » *BIV* 1, n° 9 : 65-71, août 1962.

1039   — « Trois Opéras de Voltaire. » *BIV* 1, n° 6 : 41-46, mai 1962. *Samson,
        Tanis et Zélide, le Baron d'Otrante.*

1040   VOLTZ, Pierre. *La Comédie.* Paris, A. Colin [1964]. 472 p. 24 cm (Coll. U,
        Sér. « Lettres françaises »).

        P. 103, 107-108, 124, 126, 221-224.

1041   VROOMAN, Jack Rockford. « Voltaire's theatre : a study in tragic focus. »
        DA 26 : 2764, Nov. 1965.

1042   WADE, Ira O. *The « philosophe » in the French drama of the XVIIIth century.*
        Paris, P U, 1926. 143 p. 25 cm (Princeton U, Elliott monographs, 18).

        C.R. Daniel Mornet, *RHL* 37 : 456, 1930.

1043   WOOD, Kathryn L. « The French theatre in the eighteenth century accor-
        ding to some contemporary English travellers. » *RLC* 12 : 601-618,
        juil.-sept. 1932.

C. L'HISTORIEN

1044   BLACK, John B. *The art of history ; a study of four great historians of
        the XVIIIth century.* London, Methuen & Co. [1926]. 188 p. 19,5 cm.
        P. 29-75, V.

1045   BRUMFITT, J. H. « History and propaganda in Voltaire. » *SV* 24 : 271-287, 1963.

1046   — *Voltaire historian.* London, Oxford, Clarendon P, 1958 ; New York,
        Oxford U P, 1958. viii, 178 p. 22 cm.

        C.R. : D. W. Brogan, *Spectator* Jan. 24, 1958, p. 110 ; Jean Daniel
        Candaux, *Schweizerische Zeitschrift für Geschichte* N.F. 9 : 111-112,
        1959 ; Giuseppe Giarrizzo, *NRS* 43 : 478-485, set.-dic. 1959 ; A. Good-
        win, *EHR* 74 : 534-535, July 1959 ; Richard Herr, *JMH* 30 : 388-389,
        Dec. 1958 ; Paul H. Meyer, *FR* 32 : 593-594, May 1959 ; Bernard
        Norling, *CathHR* 44 : 249-250, July 1958 ; F. Orlando, *SFr* 3 : 320,
        mag.-ag. 1959 ; J. G. A. Pocock, *Historical journal* 1 : 192-194, 1958 ;
        F. A. Taylor, *FS* 12 : 370-372, 1958 ; O. R. Taylor, *MLR* 54 : 117,
        Jan. 1959 ; Arthur M. Wilson, *AHR* 64 : 93, Oct. 1958.

1047   BUCK, August. « Die humanistische Tradition in der französischen Literatur
        des 18. Jahrhunderts. » *GRM* N.F. 8 : 333-350, Okt. 1958.

        Voir p. 343-345.

1048   CASO, Antonio. *Filósofos y moralistas franceses.* [México] Editorial Stylo
        [1943]. 202 p. 20 cm.

        P. 29-44, « Voltaire el historiador universal, los siglos proceres, el
        siglo VI A.C. »

1049   CORIJN, Herman. « Voltaire als geschiedschrijver » [Voltaire comme histo-
        rien]. *De Vlaamse Gids* 33 : 49-56, 1949.

1050   DAGENS, Jean. « La Marche de l'histoire suivant Voltaire (depuis la chute
        de l'Empire romain jusqu'au siècle des lumières). » *RF* 70, H. 3-4 :
        241-266, 1958.

1051   DAVID, Jean. « Le Concept de Dieu dans l'histoire chez Voltaire. »
        Bollettino dell'Istituto di lingue estere 4 : 21-33, 1953-54.

1052   DEYSSEL, L. van. « Letterkundige dagboek-anteekeningen » [Notes de
        journal littéraire]. *N Gids* 42 : 555-575, Nov. 1927.

        P. 555-559, « Voltaire » : surtout sur l'historien de Charles XII et
        Louis XIV.

1053 DIAZ, Furio. « Idea del progresso e giudizio storico in Voltaire. » *Belfagor* 9 : 21-45, 1954.

1054 — *Storicismo e storicità*. Firenze, Parenti [1956]. xii, 202 p. 24 cm. (Saggi di cultura moderna, 18).

P. 160-167.

1055 — *Voltaire storico*. [Torino] G. Einaudi, 1958. 3-324 p. 22 cm (Studi e ricerche, 10).
C.R. : J. H. Brumfitt, *RSI* 71 : 500-505, 1959 ; Alain Dufour, *Schweizerische Zeitschrift für Geschichte* N.F. 10 : 589-592, 1960 ; G. Gargallo di Castel Lentini, *SGym* 14 : 204-211, 1961 ; Giuseppe Giarrizzo, *NRS* 43 : 478-485, set.-dic. 1959 ; Francesco Orlando, *SFr* 4 : 354, mag.-ag. 1960 ; Kenneth J. Pratt, *BA* 34 : 69, winter 1960 ; Antonio Santucci, *Bibliographie de la philosophie* 6 : 63, janv.-mars 1959 ; Paolo Serini, *Mondo* 9 giu. 1959, p. 8.

1056 ECKHARDT, Alex. « Voltaire, Michelet et la catastrophe hongroise de 1526. » *R études hongroises* 5 : 153-159, janv.-juin 1927.

Sur les sources de V.

1057 EDSALL, H. Linn. « The idea of history and progress in Fontenelle and Voltaire. » [In] *Studies by members of the French department of Yale University*. Ed. Albert Feuillerat. Decennial volume. New Haven, Yale U P, 1941. (Yale Romanic studies, 18). 24 cm. P. 163-184.

1058 ENGEL-JANOSI, Friedrich. « Politics and history in the age of the enlightenment. » *Journal of politics* 5 : 363-390, Nov. 1943.

Voir p. 365-367.

1059 ENGEMANN, Walter. *Voltaire und China : ein Beitrag zur Geschichte der Völkerkunde und zur Geschichte der Geschichtsschreibung sowie zu ihren gegenseitigen Beziehungen*. [Leipzig] 1932. 155 p.

1060 ESCHOLIER, Raymond. « Le Premier de nos historiens : Voltaire. » *Europe* 37, nº 361-362 : 19-33, mai-juin 1959.

1061 FERRATER MORA, José. *Cuatro Visiones de la historia universal*. Buenos Aires, Editorial Losada [1945]. 169 p. 17 cm (Biblioteca filosófica).

P. 111-139, « Voltaire o la visión racionalista. »

1062 FRANKEL, Charles. *The faith of reason : the idea of progress in the French enlightenment*. New York, King's Crown P, 1948. x, 165 p. 21 cm.

Voir surtout p. 107-112.

1063 FUETER, Eduardo. *Storia della storiografia moderna*. Traduzione di A. Spinelli. Napoli, Riccardo Ricciardi, 1943-44. 2 v. 21 cm.

P. 19-34, 35-58, 86-90, 198-205 et autres références.

1064 GEERKE, H. P. « Voltaire als historieschrijver » [Voltaire comme historiographe]. *Vragen D* 42 : 161-181, Maart 1927.

1065 GEYL, Pieter. *Franse figuren*. Amsterdam, Wereld-Bibliotheek, 1959. 127 p. (Wereld-boog, 128).
P. 14-21, « Voltaire en de geschiedenis » [V et l'histoire].

1066 GIRARD, René. « Classicism and Voltaire's historiography. » *ASLHM* 29 : 151-160, 1958.

1067 GOOCH, George Peabody. « Voltaire as historian. » [In] *Catherine the Great, and other studies*. London, New York, Longmans, Green [1954]. xi, 292 p. 23 cm. P. 199-274.

Réimpr. [in] *French profiles ; prophets and pioneers*. [London] Longmans [1961]. 291 p. P. 62-136.

1068   Kaegi, Werner. « Voltaire und der Zerfall des christlichen Geschichtbildes. » *Corona* 8 : 76-101, 1938.

     Réimpr. [in] *Historische Meditationen*. Zürich, Fretz & Wasmuth [1942-46]. 2 v. ill. P. 223-248.
     Trad. en italien [in] *Meditazioni storiche*. A cura e con una presentazione di Delio Cantimori. Bari, Laterza, 1960. xxvii, 353 p. P. 216-238.

1069   Косминский, Е. А. « Вольтер и историческая наука » [Voltaire et la science historique]. IAN, Серия истории и философии 2 : 14-26. 1945.

     Réimpr. avec le titre « Вольтер как историк » [Voltaire comme historien]. [In] Акад. Наук СССР. Вольтер : статьи и материалы. Москва-Ленинград, 1948. P. 151-182.

1070   Lefebvre, Georges. « Les Historiens rationalistes. — Les adversaires du rationalisme. » *L'Année propédeutique* 1952, nº 1-2, 3-4 : 54-62, 114-123.

     Voir surtout p. 54-61.

1071   Lelièvre, Pierre. « Voltaire historien de La Rochelle. » *NL* 6 déc. 1930.

1072   Liverziani, Filippo. « Storia e progresso nel pensiero di Voltaire. » *Rassegna di scienze filosofiche* 17 : 47-65, 128-142, gen.-mar., apr.-giu. 1964.

1073   Loewel Pierre. « Le Premier Historien moderne [V]. » *LF* 2 déc. 1944, p. 1, 5.

1074   Löwith, Karl. *Meaning in history ; the theological implications of the philosophy of history*. [Chicago] U of Chicago P [1941]. ix, 257 p. 22 cm.

     P. 104-114, « Voltaire. »

1075   Люблинский, Владимир С. « Источники по истории религии в библиотеке Вольтера » [Sources de l'histoire des religions dans la bibliothèque de Voltaire]. Ежегодник музея религии и атеизма 1 : 362-401, 1957. fig., fac-sims.

     Trad. en allemand : « Religionsgeschichte Quellen in der Bibliothek Voltaires. » [In] *Voltaire-Studien*. Berlin, Akademie-Verlag, 1961. P. 1-73.

1076   Meinecke, Friedrich. *Die Entstehung des Historismus*. München & Berlin, R. Oldenbourg, 1936. 2 v. 22,5 cm.

     1 : 78-124, « Voltaire. »

1077   Meyer, A. « Bossuet et Voltaire historiens. » *BSPHG* 50, nº 165 : 470-474 avr. 1960.

1078   Meyer, Paul H. « Voltaire and Hume as historians : a comparative study of the *Essai sur les mœurs* and the *History of England*. » *PMLA* 73 : 51-68, Mar. 1958.

1079   Momigliano, Arnaldo. « La Formazione della moderna storiografia sull' impero romano. » *RSI*, Ser. 5,1, fasc. 1 : 36-60 ; fasc. 2 : 19-48, 1936.

     Voir fasc. 2 : 19-22.
     Réimpr. [in] *Contributo alla storia degli studi classici*. Roma, Ed. di storia e letteratura, 1955. 413 p. 26 cm (Storia e letteratura, 47).
     Voir p. 134-137.
     Comparaison des idées de V et de Montesquieu sur les causes de la chute de l'Empire romain.

1080   Mossner, Ernest Campbell. « An apology of David Hume, historian. » *PMLA* 56 : 657-690, Sept. 1941.

     Voir p. 674-680 : comparaison de V et Hume.

1081 NEFF, Emery. *The poetry of history : the contribution of literature and literary scholarship to the writing of history since Voltaire.* New York, Columbia U P, 1947. viii, 258 p. 22 cm.

P. 3-20, « Voltaire shatters tradition ».

1082 O'CONNOR, Sister Thomas Aquinas. « Voltaire's use of sources in writing history. » *Historical bulletin* 29 : 183-197, May 1951.

1083 OLAECHEA, R. « Reflexión sobre los manuales de « Historia de la cultura. » *Humanidades* (Comillas) 11, n° 22 : 39-54, en.-abr. 1959.

Voir V passim, mais surtout p. 42-49.

1084 ORTEGA, Exequiel César. « Voltaire como historiógrafo. » *Trabajos y comunicaciones* (Facultad de humanidades y ciencias de la educación, Instituto de investigaciones históricas, U nacional de la ciudad Eva Perón) 3 : 152-173 [1952].

Réimpr. : Buenos Aires, Talleres Gráficos « San Pablo, » 1953. 24 p.

1085 PAVAN, Massimiliano. « Voltaire e la storia romana. » *SFr* 6 : 245-262, mag.-ag. 1962.

Etude de la méthode historique de V.

1086 PETRUZZELLIS, Nicola. « La Storia da Vico a Voltaire. » *Rassegna di scienze filosofiche* 12 : 89-118, apr.-giu. 1959.

P. 114-118, « Le Idee di Voltaire sulla storia. »

1087 POMEAU, René. « Voltaire et l'histoire. » *Médecine de France* n° 61 : 33-40, 1955.

Réimpr. des p. 66-84 de *Voltaire par lui-même.*

1088 — « Voltaire, historien de l'Europe classique. » *BSTEC* n° 110 : 1-4, janv. 1957.

1089 POZZO, Gianni M. *La Storia e il progresso nell'illuminismo francese.* Padova, Casa Ed. Dott. Antonio Milani, 1964. 258 p.

P. 33-87, « La Storia e il progresso in Voltaire. »

1090 PRIOULT, A. « Voltaire et l'histoire de la Lithuanie. » [In] *Mélanges d'histoire littéraire et de bibliographie offerts à Jean Bonnerot* [...]. Paris, Nizet, 1954. 551 p. ill. 25 cm. P. 133-139.

1091 RIHS, Charles. *Voltaire ; recherches sur les origines du matérialisme historique.* Genève, Droz ; Paris, Minard, 1962. 228 p. (Etudes d'histoire économique, politique et sociale).

C. R. : J. S. Bromley, *EHR* 79 : 421-422, Apr. 1964 ; J .H. Brumfitt, *FS* 18 : 57-58, Jan. 1964 ; Roland Desné, *Europe* n° 405-406 : 324-334, janv.-fév. 1964 ; Werner Krauss, *DLZ* 85 : 633-636, 1964 ; Roland Mortier, *RBPH* 42 : 731-735, 1964 ; *Revue historique* 88 : 247-248, janv.-mars 1964 ; [Lionello Sozzi], *SFr* 8 : 160, gen.-apr. 1964.

1092 ROMERO, Francisco. « Voltaire y la historia. » *Cuadernos* n° 33 : 14-24, nov.-dic. 1958.

1093 ROSENTHAL, Jerome. « Voltaire's philosophy of history. » *JHI* 16 : 151-178, Apr. 1955.

1094 SAISSELIN, Rémy G. *Taste in eighteenth century France : critical reflections on the origins of aesthetics, or an Apology for amateurs.* [Syracuse] Syracuse U P [1965]. viii, 161 p. 22 cm.

Voir p. 67-68, 72-76, 83-84 : Voltaire historien et ce qu'il doit à Du Bos.

1095 SAMPSON, R. V. *Progress in the age of reason : the seventeenth century to the present day.* Cambridge, Harvard U P, 1956. 259 p. 23 cm.

Voir surtout p. 107-115.

1096   SAUNDERS, Richard M. « Voltaire's view of the meaning of history. » *UTQ* 22 : 44-54, Oct. 1952.

1097   SCHEVILL, Ferdinand. *Six historians.* [Chicago] Chicago U P [1956]. xv, 200 p. ill. 23 cm.

P. 93-123, « Voltaire : the voice of rationalism. »

1098   SIMON, Renée. « Boulainvillier et Voltaire. » *DSS* n° 11 : 103-114, 1951.

En grande partie sur Boulainvillier, précurseur de V en ce qui concerne l'historiographie.

1099   SIMONE, Franco. « Nuovi Contributi alla storia del termine del concetto di « Renaissance. » III. La mediazione dell'illuminismo tra umanesimo e romanticismo. » *SFr* 3 : 390-411, set.-dic. 1959.

Voir p. 390-403.
Réimpr. sous forme augmentée [in] *Il Rinascimento francese ; studi e ricerche.* [Torino] Soc. ed. internationale [1961]. xvi, 459 p. 24,5 cm.
P. 259-439.
Voir p. 381-396, 405-416.

1100   STERN, Fritz. *The varieties of history ; from Voltaire to the present.* Edited, selected and introduced [...]. New York, Meridian books, 1956. 427 p. 19 cm (Meridian books, M 37).

P. 35-45, « The new philosophical history : Voltaire. »

1101   TREVOR-ROPER, Hugh. « The historical philosophy of the enlightenment. » *SV* 27 : 1667-1687, 1963.

Contient une comparaison entre V et Gibbon.

1102   TRONCHON, Henri. *Romantisme et préromantisme.* Paris, Les Belles Lettres, 1930. 296 p. 20 cm (Publ. Fac. Lettres. Strasbourg, 2e sér., 6).

P. 23-32, « Voltaire et la philosophie de l'histoire. »

1103   VENTURI, Franco. *L'Antichità svelata e l'idea del progresso in N. A. Boulanger (1722-1759).* Bari, Laterza, 1947. 179 p. 20 cm.

P. 23-28, « Illuminismo e religione : l'eredità di Voltaire .»

1104   Волгин, В. П. « Вольтер--историк » [Voltaire historien]. Исторический журнал 1945, n° 4 : 64-70.

1105   VYVERBERG, Henry. *Historical pessimism in the French enlightenment.* Cambridge, Harvard U P, 1958. viii, 253 p. 21 cm (Harvard historical monographs, 36).

P. 170-188, « The imperfect dream - Voltaire. »

1106   WEISCHEDEL, Wilhelm. « Voltaire und das Problem des Geschichte. » *ZPhF* 2 : 481-498, 1948.

Réimpr. : avec le titre « Voltaire. » [In] *Grosse Geschichtsdenker, ein Zyklus Tübinger Vorlesungen von Karl August Fink* [...]. Tübingen & Stuttgart, Rainer Wunderlich Verlag Herman Leins, 1949. 248 p. P. 149-172.
Réimpr. : [in] *Wirklichkeit und Wirklichkeiten ; Aufsätze und Vorträge.* Berlin, De Gruyter, 1960. 286 p. P. 69-85.

D. LE PHILOSOPHE

1. Le droit et la justice; l'affaire Calas et autres affaires

1107 « A propos de l'affaire Calas. » *AHRF* 36 : 124-127, 1964.
Un échange de lettres entre V. S. Lublinsky et R. Pomeau.

1108 ADAMS, Geoffrey. « A temperate crusade : the *philosophe* campaign for Protestant toleration. » [In] *Ideas in history ; essays presented to Louis Gottschalk* [...]. Durham, N.C., Duke U P, 1965, xx, 380 p. 25 cm. P. 65-84.
Voir p. 69-70, 74-76 pour le rôle de V dans les affaires Calas et Sirven.

1109 ADDAMIANO, Natale. « L'Avvocato del genere umano. » *Ponte* 16 : 1712-1728, dic. 1960.

1110 « L'Affaire Calas. » *BIV* 2, nº 14 : 128-136, fév. 1963.

1111 BIEN, David D. *The Calas affair : persecution, toleration, and heresy in eighteenth-century Toulouse.* Princeton, N. J., Princeton U P, 1960. ix, 199 p. 23 cm.
Cette étude indique que la polémique de V avait tendance à obscurcir la vraie situation historique.
C.R. : Frances Acomb, *JMH* 33 : 442-443, Dec. 1961 ; Leonard Bernard, *RPol* 23 : 551-552, Oct. 1961 ; A. J. Freer, *SFr* 8 : 160-161, gen.-apr. 1964 ; Peter Gay, *Political science quarterly* 76 : 309-311, June 1961 ; Leo Gershoy, *AHR* 67 : 119-120, Oct. 1961 ; Maurice Hutt, *History* N.S. 46 : 258-259, Oct. 1961 ; Alfred Mc Clung Lee, *AmSR* 26 : 489-490, June 1961 ; Margaret Maxwell, *CH* 30 : 118-119, Mar. 1961 ; Harold L. Stansell, *CathHR* 47 : 222-223, July 1961 ; Hugh Trevor-Roper, *New statesman* 62 : 121-124, July 28, 1961.

1112 — « Religious persecution in the French enlightenment. » *CH* 30 : 325-333, Sept. 1961.
Voir surtout p. 329-333.

1113 BOBST, Willy. « Voltaire und die Toleranz. » *Alpina* 91 : 261-263, Okt. 1965.

1114 BONTEMS, C. « L'Affaire Calas. » [In] *Quelques procès criminels des XVIIe et XVIIIe siècles.* Présentés par un groupe d'étudiants, sous la direction de Jean Imbert. Paris, PUF, 1964. viii, 206 p. (Travaux et recherches de la Faculté de droit et des sciences économiques de Paris. Sér. « Sciences historiques », 2). P. 139-163.

1115 Борин, Георгий. « Подвиг фернейского патриарха » [Le Grand Exploit du patriarche de Ferney]. Наука и религия nº 5 : 56-59, май 1962.
Au sujet de l'affaire Calas.

1116 BOURTHOUMIEUX, Charles. *Cour d'appel de Douai. Audience solennelle de rentrée du 16 sept. 1963. Humanisme du droit pénal au XVIIIe siècle. Montesquieu et Voltaire.* Douai, Impr. commerciale, 1963. 22 p.
Voir surtout p. 16-22.

1117 CASÁS FERNÁNDEZ, Manuel. *Voltaire criminalista, precursor del humanitarismo en la legislación penal.* La Coruña, Imp. Zincke Hermanos, 1930. iii, 214 p. 22 cm.

1118 CASTAN, Yves. « Un enseignement d'histoire à travers les documents de l'affaire Calas. » [In] *Documents sur l'affaire Calas.* Toulouse, Edition du Centre régional de documentation pédagogique de Toulouse, 1958. iv, 25 p. fac-sims. P. 20-22.

1119   CASTELOT, André. *L'Affaire Calas* [...]. Paris, Presses-Pocket [1965]. 245 p. 21,5 cm.

P. 7-25, « L'Affaire Calas. »

1120   — « Il y a deux cents ans commençait l'affaire Calas. » *Historia* n° 180 : 559-567, nov. 1961.

Commentaire : Dʳ A. Montandon. « L'Affaire Calas. » *Historia* n° 187 : 852, juin 1962.

1121   CHASSAIGNE, Marc. *L'Affaire Calas.* 4ᵉ éd.. Paris, Perrin, 1929. 294 p. 24 cm (Nouvelle collection historique. — Drames judiciaires d'autrefois, 2ᵉ sér., n° 3).

1122   CHAZEL, Pierre. « Allocution pour le 150ᵉ anniversaire de l'édit de tolérance de 1787. » *BSHPF* 86 : 258-264, 1937.

1123   CHÉREL, Albert. « Voltaire et l'idée de tolérance. » *Revue des travaux de l'Académie des sciences morales et politiques* 3ᵉ sér., 99 : 456-480, juil.-août 1939.

Texte à peu près identique à celui d'un chapitre de *Déceptions et confiances de Voltaire.*

1124   COBLENTZ, Stanton A. *The long road to humanity.* New York & London, Thomas Yoseloff [1959]. 494 p. 24 cm.

P. 351-354.

1125   CONSTANT, Jean. « Voltaire et la réforme des lois pénales. » *Revue de droit pénal et de criminologie* 39 : 535-546, mars 1959.

1125A COUTET, Alexandre. *Jean Calas roué vif et innocent.* [Anduze] Publication du Musée du désert, 1933. 330 p.

C.R. : Raoul Patry, *BSHPF* 83 : 714-718, 1934.

1126   DASSEN, Julio. *Voltaire defensor de Juan Calas.* Prólogo del Dr. Luis Jiménez de Asua. Buenos Aires, Abeledo-Perrot [1963]. 77 p. 19 cm. (Réimpr. de *Comentario* n° 33, 1962).

1127   DELBECKE, Francis. *L'Action politique et sociale des avocats au XVIIIᵉ siècle.* Louvain, Librairie universitaire, 1927. 303 p. (U de Louvain. Recueil des travaux publiés par les membres des conférences d'histoire et de philologie, 2ᵉ sér., 10).

P. 145-221, les affaires Calas et Sirven et le rôle de V.

1128   DELPECH, Jeanine. « Un précieux Cadavre. L'Affaire Calas. » *NL* 26 juil. 1962, p. 6. ill.

1129   DEZ, Gaston. « Pourquoi et comment un édit de tolérance a été accordé en 1787. » *BSHPF* 86 : 506-513, 1937.

1130   *Documents sur l'affaire Calas. Toulouse,* Edition du Centre régional de documentation pédagogique de Toulouse, 1958. iv, 25 p. 26 fac-sims.

Contient 3 articles relatifs à une exposition organisée à Toulouse, avec 26 fac-similés de documents exhibés.

1131   FAYARD, Michelle-Marie. « Tolérance et intolérance de Voltaire. » *Conscience et liberté* n° 2 : 27-44, 2ᵉ semestre 1949.

1132   FEUGÈRE, A. « L'Accusateur de Calas, était-il un fripon ? » *Grande R* 131 : 428-449, janv. 1930.

Etude basée sur des documents inédits.

1133   GALLAND, Elie. « Encore l'affaire Calas. » *BSHPF* 78 : 299-315, juil.-sept. 1929.

Ample résumé des divers arguments et réponse à Chassaigne ci-dessus.

1134 GARÇON, Maurice. « Voltaire et la tolérance. » *TR* n° 122 : 122-132, fév. 1958.

1135 GENESTET, Marc. « L'Affaire Calas à travers les lettres de Voltaire. » [In] *Documents sur l'affaire Calas* [ci-dessus]. P. 5-19.

1136 GÉRARD, Pierre. « L'Affaire Calas dans les archives et les bibliothèques. » [In] *Documentation sur l'affaire Calas* [ci-dessus]. P. 23-24.

Liste de documents sur l'Affaire qui se trouvent à Toulouse.

1137 HASTIER, Louis, « La Malédiction du capitoul, ou les suites de l'affaire Calas. » *FL* 16-22 juil. 1964, p. 15. ill.

Les opinions de V au sujet de François-Raymond David de Beaudrigue et leurs conséquences.

1138 — *Vieilles histoires, étranges énigmes*. 7e sér. Paris, Fayard, [c. 1965]. 317 p. 19 cm.

P. 85-110, « Suites de l'affaire Calas. » Essentiellement le même sujet que le numéro précédent.

1139 HOLLEAUX, Dominique. « Le Procès du chevalier de La Barre. » [In] *Quelques procès criminels des XVIIe et XVIIIe siècles*. Paris, PUF, 1964. P. 165-179.

1140 INGE, William Ralph. *A pacifist in trouble*. London, Putnam [1939]. 332 p. 22,5 cm.

P. 177-185, « Voltaire, » à propos de V et l'affaire Calas.

1141 JACOUBET, Henri. *Variétés d'histoire littéraire, de méthodologie et de critique littéraire*. Paris, Soc. d'éd. Les Belles Lettres, 1935. 291 p. 22,5 cm.

P. 167-206, « Voltaire et le mystère de l'innocence de Calas. »

1142 — « Voltaire et l'innocence de Calas ; essai d'une explication nouvelle. » *Grande R* 119 : 624-644, fév. 1926.

1143 JAN, Eduard von. « Voltaire und das Problem der religiösen Toleranz. » *GRM* 16 : 49-61, 1928.

1144 MAESTRO, Marcello T. *Voltaire and Beccaria as reformers of criminal law*. New York, Columbia U P, 1942. x, 177 p. 22 cm.

C.R. : T. I. Cook, *MLQ* 5 : 107-109, Mar. 1944 ; Howard E. Jensen, *Social forces* 21 : 122-123, Oct. 1942 ; Travis J. Klingberg, *AHR* 48 : 95-96, Oct. 1942 ; Andrew R. Morehouse, *RR* 35 : 171-175, Apr. 1944.

1145 MARCHOU Gaston. « Le Chevalier de La Barre et la raison d'état. » *RdP* 72 : 112-125, juil.-août 1965.

1146 MAUGHAM, Frederic H. *The case of Jean Calas*. London, Heinemann, 1928. 204 p. 19,5 cm.

Contient des réimpressions de nombreux documents.
C.R. : Elie Galland, *BSHPF* 78 : 330-331, 1929.

1147 McCLOY, Shelby T. *The humanitarian movement in eighteenth-century France*. [Lexington] U of Kentucky P [1957]. 274 p. 24 cm.

Voir p. 25, 29-30, 57-59, 182-186.

1148 MEHRING, Kurt. *Inwieweit ist praktischer Einfluss Montesquieus und Voltaires auf strafrechtliche Tätigkeit Friedrichs des Grossen anzunehmen bezw. nachzuweisen ?* Breslau, Schletter'sche Buchh., 1927. 58 p. (Strafrechtliche Abhandlungen, 31).

1148A   MOREAU, François. « Voltaire et l'affranchissement des serfs du Chapitre noble de Saint-Claude. » *Semaine religieuse du diocèse de Saint-Claude* 87, n° 9 : 116-119 ; n° 12 : 151-156 ; n° 13 : 166-168 ; n° 14 : 177-178, 1954.

V écrivit « La Voix du Curé sur le procès des serfs du Mont Jura » pour sa campagne de presse à ce sujet vers 1770.

1149   NIXON, Edna. *Voltaire and the Calas case.* London, Gollancz, 1961 ; New York, Vanguard, 1963. 224 p. 22 cm.

C.R. : Harold Kurtz, *History today* 11 : 649-651, Sept. 1961 ; L. F. X. Mayhew, *Commonweal* 78 : 113-116, Apr. 19, 1963 ; Nancy Mitford, *NYTBR* Apr. 14, 1963, p. 34 ; John Mortimer, *Spectator,* July 7, 1961, p. 30-31 ; Allen Sillitoe, *Listener* 66 : 144-145, July 27, 1961 ; *TLS* June 30, 1961, p. 399 ; Hugh Trevor-Roper, *New statesman* 62 : 121, 124, 28 July 1961.

1150   — « Voltaire and the Calas case, 1761-1765. » *History today* 7 : 538-545, Aug. 1957. ill.

1151   ПОЛЯНСКИЙ, Н. Н. « Вольтер—борец за реформу права : к 250-летию со дня рождения » [Voltaire — champion de la justice et de la réforme du droit]. IAN, Отделние економики и права 1945, n° 1 : 17-30.

Essentiellement le même article avec le même titre [in] Акад. Наук СССР. Волртеь : статьи и материалы. Москва-Ленинград, 1948. P. 243-283.

1152   POMEAU, René. « Nouveau regard sur le dossier Calas. » *Europe* 40, n° 398 : 57-72, juin 1962.

1153   POWERS, Richard Howard. « Voltaire and the new barbarism. » *Humanist* 18, n° 4 : 213-219, July-Aug. 1958.

1154   QUINCARLET, Simon. *Voltaire et les parlements. Cours d'appel de Chambéry, audience solennelle de rentrée du 16 septembre 1958.* Chambéry, Les Impr. réunis [1959]. 24 p. 24 cm.

P. 5-18.

1155   ROUCHON, U. « Les Avatars de M. de Morangiès et Voltaire. » *Journal des débats politiques et littéraires* 15-16 janv. 1944, p. 3.

1156   ROUGEMONT, Denis de. «Le Point de vue de Ferney : sur Voltaire. » *Preuves* n° 72 : 68-70, fév. 1957.

1157   SCHMIDT, Paul F. « Voltaire und der Fall Calas. » *R rhénane* 7 : 40-42, nov.-déc. 1926.

1158   SEEBER, Edward D. *Anti-slavery opinion in France during the second half of the eighteenth century.* Baltimore, Johns Hopkins P, 1937. 238 p. (Johns Hopkins studies in Romance literatures and languages, extra vol. 10).

Voir p. 19-20, 38-40, 56-58, 65-66, 76-77, 81-85, 90-91, 108-109 et autres références. Index.
C.R. : M. Cook, *RR* 29 : 291-293, Oct. 1938 ; M. B. Garrett, *AHR* 44 : 195, Oct. 1983 ; M. D. Kennedy, *MP* 35 : 462, May 1938.

1159   SERINI, Paolo. « Voltaire e il caso Calas. » *Mondo* 10 apr. 1962, p. 11-12.

1160   THORP, René William. « Voltaire et l'affaire Calas. » *RDM* 1962 : 402-414, 1ᵉʳ août.

1161   TOULOUSE, André. « De Molière à Balzac : nos grands écrivains avocats et plaideurs. » *Conferencia* 71, N.S. n° 164 : 5-18, juin 1964. ill.

Voir p. 13-15.

1161A VERCRUYSSE, J[érôme]. « Un Opuscule inédit de Ribotte-Charron : L'Eloge de Madame Bruguière de Lavaysse. » *Bulletin de la Société archéologique de Tarn-et-Garonne* 1965, p. 61-70.
Description de la petite-nièce de Bayle, protestante, et correspondante de V au moment de l'affaire Calas.

1162 VOLTAIRE, François-Marie Arouet de. *L'Affaire Calas. Suivi de l'affaire Sirven, et de la mort du chevalier de La Barre.* Paris, Nouvelle Office d'édition [1963]. 179 p. 17 cm (Poche-Club).
P. 7-13, « Préface. »

1163 WARREN, R. L. « Voltaire's defense of Jean Calas. » *Social education* 23 : 61-62, Feb. 1959.

2. Idées politiques, sociales et économiques

1164 ALAIN. « Tortures. » *TR* n° 122 : 133-134, fév. 1958.
L'opposition de V aux excès de pouvoir des gouvernements.

1165 BERL, Emmanuel. « Voltaire et le prince. » *Preuves* n° 149 : 61-62, juil. 1963.
V pragmatiste en politique.

1166 BESTERMAN, Theodore. « Voltaire, la monarchie absolue et le monarque éclairé. » *Revue des travaux de l'Académie des sciences morales et politiques* 117, 4e sér. : 133-148, 1ᵉʳ semestre 1964.
P 133-143, texte d'une conférence ; p. 143-148, commentaires d'auditeurs et réponse du conférencier.
Trad. anglaise des p. 133-143 : « Voltaire, absolute monarchy, and the enlightened monarch. » *SV* 32 : 7-21, 1965.

1167 BLACK, John B. « Voltaire. » [In] *Social and political ideas of some great French thinkers of the age of reason.* Ed. by F. J. C. Hearnshaw. New York, F. S. Crofts Co., 1930. 252 p. 22,5 cm. P. 136-167.

1168 CRAVERI, Raimondo. *Voltaire politico dell'illuminismo.* Torino, G. Einaudi, 1937. 183 p.
C.R. : Carlo Cordié, *GCFI* 18 : 215-218, 1937 (réimpr. [in] *Saggi e studi di letteratura francese.* Padova, Cedam, 1957. 315 p. (Pubblicazioni dell'Istituto universitario di magistero di Catania. Serie letteraria, monografia n° 4). P. 69-74).

1169 CUNEO, Niccolò. *La Sociologia di Voltaire.* Genova, Emiliano degli Orfini [1938]. 100 p. 21 cm (Collana della nuova cultura diretta da Arturo Farinelli, 15).

1170 DAVID, Jean. «Voltaire et les Indiens d'Amérique.» *MLQ* 9 : 90-103, Mar. 1948.
Au sujet des idées sociales de V et de son idée du progrès.

1171 DAWSON, Christopher. « Historic origins of liberalism. » *RPol* 16 : 267-282, July 1954.
Voir p. 278-282

1172 DELLA VOLPE, Galvano. « L'Umanità di Montesquieu e di Voltaire e quella di Rousseau. » *Contemp* 5, n° 53 : 10-18, ott. 1962.

1173 DERATHÉ, Robert. « Les Philosophes et le despotisme. » [In] *Utopie et institutions au XVIIIᵉ siècle : le pragmatisme des lumières. Textes recueillis par Pierre Francastel et suivi d'un essai sur l'esthétique des lumières.* Paris & La Haye, Mouton, 1963. 363 p. ill. 23 cm (Ecole pratique des Hautes Etudes - Sorbonne. 6ᵉ section, Sciences économiques et sociales. Congrès et colloques, 4). P. 57-75.
Voir p. 58-62, 69-70.

1174   ELLWOOD, Charles A. *Story of social philosophy*. New York, Prentice-Hall, 1938. 581 p. 21 cm.

P. 185-198, « Voltaire. »

1175   FAYOL, Amédée « Voltaire : ses idées politiques, son rôle social. » *Culture humaine* 1946, n° 12 : 466-474.

1176   GAFFIOT, Maurice. « La Théorie du luxe dans l'œuvre de Voltaire. » *RHEcS* 14, n° 3 : 320-343, 1926.

1177   GAY, Peter. *Voltaire's politics : the poet as realist*. Princeton, Princeton U P, 1959. xii, 417 p. 23 cm.

Réimpr. : New York, Vantage Books [1965]. xiv, 417 p. 18,5 cm.
Etude faite à la fois du point de vue de l'histoire, de la biographie et de la théorie politique. Ce livre contient en appendice « Voltaire and natural law » (p. 343-346) et « Voltaire's anti-semitism » (p. 351-354). Ce dernier texte est sensiblement augmenté dans le n° 373, p. 97-108.
C.R. : Paolo Alatri, *Studi storici* 1 : 848-852, lugl.-set. 1960 ; D. W. Brogan, *Encounter* 14, n° 3 : 88-90, Mar. 1960 ; Geoffrey Bruun, *Political science quarterly* 74 : 425-426, Sept. 1959 ; J. H. Brumfitt, *FS* 14 : 365-366, Oct. 1960 ; Eric Cahm, *SV* 12 : 111-116, 1960 ; A. Cobban, *AHR* 65 : 119-120, Oct. 1959 ; Lester G. Crocker, *RR* 50 : 294-297, Dec. 1959 ; Furio Diaz, *RSI* 72 : 366-372, 1960 ; Guy H. Dodge, *APSR* 54 : 227-228, Mar. 1960 ; J.E., *Revue historique* 222 : 477, 1959 ; A. J. Freer, *SFr* 5 : 161, gen.-apr. 1961 ; Edward T. Gargan, *RPol* 23 : 545-549, Oct. 1961 ; A. Goodwin, *EHR* 76 : 160-161, Jan. 1961 ; J. Michael Hayden, *Cross currents* 10 : 297-300, Summer 1960 ; Hans Hinterhäuser, *Erasmus* 14 : 157-158, 25-III-1961 ; W. G. Moore, *MLR* 55 : 449-451, July 1960 ; René Pomeau, *RHL* 61 : 87-88, janv.-mars 1961 ; André-M. Rousseau, *RLC* 35 : 673-675, oct.-déc. 1961 ; George Rudé, *History today* 9 : 847-849, Dec. 1959 ; John Rule, *WMQ* 3rd ser., 17 : 408-410, July 1960 ; Eldon M. Talley, *CathHR* 45 : 376-377, Oct. 1959 ; *TLS* Oct. 2, 1959, p. 558 ; H. R. Trevor-Roper, *Reporter* 21, n° 3 : 41-42, Aug. 20, 1959 ; Eberhard Weis, *HZ* 193 : 146-149, Aug. 1961 ; Arthur M. Wilson, *JMH* 32 : 62, Mar. 1960 ; Gordon Wright, *AAAPSS* 326 : 170-171, Nov. 1959.

1178   GOLL, Yvan. « Voltaire. » [In] *The torch of freedom, edited by Emil Ludwig and Henry B. Kranz. Twenty exiles of history* [...]. New York & Toronto, Farrar & Rinehart, Inc. [1943]. viii, 426 p. 21 cm.

P. 63-77.

1179   GOUBARD, Marguerite. *Voltaire et l'impôt. Les idées fiscales de Voltaire*. Paris, Presses modernes, 1931. 183 p. Thèse, Paris, Droit.

1180   JONARD, N. « L'Idée de patrie en Italie et en France au xviiie siècle. » *RLC* 38 : 61-100, janv.-mars 1964.

Voir surtout p. 65-66, 70-73.

1181   KOEBNER, R. « Despot and despotism : vicissitudes of a political term. » *JWCI* 14 : 275-302, July 1951.

Voir p. 275-277.

1182   KOHN-BRAMSTEDT, E. « France and the French enlightenment in the xviiith century. » [In] Jacob P. Mayer [et autres]. *Political thought : the European tradition*. New York, Viking P, 1939. 485 p. P. 205-230.

Voir p. 213-219 ; la philosophie et la politique de V ; p. 228-230, son historiographie.

1183   LABRIOLA, Arturo. *Voltaire e la filosofia della liberazione*. Napoli, Morano, 1926. 332 p.

D'après cette étude de la théorie de tolérance et son application à la société moderne, V semblerait être socialiste.
C.R. : Guido Porzio, *Fatti e teorie* 1948 (IX), p. 82-89.

1184 LABRIOLLE-RUTHERFORD, M. R. de. « L'Evolution de la notion du luxe depuis Mandeville jusqu'à la Révolution. » *SV* 26 : 1025-1036, 1963.

Nombreuses références à V, surtout après 1736, date à laquelle se termine l'étude de Morize.

1185 LEFLAMANC, A. *Les Utopies prérévolutionnaires et la philosophie du XVIIIᵉ siècle*. Paris, Vrin, 1934. 178 p. 19 cm.

1186 LEROY, Maxime. *Histoire des idées sociales en France*. Vol. 1 : *De Montaigne à Robespierre*. Paris, Gallimard, 1946. 383 p. 23 cm (Bibliothèque des idées).

P. 68-91, « Voltaire. »

1187 MADELIN, Louis. « Le Crépuscule de la monarchie : « C'est la faute à Voltaire... » *R hebdomadaire* 45 (2) : 282-312, 8 fév. 1936.

V, les autres philosophes et les franc-maçons sont responsables de la Révolution.

1188 MARTIN, Kingsley. *French liberal thought in the eighteenth century; a study of political ideas from Bayle to Condorcet* [...]. Edited by J. P. Meyer. Second ed. [London] Turnstile P [1954]. xviii, 316 p. 22 cm ; et New York, New York U P, 1956. 316 p. 21 cm.

Voir p. 123-146, 282-284 et bien d'autres références.
C.R. : Hugh Trevor-Roper, *New statesman* 64 : 901-902, 21 Dec. 1962.

1189 MERCIER, Roger. *L'Afrique noire dans la littérature française; les premières images (XVIIᵉ-XVIIIᵉ siècles)*. Dakar, 1962. 242 p. 25 cm (U de Dakar, Faculté des lettres et sciences humaines. Publication de la section des langues et littératures, 11).

Voir surtout p. 105-108.

1190 NESERIUS, Philip G. « Voltaire's political ideas. » *APSR* 20 : 31-51, Feb. 1926.

1191 PERKINS, Merle L. « Voltaire on the source of national power. » *SV* 20 : 141-173, 1962.

1192 — « Voltaire's concept of international order. » *SV* 26 : 1291-1306, 1963.

1193 — *Voltaire's concept of international order*. Genève, Institut et Musée Voltaire, 1965. 342 p. (SV, 36).

C.R. : J. H. Brumfitt, *FS* 20 : 69-70, Jan. 1966 ; Jean A. Perkins, *MLN* 81 : 363, May 1966.

1194 — « Voltaire's principles of political thought. » *MLQ* 17 : 289-300, Dec. 1956.

1195 PRICE, Erwin H. « Voltaire and Montesquieu's three principles of government. » *PMLA* 57 : 1046-1052, Dec. 1942.

1196 ROWE, Constance. *Voltaire and the state*. New York, Columbia U P, 1955. xi, 254 p. 23 cm.

C.R. : J. H. Brumfitt, *FS* 11 : 355-356, Oct. 1957 ; George R. Havens, *RR* 47 : 218-220, Oct. 1956 ; R. H. Heimanson, *LJ* 80 : 1812, Sept. 1, 1955 ; W. T. Jones, *AAAPSS* 305 : 203-204, May 1956 ; Arthur M. Wilson, *AHR* 61 : 1017-1018, July 1956 ; Sheldon S. Wolin, *APSR* 50 : 870-872, Sept. 1956.

1197 SICCARDO, Francesco. « Note sul concetto di « virtù » in Voltaire. » *HumB* 9 : 248-259, mar. 1954.

1198 Сиволап, И. И. «Вольтер о революционных движениях XVII-XVIII вв.» [Voltaire et les mouvements révolutionnaires des xviie et xviiie siècles]. Французский ежегодник ; статьи и материалы по истории Франции (Annuaire d'études françaises) 1960 : 370-387. P. 386-387, résumé en français.

1199 Соколов, В. В. Вольтер (общественно-политические, философские и социологические воззрения), лекция, прочитанная на философском факультете московского университета [Voltaire (opinions sociales et politiques, philosophiques et sociologiques), conférence, lue à la Faculté de philosophie de l'Université de Moscou]. Изд. Московского Университета, 1956. 33 p.

1200 SPENGLER, Joseph J. *French predecessors of Malthus ; a study in eighteenth-century wage and population theory.* Durham, N.C., Duke U P, 1942. ix, 398 p. 23,5 cm.
Voir p. 225-228 et autres références.

1201 STELLING-MICHAUD, Sven. « Le Mythe du despotisme oriental. » *Schweizer Beiträge zur allgemeinen Geschichte* 18/19 : 328-346, 1960-61.
Sur V et Montesquieu préparant la chute de la monarchie absolue.

1202 TALLURI, B. « L'Anti-Machiavel e Voltaire *politico.* » *Studi senesi* 75 (3 serie 12), fasc. 3 : 335-358, 1963.

1203 TIHANY, Leslie. *Voltaire and the utopia of the prerevolution.* Chicago, 1946. 14 p.

1204 TOUCHARD, Jean. *Histoire des idées politiques* [...]. Avec la collaboration de L. Bodin [et autres]. Paris, PUF, 1959. 2 v. (Thémis ; manuels juridiques, économiques et politiques).
P. 402-405, « Voltaire et la politique du sens commun », et autres références.

1205 VIGNERY, J. Robert. « Voltaire's economic ideas as revealed in the *romans* and *contes.* » *FR* 33 : 257-263, Jan. 1960.

1206 Волгин, В. П. « Политические идеи Вольтера » [Les Idées politiques de Voltaire]. IAN, Серия истории и философии 2 : 1-13, 1945.

1207 — Развитие общественной мысли во [Франции в XVIII веке [Le Développement de la pensée sociale en France au xviiie siècle]. Москва, изд. Акад. Наук СССР, 1958. 413 p. P. 21-44, « Вольтер » [Voltaire].

1208 WALDINGER, Renée. « Voltaire and reform in the light of the French Revolution. » *DA* 14 : 113-114, 1954.

1209 — *Voltaire and reform in the light of the French Revolution.* Genève, Droz ; Paris, Minard, 1959. 118 p. 25 cm.
C.R. : W. H. Barber, *MLR* 55 : 448-449, July 1960 ; J. H. Brumfitt, *FS* 14 : 367-368, Oct. 1960 ; Pierre Burgelin, *RLC* 35 : 675-677, oct.-déc. 1961 ; A. J. Freer, *SFr* 4 : 155, gen.-apr. 1960 ; H. R. Jauss, *Archiv* 197 : 91-92, 1960-61 ; Paul H. Meyer, *MLN* 75 : 624-627, Nov. 1960 ; Roland Mortier, *RBPH* 39 : 94-96, 1961 ; John N. Pappas, *LR* 15 : 181-184, 1 mai 1961 ; René Pomeau, *RHL* 61 : 87-88, janv.-mars 1961 ; Leland Thielemann, *RR* 51 : 296-298, Dec. 1960.

3. La religion

1210 AGES, Arnold. « Voltaire's Biblical criticism : a study in thematic repetitions. » *SV* 30 : 205-221, 1964.

1211 AMOUDRU, Bernard. « La Psychologie religieuse de Voltaire. » *Mélanges de science religieuse* 2 : 99-124, 1945.

1212 APPOLIS, Emile *Entre Jansénistes et zelanti. Le « tiers parti » catholique au XVIIIe siècle.* Paris, Ed. A. & J. Picart, 1960. xii, 603 p. 25 cm.
Nombreuses références à V et Benoît XIV.

1213 BARBER, W. H. « Voltaire and Quakerism : enlightenment and the inner light. » *SV* 24 : 81-109, 1963.

1214 BAUMER, Franklin L. *Religion and the rise of scepticism.* New York, Harcourt, Brace & Co. [1960]. 308 p. 21 cm.
P. 35-77, « Crush the infamous thing » (beaucoup de références à V).

1215 BIDEAU, Henriette. « Voltaire. » *Triades* 12, n° 3 : 68-77, printemps 1965
Souligne le tempérament essentiellement religieux de V.

1216 BINGHAM, Alfred J. « Voltaire and the New Testament. » *SV* 24 : 183-218, 1963.

1217 BONTOUX, G. *Voltaire contre les sans-Dieu.* Paris, Editions Education intégrale [1935]. 92 p. 19 cm (Pour les humbles).

1218 BOULIER, Abbé Jean. « Voltaire et Dieu. » *Europe* 37, n° 361-362 : 48-68, mai-juin 1959.
Insiste sur la foi sincère en Dieu chez V et sur la contribution de V au progrès religieux.

1219 BROWN, David D. « Voltaire, Archbishop Tillotson, and the invention of God. » *RLC* 34 : 257-261, avr.-juin 1960.

1220 CARMODY, Francis J. « Voltaire et la renaissance indo-iranienne. » *SV* 24 : 345-354, 1963.
Sur sa connaissance des théogonies indo-iraniennes.

1221 — « Voltaire et la renaissance indo-iranienne. » *SFr* 9 : 13-24, 235-247, gen.-apr., mag.-ag. 1965.
Le même sujet que le n° précédent, mais l'auteur traite aussi de théogonies phéniciennes et égyptiennes.

1222 CASTETS, J., S.J. *L'Ezour de Voltaire et les pseudo-védams de Pondichéry. Voltaire et la mystification de l'Ezour Védam. Découverte des pseudovédams de Pondichéry.* Pondichéry, Impr. moderne, 1935. 48 p. 25 cm (Société de l'histoire de l'Inde française).

1223 CHÉREL, Albert. « L'Esprit religieux de Voltaire. » *Revue des travaux de l'Académie des sciences morales et politiques* 99, 3e sér. : 311-339, mai-juin 1939.
Le chapitre de *Déceptions et confiances de Voltaire* n'est pas une réimpression de cet article.

1224 COBBAN, Alfred. *In search of humanity ; the role of the enlightenment in modern history.* London, Jonathan A. Cape [1960]. 254 p. 23 cm.
P. 119-125, « Voltaire and the war on religion » ; autres références.

1225 DAOUST, Joseph. « Voltaire et la religion d'après les lettres aux Tronchin. » *Mélanges de science religieuse* 8 : 249-280, nov. 1951.

1226 DUFOURCQ, Albert. *Le Christianisme et la réorganisation absolutiste. Voltaire et les martyrs de la Terreur, 1689-1799.* Paris, Plon [1954]. 481 p. (L'Avenir du christianisme, 10).
Voir p. 74-77, 178-180.

1227 ГУРЕВ, Г. А. « Вольтер и религия » [Voltaire et la religion]. Наука и жизнь 26, n° 8 : 60-61, Август 1959.

1228 KELLENBERGER, Hunter. « Voltaire's treatment of the miracle of Christ's temptation in the wilderness. » *MLN* 51 : 17-21, Jan. 1936.

1229   LAUER, Rosemary Zita. *The mind of Voltaire ; a study of his « constructive deism »*. Westminster, Md., Newman P, 1961. 155 p.

C.R. : I. T. Gillan, *Month* N.S. 28 : 101-103, Aug. 1962.

1230   — « Voltaire's constructive deism. » *DA* 19 : 2980, 1959.

1231   MELLONE, Rev. S. H. « Voltaire. » *HJ* 54 : 369-379, July 1956.

Le théisme de V.

1232   MÜLLER, Chanoine Armand. *Enseignement littéraire et enseignement chrétien*. Paris, Centre d'études pédagogiques, 1958.

P. 38-51, « Voltaire et Rousseau. » Voir surtout p. 38-44, « Le Déisme de Voltaire. »

1233   NIVEN, W. D. « Great attacks on Christianity : 3. Voltaire. » *Expository times* 43 : 109-114, Dec. 1931.

1234   NOYES, Alfred. « Voltaire in neuer Sicht. » *Besinnung* 12 : 265-273, Okt.-Dez. 1957.

Défense de l'esprit religieux de V.

1235   PHILIPS, Edith. *The good Quaker in French legend*. Philadelphia, U of Pennsylvania P, 1932. 235 p. 23,5 cm.

P. 43-67, « The Quakers seen by Voltaire. »
C.R. : Louis Cons, *RLC* 14 : 591-593, juil.-sept. 1934 ; *TLS* Apr. 6, 1933, p. 239.

1236   — « Le Quaker vu par Voltaire. » *RHL* 39 : 161-177, avr.-juin 1932.

1237   POMEAU, René. *La Religion de Voltaire*. Paris, Nizet, 1956. 516 p. 25 cm.

C.R. : Antoine Adam, *RSH* N.S. fasc. 84 : 491-493, oct.-déc. 1956 ; Theodore Besterman, *SV* 4 : 295-301, 1957 ; C. Guérin, *L'Ecole* (2ᵉ cycle, enseignement littéraire) 46, n° 16 : 510-512, 30 avr. 1955 ; Nicola Matteucci, *Mulino* 6) : 143-148, feb. 1957 ; F. Orlando, *RLMC* 12 : 83-86, mar. 1959 ; H. J. Perret, *L'Enseignement chrétien* 73 : 251-253, 1959-60 ; *SFr* 2 : 147-148, gen.-apr. 1958.
Articles ayant rapport à la soutenance de cette thèse en Sorbonne :
J. Piatier. « Thèses en sorbonne : Voltaire était-il un mystique inhibé ? »
Monde 25 mars 1954.
Maurice Rat. « Soutenance en Sorbonne : où Voltaire apparaît en mystique inhibé. » *FL* 27 mars 1954, p. 9.

1238   — « Voltaire et le christianisme. » *Cahiers rationalistes* 28, n° 169 : 43-56, fév. 1958.

1239   SAGE, Pierre. *Le « Bon Prêtre » dans la littérature française d' « Amadis de Gaule » au « Génie du christianisme. »* Genève, Droz ; Lille, Giard, 1951. 488 p. ill. port. 25 cm.

P. 209-233, « Téotime, curé de Ferney » ; autres références.

1240   THÉRIVE, André. « Dieu et Voltaire. » *TR* n° 122 : 75-80, fév. 1958.

1241   THOM, Hans. « Der andere Voltaire. » *Der Jungbuchhandel* 15 : 601-605, 1961.

L'attitude religieuse de V.

1242   TRINIUS, Johann Anton. *Freydenker Lexicon*. Con una premessa di Franco Venturi. Torino, Bottega d'Erasmo, 1960. [6] 279 p. 35 cm (« Monumenta politica et philosophica rariore » ex optimis editionibus phototypice expressa [...] ser. 1, n° 2).

P. 3-4, « Premessa » ; p. 265-279, « Index personarum. » Edition en fac-simile du *Freydenker-Lexicon*, Leipzig, 1759. 875 p., et de l'*Erste Zugabe zu seinem Freydencker [sic]-Lexicon*, Leipzig & Bernburg, Verlegts Christoph Gottfried Coerner, 1765. 144 p. Quatre pages de l'original sur chaque page de la reproduction. P. 506-516, Voltaire ; p. 628-629, l'*Anti-Machiavel*. Un livre très rare qui donne des renseignements précieux pour l'étude du déisme et du développement de la pensée laïque moderne.

1243   VÉRUT, Emile. *Voilà nos bergers : Jésus devant la science* [...]. Préface de M. Louis Bertrand. Paris, N. Maloine, 1928. 306 p.

P. 3-38, exposé de théories rationalistes au sujet de Jésus, y compris celles de V.

4. Les sciences et la technologie

1244   ANDRADE, E. N. da C. « Newton and the apple. » *Nature* 151 : 84, Jan. 16, 1943.

1245   BESSMERTNY, Bertha. « Voltaire historien des sciences. » *Archeion* 17 : 171-175, 1935. (Discussion, p. 258-259).

1246   BRIDENNE, Jean-Jacques. *La Littérature française d'imagination scientifique.* Paris, G. A. Dassonville [1950]. 294 p. 19 cm.

Voir p. 47-49.

1247   BROWN, Harcourt. « Science and the human comedy : Voltaire. » *Daedalus* 87, n° 1 : 25-34, winter 1958.

L'emprise de la physique newtonienne sur V.

1248   DUFRENOY, J. & M.-L. DUFRENOY. « Les Fossiles et la notion de l'évolution. » *L'Action universitaire* 15 : 4-26, oct. 1948.

A propos des idées de V comparées à celles de ses prédécesseurs et de ses contemporains.

1249   DUFRENOY, Marie-Louise. « Maupertuis et le progrès scientifique. » *SV* 25 : 519-587, 1963.

P. 531-548, « La Diffusion des idées de Newton : Maupertuis, Voltaire et Mme du Châtelet » ; p. 549-568, « Maupertuis et le principe de moindre action. »

1250   ENGEMANN, Walter. « Das ethnographische Weltbild Voltaires. » *Z Ethnol* 61 : 263-277, 1930.

1251   FULLER, J. F. C. « Voltaire's tank. » *Spectator* 165 : 336, Oct. 4, 1940.

1252   Гордон, Л. С. « Естественно-исторические воззрения Вольтера (по материалам его библиотеки) » [Les opinions de Voltaire sur l'histoire naturelle (selon des matériaux dans sa bibliothèque)]. *ANSSSR, Труды института истории естествознания* з : 406-412, 1949.

1253   GUERLAC, Henry. « Three eighteenth-century social philosophers ; scientific influences on their thought. » *Daedalus* 87 : 8-24, winter 1958.

Voir p. 11-18.

1254   HEMERDINGER, Gabriel. « Voltaire et son chariot de guerre, 1756-57, 1769-70, d'après sa correspondance. » *Revue d'artillerie* 57 : 587-607, 1934.

1255   HENON, M. « Voltaire et l'hydre. » *Nouvelle Revue pédagogique* (Paris) 12, n° 20 : 304, août 1957.

L'intérêt de V pour l'expérience de Trembley sur l'hydre coupée en deux. Comparaison de la méthode expérimentale du xviiie et du xxe siècles.

1256   — « Voltaire, l'hydre et l'escargot. » *Technique-Art-Science* n° 112 : 1-3, nov. 1957.

Dans le cas de V on voit que les sciences commencent à s'imposer à ceux qui ne sont pas savants. Références à la génération spontanée, à l'abbé Spallanzani et aux *Mélanges* de V.

1257   HONIGSHEIM, Paul. « Voltaire as anthropologist. » *AAn* 47 : 104-118,
       Jan.-Mar. 1945.
       L'originalité des idées de V et leur influence sur Condorcet.

1258   — *Voltaire und die Probleme der Völkerannäherung.* [1939]. 16 p.
       Sonderabdruck aus H. 4 des 39. Jahrgangs (1939) der Zeitschrift
       Die Friedenswarte.

1259   LIBBY, Margaret. *The attitude of Voltaire to magic and the sciences.* New
       York, Columbia U P ; London, P. S. King & son, ltd., 1935. 229 p.
       23 cm.
       Examen des ouvrages scientifiques de V et aperçu de son rôle dans
       les sciences de son époque.
       C.R. : Raymond O. Rockwood, *JMH* 9 : 493-495, Dec. 1937.

1260   McKIE, Douglas. « Béraut's theory of calcination (1747). » *Annals of
       science* 1, n° 3 : 269-293, July 15, 1936.
       P. 279 et note : référence à l'emprunt fait par Béraut aux expériences
       de Mme du Châtelet et V sur le poids spécifique de métaux.

1261   — & Sir Gavin [Rylands] DE BEER. « Newton's apple. » *N&R* 9 : 46-54,
       Oct. 1951.

1262   — « Newton's apple - an addendum. » *N&R* 9 : 333-335, May 1952.

1263   METZGER, Hélène. « La Littérature scientifique française au XVIIIᵉ siècle. »
       Archeion 16 : 1-17, 1934.

1264   MICHEL, Aimé. « Voltaire contemporain de l'ère cosmique. » *Planète* n° 3 :
       83-87, fév.-mars 1962.

1265   PARENT, Pierre. *Le Drame planétaire.* « *Cosmogonie.* » *Nouvelles découvertes
       et applications physiques. Démonstration de la pluralité des mondes
       terrestres.* Le Soler (Pyr.-Or.), 1946. 212 p.
       P. 1-11, Bacon, Descartes et Newton vus par V.

1266   PELSENEER, Jean. « Newtons Äpple. » *Lychnos* 1938 : 366-371.

1267   — « La Pomme de Newton. » *Ciel et terre* 53 : 190-193, 1937.

1268   Перель, Ю. Г. « О космологических воззрениях Вольтера »
       [Sur les idées cosmologiques de Voltaire]. Историко-астрономичес-
       кие исследования 3 : 541-550, 1957.

1269   PERKINS, Jean A. « Voltaire and the natural sciences. » *SV* 37 : 61-76, 1965.

1270   PITTARD, Eugène. « Voltaire et l'ethnographie. » *Les Musées de Genève*
       2, n° 2 : [3], fév. 1945.

1271   ROGER, Jacques. *Les Sciences de la vie dans la pensée française du XVIIIᵉ
       siècle. La génération des animaux de Descartes à l' « Encyclopédie. »*
       Paris, A. Colin, 1963. 842 p. 26 cm.
       Voir p. 732-748 : esquisse de la pensée scientifique et métaphysique ;
       beaucoup d'autres références.
       C.R. : Harcourt Brown, *FR* 39 : 662-663, Feb. 1966 ; Carlo Castellani,
       Archives internationales d'histoire des sciences 16 : 446-448, 1963 ;
       R. Crippa, *SFr* 9 : 360-361, mag.-ag. 1965 ; Lester G. Crocker, *RR*
       56 : 142-145, Apr. 1965 ; Roger Mercier, *RLC* 39 : 313-316, avr.-juin
       1965 ; Jane Oppenheimer, *Isis* 55 : 121-122, 1964 ; Aram Vartanian,
       Diderot studies 6 : 339-352, 1964.

1272   ROSTAND, Jean. *Les Origines de la biologie expérimentale et l'abbé Spallan-
       zani.* Paris, Fasquelle, 1951, 284 p. 19 cm.
       Voir p. 54-57, 70-72, 85-94 (« La Querelle de l'escargot. Spallanzani
       et Voltaire »), 101-109.
       A la différence de Buffon et Diderot, V reconnut immédiatement l'impor-
       tance des expériences de Spallanzani.

1273   ROWBOTHAM, Arnold H. *The « Philosophes » and the propaganda for
       inoculation of smallpox in eighteenth-century France.* Berkeley, U of
       Calif. P. 1936. 500 p. 24 cm. (U of Calif. publications in modern
       philology, 18).
       P. 265-290.

1274   SABATHIER-GAZAN, J.-H. *Une Curiosité agronomique et historique : la
       moissonneuse de M. de Voltaire.* Paris, Impr. Théo. Douet, 1944. 12 p.

1275   TRILLAT, Ennemond. « Le Secret stratégique de Voltaire. » *Résonances
       lyonnaises* n° 84 : 19-21, 15 fév. 1960.
       Sur le « char d'assaut » inventé par V.

1276   WADE, Ira O. « Voltaire's quarrel with science. » *BuR* 8 : 287-298, Dec.
       1959.

1277   WEINERT, Hermann Karl. « Voltaire und die Geographie im Zeitalter der
       Aufklärung. » [In] *Festschrift zum 70. Geburtstag des ord. Professors
       der Geographie Dr. Ludwig Mecking* [...]. Bremen-Horn, Walter Dorn
       Verlag, 1949. 272 p. port. cartes. P. 239-249.

1278   ZOUCKERMANN, Raymond. « Voltaire physicien. » *NL* 9 sept. 1933, p. 8.

5. Sujets divers

1279   ADAM, Antoine. « Voltaire et les lumières. » *Europe* 37, n° 361-362 : 8-19,
       mai-juin 1959.

1280   ADE, Walter Frank Charles. « Voltaire on education. » *DA* 21 : 537-538,
       1960.

1281   — « Voltaire on education. » *Paedagogica historica* 4 : 289-311, 1964.

1282   ALEXANDER, Ian W. « Voltaire and metaphysics. » *Philosophy* 19 : 19-48,
       Apr. 1944.
       Insiste sur le côté panthéiste et matérialiste de cette philosophie et
       sur le rôle de Locke et de l'empirisme.

1283   BECKER, Carl L. *The heavenly city of the eighteenth-century phliosophers.*
       New Haven, Yale U P, 1932. 168 p. 21 cm.

1284   BELAVAL, Yvon. « La Crise de la géométrisation de l'univers dans la
       philosophie des lumières. » *RIPh* 6 : 337-355, 1952.

1285   BENDA, Julien. « Voltaire est-il des nôtres ? » *Confluences* N.S. n° 1 :
       51-61, janv.-fév. 1945.

1286   BESTERMAN, Theodore. « Voltaire et le désastre de Lisbonne : ou, la mort
       de l'optimisme. » *SV* 2 : 7-24, 1956.
       Réimpr. avec le titre « Le Désastre de Lisbonne et l'optimisme de
       Voltaire. » *TR* n° 122 : 60-74, fév. 1958.
       Trad. anglaise [in] *Voltaire essays and another.* London, Oxford U P,
       1962. P. 24-41.

1286A BRONNE, Carlo. « Les chicanes de M. de Voltaire. » [In] *En hommage à
       Léon Graulich* [...]. Liège, Faculté de droit de Liège, 1957. xxiv, 726 p.
       24 cm. P. 59-64.

1287   CAPONE BRAGA, Gaetano. *La Filosofia francese e italiana del settecento.*
       (Terza edizione). Padova, Cedam [1942 (t. 2) ; 1947 (t. 1)]. 2 v. 25 cm.
       1 : 39-69, sur V et Descartes et sur l'importance de V philosophe.

1288   CARRÉ, J.-R. *La Consistance de Voltaire, le philosophe.* Paris, Boivin, 1938.
       106 p. [Réimpr. de la *RCC* 39 (2) : 97-108, 193-211, 289-307, 531-552,
       602-625 ; 30 avr., 15, 30 mai, 15 juil. 1938.]

1289   CEITAC, Jane. « Doctrine humanitaire et esprit voltairien. » *Le Flambeau* 43 : 211-224, mars-avr. 1960 ; 44 : 386-415, mai-juin 1961.

1290   CITOLEUX, Marc. « L'Esprit français et l'esprit de Voltaire. » *MdF* 247 : 96-107, 1 oct. 1933.

1291   CLOUARD, Henri. « Voltaire et l'esprit d'universalité. » *Bibliothèque mondiale* n° 3 : 117-122, 2 avr. 1953.

1292   CROCKER, Lester G. *An age of crisis : man and world in eighteenth century French thought*. Baltimore, Johns Hopkins P [1959]. xx, 496 p. 23,5 cm (The Goucher College series).

   Voir p. 21-26, 63-67, 78-79, 209-211, 355-356, 384-386.

1293   — *Nature and culture : ethical thought in the French enlightenment*. Baltimore, Johns Hopkins P [1963]. xx, 540 p. 23,5 cm.

   Voir p. 30-37, 241-244, 344-347, 448-450.

1294   — « Voltaire's struggle for humanism. » *SV* 4 : 137-169, 1957.

1295   DÉDÉYAN, Charles. *Voltaire et la pensée anglaise*. Paris, Centre de documentation universitaire [1956]. 232 p. 27 cm.

1296   DI CARLO, Eugenio. « Il Concetto di giustizia in Voltaire e in Rosmini. » [In] *Scritti di sociologia e politica in onore di Luigi Sturzo*. Bologna, N. Zanichelli, 1953. 3 v. 2 : 103-113.

1297   DUCHET, Michèle. « Voltaire et les sauvages. » *Europe* 37, n° 361-362 : 88-97, mai-juin 1959.

   Sa façon de traiter les sauvages dans ses écrits.

1298   DUFRENOY, Marie Louise. *L'Idée de progrès et la diffusion de la matière d'Orient*. Paris, Centre de documentation universitaire, 1960. 141 p. 27 cm polycopié.

   P. 130-131.

1299   DUMONT, Madeleine. « Voltaire as educator. » *Social studies* 44 : 3-8, Jan. 1953.

1300   Дынник, М. А. « Философские взгляды Вольтера » [Les Opinions philosophiques de Voltaire]. [In] Акад. Наук СССР. Вольтер : статьи и материалы. Москва-Ленинград 1948. P. 183-213.

1301   EHRARD, Jean. *L'Idée de nature dans la première moitié du XVIIIᵉ siècle*. Chambéry, Imprimeries réunies, 1963. 2 v. 24 cm (Thèse, Paris, Faculté des Lettres).

   P. 794-836 et autres références.
   C.R. : Alfred J. Bingham, *FR* 39 : 164-167, Oct. 1965 ; le même, *RLMC* 18 : 228-231, set.-dic. 1965 ; Alberto Cento, *NRS* 49 : 456-462, mag.-ag. 1965.

1302   FISCHER, Eberhard. *Voltaire als Paedagoge*. Leipzig, Druckerei der Wer Gemeinschaft, 1934. 106 p. Inaug.-diss., Leipzig.

1303   FITCH, Robert E. *Voltaire's philosophic procedure ; a case-study in the history of ideas*. Forest Grove, Oregon, News-Times Publ. Co., 1935. 99 p. 23 cm. Thèse, Columbia U.

1304   GHIO, Michelangelo. *La Idea di progresso nell'illuminismo francese e tedesco*. Torino, Ed. « Filosofia » [1962]. 206 p. 25 cm.

   P. 26-28, 67-69, 76-79, 85-89 et autres références. Chaque chapitre contient des notes bibliographiques. Voir n° 502.

1305   GILSON, Etienne & Thomas LANGAN. *Modern philosophy : Descartes to Kant*. New York, Random House [1963]. xvii, 570 p. 24 cm.

   P. 328-337, « Voltaire » ; p. 529-535, notes.

1306   GOLDING, Claud. *Great names in history, 356 B. C.-A. D. 1910*. Philadelphia, Lippincott, 1935. 300 p. 21 cm.

P. 179-184, « Voltaire precursor of the French revolution. »

1307   GORÉ, Jeanne-Lydie. « En marge du Quiétisme : de quelques incidences de la pensée orientale sur la réflexion religieuse et philosophique aux XVIIᵉ et XVIIIᵉ siècles. » *SFr* 7 : 226-247, mag.-ag. 1963.

Voir surtout p. 241-245.

1308   GROETHUYSEN, Bernard. *Philosophie de la Révolution française. Précédé de Montesquieu*. Paris, Gallimard (NRF), 1956. 306 p. 22 cm.

P. 133-170, « Voltaire ou la passion de la raison » ; p. 205-210, « Dialectique des influences de Rousseau et de Voltaire sur la Révolution. »

1309   GROSCLAUDE, Pierre. « Il y a deux cents ans le désastre de Lisbonne modifiait la pensée de Voltaire. » *Monde* 23 déc. 1955, p. 9.

1310   HASTINGS, Hester. *Man and beast in French thought of the eighteenth century*. Baltimore, Johns Hopkins P, 1936. 297 p. 25,5 cm (Johns Hopkins studies in Romance languages and literature, 27).

Voir p. 138-144, 182-184.

1311   HAZARD, Paul. *La Pensée européenne au XVIIIᵉ siècle de Montesquieu à Lessing*. Paris, Boivin [1946]. 3 v. ill. pl. port. 23 cm.
2 : 60-67 (V et l'optimisme), 2 : 175-193 (le déisme de V et la réaction de celui-ci à Pascal).

1312   — « Le Problème du mal dans la conscience européenne du dix-huitième siècle. » *RR* 32 : 147-170, Apr. 1941.

Voir surtout p. 159-163, 166.

1313   JOHANNET, René. « Voltaire et l'avenir du rationalisme. » *Ecrits de Paris* nᵒ 210 : 53-59, déc. 1962.

1314   KENDRICK, T. D. *The Lisbon earthquake*. London, Methuen, [1956]. 170 p. ill. 23 cm.

Voir particulièrement p. 119-131, 134-139.

1315   Кузнецов, В. Н. Вольтер и философия французского просвещения XVIII века [Voltaire et la philosophie française des lumières du XVIIIᵉ siècle]. Москва, изд. Московского Университета, 1965. 275 p. 20,5 cm.

Genèse chez V de la vision du monde ; l'être, la nature et la connaissance ; l'homme et la société ; la philosophie de l'histoire.

1316   LEMAÎTRE, Henri. « Valeur et limites de l'humanisme voltairien. » *Carrefours de culture humaniste* 2 : 69-78, janv.-fév. 1945.

1317   LOVEJOY, Arthur O. « The parallel of deism and classicism. » *MP* 29 : 281-299, Feb. 1932.

1318   LOY, J. Robert. « Nature, reason and enlightenment : Voltaire, Rousseau and Diderot. » *SV* 26 : 1085-1107, 1963.

1319   MASON, Haydn T. « Voltaire and Manichean dualism. » *SV* 26 : 1143-1160, 1963.

1320   MATHIEZ, Albert. « Les Nouveaux Courants d'idées dans la littérature française à la fin du XVIIIᵉ siècle. » *AHRF* 12 : 193-204, mai 1935.

1321   MAUROIS, André. « Voltaire au présent. » *TR* nᵒ 122 : 9-14, fév. 1958.

L'actualité de la philosophie de V.

1322   MAUZI, Robert. *L'Idée du bonheur dans la littérature et la pensée fran-çaises au XVIIIe siècle*. Paris, Colin, 1960. 725 p. 24 cm.

> P. 64-71, « Zadig et Candide » ; p. 236-240, « Voltaire et Pascal » ; beaucoup d'autres références.

1323   MERCIER, Roger. *La Réhabilitation de la nature humaine (1700-1750)*. Villemonble (Seine), Editions « La Balance », 1960. 491 p. (U de Paris, Faculté des lettres et sciences humaines).

> P. 252-256 et autres références sur la pensée métaphysique et morale de V.

1324   MORNET, Daniel. *Origines intellectuelles de la Révolution française (1715-1787)*. Paris, Colin, 1933. 552 p. 25,5 cm.

> P. 28-32, 82-89, 97-100, et *passim*.
> Voir *AUP* 8 : 307-319, juil.-août 1933.

1325   — *La Pensée française au XVIIIe siècle*. 2 éd. Paris, Colin, 1929. 220 p. 17 cm (Collection Armand Colin).

1326   MOUSNIER, Roland & Ernest LABROUSSE *Le XVIIIe Siècle, révolution in-tellectuelle, technique et politique (1715-1815)*. Avec la collaboration de Marc Bouloiseau. Paris, PUF, 1953. 567 p. 48 pl. 24 cm.

> Voir p. 75-83 (« La Philosophie des lumières ») et une vingtaine d'autres références à V. P. 529-530, « Orientation bibliographique. »

1327   PADOVER, S. K. « The first liberal ». *American mercury* 37 : 221-228, Feb. 1936.

1328   PAPPAS, John N. « Voltaire and the problem of evil. » *ECr* 3 : 199-206, winter 1963.

1329   PORZIO, Guido, éd. et trad. « Voltaire e la chiesa innanzi al problema della guerra. » *Fatti e teorie* 1949 (X) : 32-42.

1330   RIVAUD, Albert. *Histoire de la philosophie*. Vol. 4 : *Philosophie française et philosophie anglaise de 1700 à 1830*. Paris, PUF, 1963. xxiii, 594 p. (Collection « Logos »).

> P. 48-61, « Les Meneurs du jeu philosophique (I) Voltaire (1694-1778). »

1331   ROCKETT, K. « An optimistic streak in Voltaire's thought. » *MLR* 39 : 24-27, Jan. 1944.

1332   ROSENFIELD, Leonora C. *From beast-machine to man-machine. The theme of animal soul in French letters from Descartes to La Mettrie*. Preface by Paul Hazard. New York, Oxford U P, 1940. 353 p. 22 cm. Thèse Columbia U.

> Voir p. 128-132, 163-164.

1333   RUGGIERO, Guido de. *Storia della filosofia. Parte quarta. La Filosofia mo-derna. II. L'età dell'illuminismo*. 4ª edizione. Bari, Laterza, 1950. 2 v. (Biblioteca di cultura moderna, 331).

> 2 : 120-186, sur V et les lumières ; 2 : 261-264, V et Rousseau ; autres références.

1334   SOUDAY, Paul. « Las Ideas y la influencia de Voltaire. » *La Nación* (Buenos Aires) 26 de abril de 1925.

1335   SOULEYMAN, Elizabeth V. *The vision of world peace in seventeenth and eighteenth-century France*. New York, G. P. Putnam's sons [1941]. xvii, 232 p. 22 cm.

> Voir p. 111-124.

1336   SPENLÉ, Jean-Edouard. *Les Grands Maîtres de l'humanisme européen*. Préface de Gaston Bachelard. [Paris] Corrêa [1952]. 188 p. 18,5 cm.

P. 43-67, « Voltaire et le siècle des lumières. »

1337   STAKEMANN, Johann Georg. *Voltaire, Wegbereiter der französischen Revolution*. Berlin-Schöneberg, Verlag Deutsche Kultur-Wacht, 1936. 278 p. 21 cm.

Voir surtout p. 85-278.

1338   TIELROOY, Johannes. « Voltaire, een der onzen » [Voltaire, l'un des nôtres]. *De Vlaamse Gids* 37 : 136-141, Maart 1953.

La philosophie de V est moderne.

1339   TOPAZIO, Virgil W. « Voltaire, philosopher of human progress. » *PMLA* 74 : 356-364, Sept. 1959.

Sur les éléments constructifs de la pensée de V.

1340   TORREY, Norman L. *Voltaire and the English deists*. New Haven, Yale U P, London, H. Milford, Oxford U P, 1930. 224 p. 24 cm (Yale Romanic studies, 1).

Réimpr. : Oxford, Marston P, 1963. x, 224 p.
C.R. : Fernand Baldensperger, *RLC* 11 : 568-572, juil.-sept. 1931 ; L. G. Bredvold, *MLN* 46 : 419, June 1931 ; E. P. Dargan, *MP* 29 : 120-125, 1931 ; George R. Havens, *YR* N.S. 20 : 851-853, 1930-31.

1341   TRÉNARD, Louis. « Pour une histoire sociale de l'idée de bonheur au XVIIIe siècle. » *AHRF* 35 : 309-330, 428-452, juil.-sept., oct.-déc. 1963.

Voir surtout p. 312-313, 317-318 et autres références. Une critique de Mauzi (voir ci-dessus).

1342   TSANOFF, Radoslav A. *The nature of evil*. New York, Macmillan, 1931. xvi, 447 p. 20,5 cm.

P. 146-151 (le mal chez V), p. 157-159 (comparaison de V et de Rousseau), p. 163 (Voltaire, Rousseau et Tolstoï), autres références.

1343   VARLOOT, Jean. « La Philosophie et la politique dans les « contes » de Voltaire. » *Pensée* N.S. n° 88 : 41-50, nov.-déc. 1959.

Résumé de la pensée philosophique, religieuse et politique de V extrait d'une préface « Pour lire Voltaire » des *Romans et contes de M. de Voltaire*. Paris, Club des amis du livre progressiste. [1959]. 2 v. ill. 19 cm P. i-xxviii.

1344   — « Voltaire et le matérialisme. » *Europe* 37, n° 361-362 : 68-75, mai-juin 1959.

1345   *Voltaire - myslitel a bojovník* [Voltaire penseur et militant]. Filosofie, Náboženství, z franc. orig. Œuvres complètes de Voltaire přel. J. B. Kozák, V. T. Miškovská a Ferdinand Soukup. Ivan Sviták : Humanista Voltaire [Předmluva]. Praze, Statni nakladatelstvi politické literatury, 1957. (Živé odkazy Ř. 2, Sv 19, 20).

Cette anthologie en 2 volumes contient une introduction de 107 p. (en tchèque), « Voltaire l'humaniste » : résumé de l'attitude philosophique de V et de la signification de sa philosophie, et portrait de l'homme. du philosophe, de l'humaniste et du militant.
C.R. : Jaroslav Minář, *ČpMF* 40 : 119-122, 1958.

1346   WAHL, Jean. *Tableau de la philosophie française*. Paris, Fontaine [1946]. 231 p. 18,5 cm ; et [Paris] Gallimard [1962]. 178 p. 17 cm (Collection Idées).

Voir p. 68-75 (p. 47-53 de l'éd. ultérieure).

1346A WEINRICH, Harald. « Voltaire, Hiob und das Erdbeben von Lissabon. »
       Portugiesische Forschungen der Görresgesellschaft 1. Reihe, 4 : 96-104,
       1964.

E. STYLE

1347   AMATO, Jole. *La Grammaire et le lexique de Voltaire.* Palermo, Trimarchi,
       1938. 78 p.

1348   AUERBACH, Erich. *Mimesis : the representation of reality in western lite-
       rature.* Tr. Willard R. Trask. Princeton, Princeton U P, 1953. 563 p.
       25 cm.

       Analyse stylistique de la sixième des *Lettres philosophiques,* de *Ce qui
       plaît aux dames,* des Ch. 4 et 8 de *Candide* et d'une lettre adressée à
       Mme Necker (19 juin 1770).

1349   BACHMAN, Albert. *Censorship in France from 1715 to 1750 - Voltaire's
       opposition.* New York, Institute of French studies, 1934. 206 p. 20 cm.
       Voir p. 91-125 pour une étude des techniques employées par V pour
       se dérober à la censure.
       C.R. : L. Brugmans, *RR* 27 : 42, 1936 ; Daniel Mornet, *RHL* 43 : 130,
       janv.-mars 1936 ; Albert Schinz, *RHL* 42 : 450-453, juil.-sept. 1935.

1350   BRADY, Patrick. « Rococo and neo-classicism. » *SFr* 8 : 34-49, gen.-apr. 1964.
       P. 47-49, sur le style de V.

1351   DELARUE, Paul. « Le Serpent qui vole à l'homme le secret de l'immor-
       talité (d'une légende babylonienne à une histoire de Voltaire). » *Nouvelle
       Revue des traditions populaires* 2 : 262-275, mai-juin 1950.

1352   FLOWERS, Ruth Cave. *Voltaire's stylistic transformation of Rabelaisian
       satirical devices.* Washington, Catholic U of America P, 1951. v, 138 p.
       23 cm (Catholic U of America studies in Romance languages and
       literatures, 41).

1353   FOLKIERSKI, Władysław. *Entre le classicisme et le romantisme, étude sur
       l'esthétique et les esthéticiens du XVIIIᵉ siècle.* Cracovie, Académie po-
       lonaise des sciences et des lettres ; Paris, Champion, 1925. 604 p.
       23,5 cm.

       P. 266-268 (V et la poésie), p. 271-277, 299-305, 344-348 (V et le
       théâtre), beaucoup d'autres références.

1354   GERBERT, H. « Voltaire à la croisée de l'hellenisme et de l'arabisme. »
       Triades 10, n° 3 : 36-42, automne 1962.

1355   GOGGIN, L. P. « La Caverne aux vapeurs. » *PQ* 42 : 404-411, July 1963.
       V et Desfontaines traducteurs.

1356   GUISSO, Lorenzo. « Voltaire narratore. » *ICS* 39 : 33, gen. 1956.

1357   HATZFELD, Helmut. « Studi stilistici del settecento. Autori francesi : 1950-
       1955. » *Conv* N.S. 24 : 438-449, luglio-agosto 1956.
       P. 441-442, études stylistiques récentes sur l'œuvre de V.

1358   HERVIER, Marcel. « L'art de la composition au XVIIIᵉ siècle. L'art du style. »
       Revue propédeutique 5, n° 7-8 : 277-285 ; n° 9-10 : 369-380, 1953.

1359   MACCHIA, Giovanni. *Aspetti della letteratura narrativa francese dalla IIᵒ
       metà del 700 agli inizi dell'800.* Roma, Ed. universitarie [1956 ?]. 112,
       clxxvi p. (Università degli studi di Roma, Facoltà di magistero, anno
       accademico 1955-56).
       P. 3-24, « Voltaire. »

1360   MAUROIS, André, éd. *Les Pages immortelles de Voltaire*. Paris, Corrêa [1938]. 237 p. 19 cm.

P. 7-37, « Voltaire. »
Réimpr. : *Les Pages immortelles de Voltaire ; choisies et expliquées* [...]. Paris, Editions Buchet/Chastel [1961]. 183 p. 19 cm. 24 héliogravures. P. 9-29, « Préface, » réimpr. de l'essai précédent.
Trad. en anglais : *The living thoughts of Voltaire* [...]. Philadelphia, David McKay Co., [1939]. 167 p. 19 cm.
P. 1-21, « Voltaire. »
Réimpr. de l'essai « Voltaire » [in] *French thought in the eighteenth century. Rousseau, Voltaire, Diderot* [...]. London, Cassell [1953]. 427 p. P. 133-146.
Trad. en espagnol : *El Pensamiento vivo de Voltaire*. Buenos Aires, Editorial Losada [1941]. 236 p. 19 cm.

1361   — « Le Style de Voltaire. » *Europe* 37, n° 361-362 : 5-7, mai-juin 1959.

Réimpr. [in] *LF* 28 mai-3 juin 1959, p. 1, 9.
Trad. en allemand : « Der Stil Voltaires. » [In] « Literarische Porträts. » *SuF* 13 : 16-22, 1961. P. 20-22.

1362   NAVES, Raymond. *Le Goût de Voltaire*. Paris, Garnier, 1938. 567 p. 24,5 cm. L'esthétique de V.
C.R. George R. Havens, *RR* 31 : 77-78, 1940.

1363   PAGROT, Lennart. *Den klassika verssatirens teori. Debatten kring genren från Horatius t.o.m. 1700-talet* [La Théorie de la satire en vers classique. Discussion du genre d'Horace jusqu'à la fin du XVIIIe siècle]. Stockholm, Almqvist & Wiksell [1961]. xvi, 461 p. 25 cm.

P. 217-227, les idées de V sur la satire en vers ; autres références.

1364   PINATEL, J. « Voltaire et le goût. » *L'Ecole* (2e cycle, enseignement littéraire) 46, n° 4 : 101-103, 6 nov. 1954.

1365   POMEAU, René. « Voltaire et le héros. » *RSH* N.S., fasc. 64 : 345-351, oct.-déc. 1951.

1366   RAT, Maurice. « Grammairiens et amateurs de beau langage : Voltaire. » *Vie et langage* n° 73 : 192-198, avr. 1958. ill.

Réimpr. [in] *Grammairiens et amateurs de beau langage*. Paris, A. Michel [1963]. 288 p. 20 cm. P. 137-143.

1367   RITTER, Eugène. « Madame Lullin. » *RHL* 34 : 579-580, 1927.

Note sur la dédicace de quelques vers de V adressés autrefois à Mᵐᵉ du Deffand.

1368   SAISSELIN, Rémy G. « Goût et civilisation. » *RE* 15 : 30-42, janv.-mars 1962.

Le rôle de l'esthétique dans les écrits historiques de V.

1369   SIMON, Pierre-Henri. *Le Domaine héroïque des lettres françaises, Xe-XIXe siècles*. Paris, A Colin [1963]. 422 p. 23 cm.

P. 244-249, « Voltaire et la grandeur. »

1370   СМИРНОВ, А. А. « Художественное творчество Вольтера » [La Création artistique de Voltaire]. [In] Акад. Наук СССР. Вольтер : статьи и материалы. Москва-Ленинград, 1948. P. 95-150.

Considération des pièces de théâtre, de la poésie et des contes principalement.

1371   SPITZER, Leo. *A method of interpreting literature*. Northampton, Mass., Smith College, 1949. 149 p. 23 cm

P. 64-101, « Explication de texte applied to Voltaire. »
Cet essai est traduit en partie [in] *Critica stilistica e storia del linguaggio. Saggi raccolti a cura e con presentazione di Alfredo Schiaffini*. Bari, Laterza, 1954. 387 p. 21 cm. P. 293-325.

1372   — *Romanische Stil- und Literaturstudien.* Marburg a. Lahn, Elwert 1931. 2 v. 22,5 cm (Kölner romanistische Arbeiten, 1-2).

2 : 211-243, « Einige Voltaire-Interpretationen. »

1373   TROUSSON, R. « Voltaire et la mythologie. » *BAGB* 4e sér., n° 2 : 222-229, juin 1962.

1374   WADE, Ira O. « A favorite metaphor of Voltaire. » *RR* 26 : 330-334, Oct. 1935.

1375   WATTS, George B. « Voltaire and *Le Catéchumène.* » *KFLQ* 4 : 212-216, 4th quarter 1957.

Le rôle de V comme éditeur du roman philosophique de Bordes.

F. VARIÉTÉS

1376   BRUGMANS, H[endrik]. « De Lach in de Franse literatuur : Rabelais, Molière, Voltaire » [Le Rire dans la littérature française : Rabelais, Molière, Voltaire]. [In] *De Lach in de literatuur.* Den Haag, Servire, 1955. 119 p. 22 cm. P. 46-65.

Voir p. 57-65.

1377   CIUREANU, Petre. *Considerazioni su Voltaire poeta.* Extr. du *Bollettino dell' Istituto di lingue estere* (Genova) VIII, 1962. 15 p.

Réimpr. [in] *Saggi e ricerche su scrittori francesi.* Seconda ed. rielaborata. Genova, Di Stefano, 1964. 229 p. P. 41-66.

1378   DEVALLE, Albertina. *La critica letteraria nel 700. G. Baretti, i suoi rapporti con Voltaire, Johnson e Parini.* Con prefazione di Vittorio Cian. Milano, Hoepli, 1932. 198 p.

Voir p. 15-67.

1379   FAGUET, Emile. *Histoire de la poésie française de la Renaissance au Romantisme.* Vol. 8 : *Voltaire.* Paris, Boivin [1934]. 264 p. 19 cm.

C.R. : Emile Henriot, *Temps* 6 nov. 1934, p. 3.

1380   GAUCHERON, Jacques. « Billet à Voltaire. » *Europe* 37 : n° 361-362 : 127-129, mai-juin 1959.

V poète.

1381   GILMAN, Margaret. *The idea of poetry in France from Houdar de La Motte to Baudelaire.* Cambridge Harvard U P, 1958. xiii, 324 p. 21 cm.

P. 65-68 sur V et Diderot ; nombreuses autres références.

1382   GRUBBS, Henry A. « Voltaire and rime » *SP* 39 : 524-544, July 1942.

1383   GUIRAGOSSIAN, Diana. « Voltaire's *Facéties.* » *DA* 23 : 3375-3376, Mar. 1963.

1384   — *Voltaire's « Facéties ».* Genève, Droz, 1963. 140 p. 25 cm.

C.R. : Pierre Aubery, *MLN* 81 : 251-253, Mar. 1966 ; Bernard Bray, *Neophil* 48 : 265, 1964 ; J. H. Broome, *FS* 18 : 168-169, Apr. 1964 ; John N. Pappas, *LR* 19 : 164-166, 1 mai 1965 ; A. Pizzorusso, *RLMC* 16 : 304, set.-dic. 1963 ; Lionello Sozzi, *SFr* 9 : 554-555, set.-dic. 1965 ; Renée Waldinger, *RR* 55 : 215-216, Oct. 1964.

1385   PERROCHON, Henri. *Voltaire juge des classiques français du XVIIe siècle.* Fribourg, Impr. Galley, 1928. 93 p. (Extr. d'une thèse).

1386   PINATEL, Joseph. « Une erreur de Voltaire. » *L'Ecole* (2e cycle, enseignement littéraire) 49, n° 5 : 147-150, 30 nov. 1957.

Sur V comme critique littéraire.

1387   RAMSEY, Warren. « Voltaire et " l'art de peindre ". » *SV* 26 : 1365-1377, 1963.

Théories poétiques.

1388 ROOSBROECK, G. L. van, éd. « Two unknown deistic poems by Voltaire. » [In] *Todd memorial volumes*. New York, Columbia U P, 1930. 2 v. 2 : 117-125.

1389 — *Unpublished poems by Voltaire, Rousseau, Beaumarchais, etc*. New York, Institute of French studies [1933]. 143 p. 21 cm.

P. 9-35, 135-143.

C.R. : Daniel Mornet, *RHL* 41 : 287-288, avr.-juin 1934.

1390 SPEAR, Frederick A. « The dialogues of Voltaire. » *DA* 17 : 2016-2017, 1957.

1391 TOURNEMILLE, Jean. « Voltaire poète. » *Vie et langage* n° 66 : 395-396, sept. 1957.

1392 TROUSSON, R. « Poète et poésie selon Voltaire. » *NS* N.F. 1963 : 543-554, Dez. 1963.

1393 VERCRUYSSE, Jérôme. « Articles inédits de Voltaire pour le diction- naire de l'Académie Française. » *SV* 37 : 7-51, 1965.

Présentation du dossier complet des 115 articles.

1394 VOLTAIRE, François-Marie Arouet de. *Poésie inédite*. Uccle, Edmond Grégoire, imprimeur et éditeur, 1939. (Editions « La charrue avant les bœufs, » 4). 4 f. Imprimé à la main en 23 ex. Poésie attribuée à V trouvée parmi de vieux papiers dans un grenier de la ferme des Trois- tilleuls, à Beaumont-sous-Rivière (ancien département des Forêts).

1395 — Poèmes philosophiques (*Le Mondain, Discours sur l'homme, Poème sur le désastre de Lisbonne*). Ed. Georges Ascoli. Paris, Centre de documentation universitaire [1934]. 207 p. polycopié. (Cours de Sor- bonne. Licence ès Lettres, certificat d'études supérieures).

1396 WADE, Ira O. « Poems attributed to Voltaire. » *MP* 34 : 63-73, Aug. 1936.

1397 WELLEK, René. *A history of modern criticism : 1750-1950*. Vol. 1 : *The later eighteenth century*. New Haven, Yale U P, 1955. 358 p. 24 cm.

P. 31-45, « Voltaire. »

1398 WILSON-JONES, Kenneth R. « Voltaire's letters and notebooks in English (1726-1729). » [In] Waldo F McNeir, éd. *Studies in comparative litera- rature*. Baton Rouge, Louisiana State U P, 1962. 311 p. 24 cm (Louisiana State U studies, humanities series, 11). P. 120-129.

VI

ŒUVRES DE VOLTAIRE

A. RECUEILS

1399   Voltaire, François-Marie Arouet de. Бог и люди ; статьи памфлеты, письма [Dieu et les hommes ; articles, pamphlets, lettres]. Москва, Акад. Наук СССР, 1961. 2 v. port. (Научно-атеистическая библиотека).

Anthologie d'écrits anti-chrétiens. P. 5-8, préface par Ю. Коган ; p. 9-28, « Вольтер и христианство » [Voltaire et le Christianisme] par Е. Эткинд.

1400   — *Candide and other romances*. Tr. by Richard Aldington, with an introduction and notes. Illustrated by Norman Tealby. New York, Dodd-Mead, 1928. 226 p. 19,5 cm.

Réimpr. : [London, Murray's Book Sales, 1959]. 220 p. ill. 23 cm (The Abbey library).
P. v-xxv, introduction.

1401   — *Candide and other writings*. Ed. with an introduction by Haskell M. Block. New York, Modern Library [1956]. xxii, 576 p. 19 cm.

1402   — *Candide and Zadig*. Tr. Tobias George Smollett. Ed. with an introduction by Lester G. Crocker. New York, Washington Square P [1962]. xxi, 217 p.

1403   — *Contes*. Avec une notice biographique, une notice historique et littéraire, des notes explicatives, des jugements [...] par Roger Petit. Paris, Larousse [1941]. 2 v. 17 cm (Classiques Larousse).
Edition scolaire.

1404   — *Contes et romans*. Ed. par Philippe Van Tieghem. Paris, Ed. F. Roches, 1930. 4 v. (Les textes français de la Société des belles lettres).

C.R. : Daniel Mornet, *RHL* 38 : 325-326, 1931.

1405   — *Contes et romans*. Texte établi par René Pomeau. [Paris] PUF ; Firenze, Sansoni [1961]. 3 v. 18 cm.

P. 3-19, « Introduction » ; une notice précède chaque conte. P. 179-196, 419-436, 627-641, notes.
C.R. : *BIV* 1, n° 6 : 48, mai 1962.

1406   — *Contes et romans*. Documentation photographique Bibliothèque Nationale. Gravures de J.-M. Moreau. Préface de Claude Della Torre. Paris, Ambassade du livre [1961]. 499 p. 20 cm. 27 ill., hors texte. (Collection Les 100 Chefs-d'œuvre de l'esprit humain).

P. 35-45, « Préface. »

1407 — *Dialogues et anecdotes philosophiques.* Avec introduction, notes et rapprochements par Raymond Naves. Paris, Garnier [1940]. xviii, 536 p. 18,5 cm.

Trad. en turc : *Feylesofca konuşmalar ve fîkralar.* Ankara, Millî eğitim basîmevi, 1947-48. 2 v. (Dünya edebiyatîndan tercümeler, Fransîz klâsikleri, 141).
C.R. : L. Stringlhamber, *ECl* 9 : 352, 1940.

1408 — *Facéties.* Introduction et notes de M. Henri Guillemin. Genève, Editions du milieu du monde [194-] 315 p. 13,5 cm (Collection classique du milieu du monde).

P. 7-17, « Introduction. »

1409 — *Gedichte Voltaires in das Deutsche übertragen von Hermann Burte.* München-Berlin, R. Oldenbourg [1934]. 72 p. 21 cm.

1410 — *Hikâyeler* [Romans]. Ankara, Millî eğitim basîmevi 1945-46. 2 v. (Dünya edebinyatîndan tercümeler, Fransîz klâsikleri, 98, 111).

1411 — *L'Ingénu ; Anecdotes sur Bélisaire.* Introduction, commentaires et notes explicatives par J. Varloot. Paris, Editions sociales, 1955. 124 p. 17,5 cm (Les Classiques du peuple).

P. 7-26, « Sens et valeur de *L'Ingénu.* »
C.R. : Antoine Adam, *RSH*, N.S. fasc. 80 : 527-528, oct.-déc. 1955 ; J. Proust, *RHL* 57 : 426-427, juil.-sept. 1957.

1412 — *L'Ingénu and Histoire de Jenni.* Edited by J. H. Brumfitt and M. I. Gerard Davis. Oxford, Blackwell, 1960. lxiii, 147 p. fac-sims. 19 cm (Blackwell's French texts).

C.R. : A. J. Freer, *SFr* 6 : 159 ; gen.-apr. 1962 ; J. Lough, *FS* 15 : 69-70, Jan. 1961 ; W. G. Moore, *MLR* 56 : 616-617, Oct. 1961 ; Jean Sareil, *RR* 52 : 64-66, Feb. 1961.

1413 — Избранные произведенна по уголовному праву и процессу [Œuvres choisies sur le droit et les procès criminels]. Перевод с французского Н. Дапшиной, под ред. и с предисловием проф А. Герцензона. Москва, Гос. изд. юридической литературы, 1956. 390 p. ill. 22 cm.

1414 — *Mélanges.* Préface par Emmanuel Berl ; texte établi et annoté par Jacques van den Heuvel. [Paris, Gallimard, 1961]. xxxii, 1553 p. 18 cm (Bibliothèque de la Pléiade, 152).

C.R. William F. Bottiglia, *FR* 36 : 102-103, Oct. 1962 ; Carlo Cordié, *RLMC* 15 : 152-153, 1962.

1415 — *Le Monde comme il va, Micromégas, Candide ou l'optimisme, L'Ingénu, Les Oreilles du comte de Chesterfield et le chapelain Goudman.* Avec une étude de P. Curnier. [Paris] Lucien Mazenod [1963]. 213 p. 19 pl. 26 cm (Les Ecrivains célèbres, 40).

P. 193-205, « Sur le *Monde comme il va* et autres contes de Voltaire. »

1416 — *Novelas y cuentos.* Traducción, prefacio, estudio biográfico y notas de Antonio Espina. San Juan, Universidad de Puerto Rico [1956]. 742 p. pl. 23 cm (Biblioteca de cultura básica).

P. 7-31, « Prefacio » ; p. 33-92, « Vida de Voltaire » ; p. 691-698, « Noticias sobre las ilustraciones de las obras de Voltaire » ; p. 699-703, « Ediciones de las obras de Voltaire » ; p. 705-727, « Lista cronológica de las obras de Voltaire » ; p. 729-733, « Bibliografía. »

1417 — *Œuvres historiques.* Texte établi, annoté et présenté par René Pomeau. [Paris, Gallimard, 1957]. 1813 p. 18 cm (Bibliothèque de la Pléiade, 128). P. 7-24, « Préface. » Le détail du volume : *Remarques sur l'histoire,*

Nouvelles Considérations sur l'histoire, Histoire de Charles XII roi de Suède, Textes relatifs à *L'Histoire de Charles XII, Anecdotes sur le czar Pierre le Grand, Histoire de l'empire de Russie sous Pierre le Grand, Le Siècle de Louis XIV, Supplément au Siècle de Louis XIV, Du Protestantisme et de la guerre des Cévennes, Défense de Louis XIV contre l'auteur des « Ephémérides », Précis du siècle de Louis XV, Histoire de la guerre de 1741 (extraits),* notes et variantes, index. C.R. : F. Orlando, *SFr* 3 : 148, gen.-apr. 1959.

1418 — *Œuvres philosophiques.* Extraits avec une notice biographique, une notice historique et littéraire, des notes explicatives, des jugements [...] par Roger Petit. Paris, Larousse, 1960. 121 p. port. 16,5 cm (Classiques Larousse).

Edition scolaire.

1419 — *Opere alese : cu un studiu introductiv de N. N. Condeescu* [Œuvres choisies : avec une étude introductoire de N. N. Condeescu. [Bucureşti] Editura de stat pentru literatură si artă [1957 ?]. 391 p. 20,5 cm (Clasicii literaturii universale).

P. 5-42, « Voltaire. »

1420 — *Pogawędki i dialogi filozofiezne* [Entretiens et dialogues philosophiques]. Préf. de Jerzy Zawadzki. Trad. de Julian Rogozinski. Warszawa, Panstwowy Instytut Wydawniczy, 1954. 200 p.

1421 — *Politique de Voltaire : textes choisis et présentés par René Pomeau* [...]. Paris, Colin [1963]. 254 p. 18 cm (Collection U, Série « Idées politiques »).

P. 7-51, introduction sur la pensée politique de V.
C.R. : Pierre Ajame, *Le Français dans le monde* 3, n° 20 : 21, oct.-nov. 1963 ; Paolo Alatri, *Culture française* (Bari) 10 : 231-235, 1963 ; Roland Desné, *Pensée* N.S. n° 113 : 133-134, fév. 1964 ; Michel Launay, *RHL* 65 : 123-125, janv.-mars 1965 ; Jean Sareil, *Diderot studies* 6 : 373-374, 1964 ; Lionello Sozzi, *SFr* 7 : 558-559, set.-dic. 1963 ; Louis Trénard, *Revue historique* 234 : 480-481, oct.-déc. 1965.

1422 — *Powiastki filozoficzne* [Contes philosophiques]. Przełożyt Tadeusz Boy-Zelenski. [Warszawa] Panstwowy Instytut Wydawniczy [1955]. 679 p. 21 cm.

P. 5-12, notes du traducteur ; p. 649-678, notes.

1423 — *Regényei* [Romans]. Forditotta Gyergyai Albert és Kende István. [Budapest ?] Anonymus Irodalmi és Muvészeti Kradó R.T., 1945. 693 p. 15 cm.

P. 5-30, « Voltaire » (par Szabó Zoltán).

1424 — *Romans et contes.* Texte établi et annoté par Jean Fournier. Présentation par A. Maurois. Paris, Editions nationales [1948]. 405 p. pl. port. 22 cm (Les Classiques verts).

Réimpr. : Paris, Editions Magnard [1954].
P. 5-11, « De Babouc à Candide ou le monde comme il va : l'optimisme d'un pressimiste » (par André Maurois) ; p. 16-22, introduction ; p. 22-30, bibliographie ; p. 30-35, iconographie sommaire.

1425 — *Romans et contes.* Texte établi sur l'édition de 1775, avec une présentation et des notes par Henri Bénac. Paris, Garnier [1949]. xii, 675 p. 19 cm.

1426 — *Romans et contes.* Préface et notices de Georges Ribemont-Dessaignes. Vingt-six dessins à la plume de Paul Klee. [Paris] Club français du livre, 1964. xl, 998 p. 20,5 cm.

P. i-xl, « Préface. »

1427 — *Romány a povídky* [Romans et contes]. Praha, Knihovna Klassiku Státni nakladatelatví Krásné literatury lindby a umeňi, 1960. 551 p. 21 cm.

P. 7-19, préface (par Josef Kopal) ; p. 489-495, « Voltairovy Romány a povídky » [Les Romans et contes de Voltaire] ; p. 496-547, notes.

1428 — *Romany i pripovijetke* [Romans et contes]. Sa uvodnim esejem André Mauroisa člana Francuske Akademije. Zagreb. Kultura, 1953. 2 v. 20 cm.

1 : 5-16, « Od Babuka do Candida ili svijet kakov jest Optimisam jednog pesimista » (traduction de l'essai de A. Maurois [in] n° 1424) ; 1 : 385-410, 2 : 301-322, notes.

1429 — *Romanzi e racconti filosofici.* A cura di G. B. Angioletti. [Trad. di Paola Marciano Angioletti]. [Roma] Gherardo Casini [1955]. xvi, 736 p. ill.

P. v-xiv, « Prefazione. »

1430 — *Scritti filosofici.* A cura di P. Serini. Bari, Laterza, 1962. 2 v. 21,5 cm (Classici della filosofia moderna).

C.R. : Paolo Alatri, n° 308 ; Cornelio Fabro, *Paideia* 18 : 71-72, gen.-feb. 1963 ; Raffaello Franchini, *Mondo* 14 agosto 1962, p. 19 ; Lionello Sozzi, *SFr* 7 : 171, gen.-apr. 1963.

1431 — *Scritti politici.* A cura di Riccardo Fubini. Torino, U.T.E.T., 1964. 1170 p. 23,5 cm (Classici politici).

C.R. : Paolo Alatri, *Studi storici* 6 : 382-387, apr.-giu. 1965 ; Furio Diaz, *NRS* 49 : 462-464, mag-ag. 1965.

1432 — *Voltaire's Candide, Zadig and selected stories.* Translated with an introduction by Donald M. Frame. Illustrations by Paul Klee. Bloomington, Indiana U P [1961]. xvi, 351 p. 21 cm.

1432A — *Zadig ja teisi jutustusi* [Zadig, Micromégas, l'Ingénu traduits en estonien avec notes]. Tõlkinud A. Aspel. Tatu, Elsti Kirjanduse selts, 1936. 232 p. 19 cm (Maailmakirjandus eesti kirjanduse seltsi ilukirjanduse Tõlkeseeria ilniub, 3).

P. 5-18, Voltaire.

1433 — *Zadig, ve başka hikâyeler* [Zadig et autres romans]. İstanbul, Millî eğitim basĭmevi, 1946. vi, 388 p. (Dünya edebiyatĭndan tercümeler, Fransĭz klâsikleri, 110).

B. CORRESPONDANCE

1434 ALDINGTON, Richard, éd. *Letters of Voltaire and Frederick the Great.* Selected and translated with an introduction. New York, Brentano [1927]. 395 p. 22,5 cm.

1435 ALEKSIEEV, Mikhail P. [...] *Voltaire et Schouvaloff; fragments inédits d'une correspondance franco-russe au XVIIIe siècle.* Odessa, 1928. 37 p. (Odessa. Gorodskaia publicnaia biblioteka. Travaux de la Bibliothèque publique de l'état à Odessa. Série 5. Documents inédits).

1436 AULARD, Alphonse, éd. « Lettres inédites de Voltaire à Fyot de la Marche, 1761-1764. » *RdP* 1927, t. 4 : 40-57, 1 juil. 1927.

1437 AVEZOU, Robert. « Lettres de Voltaire conservées aux Archives de la Haute-Savoie. » *Revue savoisienne* 75 : 182-187, 1934.

Lettres de V au comte H. de Pingon et à Mme de Pingon ; lettres du comte à V.

1438 BALDENSPERGER, Fernand, éd. « Lettres inédites ou négligées de Voltaire ayant trait à ses rapports avec l'étranger. » *RLC* 11 : 268-273, avr.-juin 1931.

1439   BESTERMAN, Theodore. « The Beaumarchais transcripts of Voltaire's corres-
       pondence. » *TLS* Apr. 23, 1949, p. 272.

1440   — éd. « Neuf Lettres inédites de Frédéric II à Voltaire. » *FL* 2 août
       1958, p. 5-6.

       Trad. en allemand, avec le texte des lettres dans les deux langues :
       « Friedrich II. an Voltaire : neun bisher unveröffentlichte Briefe. »
       Monat 10, H. 119 : 3-16, Aug. 1958.

1441   — « An unpublished Voltaire letter to Théodore Tronchin, and some
       notes on dates. » *MLN* 67 : 289-292, May 1952.

1442   — « Voltaire's correspondence. » *ConR* 181 : 357-361, June 1952. Trad.
       en français : « Une Nouvelle Edition de la correspondance de Voltaire. »
       Revue de Suisse 2, n° 8 : 106-111, 31 mai 1952.

1443   — « Voltaire's love-letters. » *TLS* 56 : 524, Aug. 30, 1957. Réimpr. [in]
       Voltaire essays and another. London, 1962. P. 55-60.

       Histoire de la correspondance entre V et Mme Denis.

1444   — « Le Vrai Voltaire par ses lettres. » *SV* 10 : 9-48, 1959. fac-sims.
       Réimpr. [in] *Voltaire essays and another.* London, 1962. P. 74-113.

1445   BOITEUX, L. A. « Voltaire et le ménage Suard. » *SV* 1 : 19-109, 1955.
       Contient 47 lettres inédites.

1446   BOOY, Jean Th. de. « Une Lettre inédite de Diderot à Voltaire. » *RHL*
       61 : 422-426, juil.-sept. 1961.

1447   BOREL, Pierre. « Une Lettre inédite : à 82 ans Voltaire faillit lancer la
       Côte d'Azur... » *Une Semaine dans le monde* 26 avr. 1947, p. 11.

       Lettre de V à Jean-Claude-Philibert Trudaine (1766).

1448   CANDAUX, Jean Daniel. « Trois Lettres de Voltaire au chevalier de Jaucourt. »
       BSHPF 108 : 254-255, oct.-nov.-déc. 1962.

1449   CAPPARONI, Pietro. [...] *Spallanzani* [...] (Ristampa corretta della 1ª ed.
       1941). Torino, Unione typog., 1948. 3, 311 p. pl. port. fac-sims. 20,75
       cm (I Grandi Italiani, collana di biografia, 23).

       P. 277-279, deux lettres de V (Ferney, 20 mai 1776 ; Ferney s.d.).

1450   CATHERINE II. *Documents of Catherine the Great. The correspondence
       with Voltaire and the Instruction of 1767 in the English text of 1768.*
       Ed. by Wm. F. Reddaway. Cambridge, Cambridge U P, 1931. 349 p.
       22,5 cm.

1451   CHAPELAN, Maurice. « Voltaire a commis un faux bref de Benoît XIV et
       falsifié une lettre de Frédéric II. » *FL* 21 sept. 1957, p. 1, 4.

1452   CHAPONNIÈRE, Paul. « Toutes les lettres de Voltaire. » [In] *Festgabe Emanuel
       Stickelberger zum 70. Geburtstag am 13. März 1954.* (*Stultifera navis*
       11 : 39-40, 13. März 1954).

       Sur la publication de la correspondance par Besterman.

1453   CHARLIER, Gustave. *De Ronsard à Victor Hugo. Problèmes d'histoire litté-
       raire.* Bruxelles, Ed. Revue universelle de Bruxelles, 1931. 335 p. 25,5 cm.
       Réimpr. en 195?.

       P. 169-180, « Voltaire à Francfort d'après des lettres inédites. »

1454   CHARNEAU, Raymond. « Texte commenté : lettre de Voltaire à M. de Cide-
       ville (15 mai 1733). » *Les Humanités* (classe des lettres, sections mo-
       dernes) 8, n° 73, déc. 1964, n° 1 : 7-10.

1455   CORBET, Charles. « Des Lettres inédites de Voltaire. » *RLC* 25 : 253-259,
       avr.-juin 1951.

       Lettres en italien au cardinal Passionei et au pape Clément XIII (1761).

1456 CROWLEY, Francis J., éd. « New Voltaire-Gabriel Cramer letters. » *RR* 30 : 39-51, 133-150, Feb., Apr. 1939.

1457 — « Some neglected letters of Voltaire. » *MLN* 50 : 215-216, Apr. 1935. A Mme de Saint-Julien.

1458 — « Two unpublished letters of Voltaire. » *MLN* 49 : 181, Mar. 1934. A Francis Hastings, 10th earl of Huntington.

1459 — « Voltaire, Prévost and Cardinal Alberoni. » *RR* 55 : 256-259, Dec. 1964.

1460 DAPP, Kathryn G. *George Keate, Esq., eighteenth-century gentleman.* Philadelphia, 1939. 184 p. 23 cm.
P. 93-103, « Voltaire's « très cher confrère » ; p. 176-182, 26 lettres de V à Keate.

1461 DEBIEN, Gabriel. « Un Châtelleraudais à Ferney, 1776. » *Bulletin de la Société des antiquaires de l'Ouest* 4e sér., 3 : 623-625, 4e trimestre 1956.
Lettre de Geoffroy de Limon à V.

1462 — & E. BRETHÉ. « Zozo Arouet ou Benjamin Fillon ? » *Revue du Bas-Poitou* 72 : 29-34, janv.-fév. 1961.
Sur l'authenticité de la première des lettres de V dans la *Correspondence* de Besterman.

1463 DEFOURNEAUX, Marcelin. « L'Espagne et l'opinion française au XVIIIe siècle. Une lettre inédite d'un Espagnol à Voltaire. » *RLC* 34 : 273-281, avr.-juin 1960.
Texte d'une lettre écrite probablement par Bernardo de Iriarte en oct. 1764.

1464 DELATTRE, André, éd. « Lettres à Théodore Tronchin par Voltaire. » *MdF* 310 : 193-207, oct. 1950.

1465 — « Les Lettres de Voltaire des manuscrits Tronchin. » *MLN* 58 : 441-447, June 1943.

1466 — *Répertoire chronologique des lettres de Voltaire non recueillies dans les éditions de sa correspondance générale.* Chapel Hill, 1952. xii, 201 p. 23 cm (North Carolina U studies in Romance languages and literatures, 17).
Réimpr. de l'introduction : « Les Lettres de Voltaire non recueillies dans la correspondance. » *RHL* 51 : 472-476, oct.-déc. 1951.
C.R. : Theodore Besterman, *SV* 1 : 220-224, 1955 ; H. C. Lancaster, *MLN* 67 : 488-489, Nov. 1952 ; René Pomeau, *RHL* 53 : 545-548, oct.-déc. 1953.

1467 — « Trois inédits de Voltaire. » *NL* 5 oct. 1950, p. 7.
Lettres à Jean-Robert Tronchin.

1468 DERLA, Luigi. « Due Lettere inedite del cardinal Querini a Voltaire. » *SFr* 4 : 49-54, gen.-apr. 1960.

1469 DIECKMANN, Herbert. « Three Diderot letters and *Les Eleuthéromanes*. » *HLB* 6 : 69-91, winter 1952.
Contient une lettre à V.

1470 « Document inédit ; lettre autographe. » *Gand artistique* 9 : 95-96, mai 1930. fac-sims.
Lettre de V à l'imprimeur Cramer à propos de l'*Essai sur les mœurs*.

1471 DUPERTUIS, Jean. « Trouvaille littéraire : une lettre inédite de Voltaire. » *Revue des conférences françaises en Orient* 11 : 641-642, nov. 1947.
Lettre à Jean-Claude Trudaine.

1472 EBERLE, Josef. « Voltaires Selbstbildnis zu einer Auswahl seiner Briefe. » *Antares* 2, n° 3 : 24-31, Apr. 1954.

1473 FEUGÈRE, A. « Un Compte fantastique de Voltaire : 95 lettres anonymes attribuées à La Beaumelle. » [In] *Mélanges [...] Paul Laumonier*. Paris, E. Droz, 1935. 682 p. P. 435-451.

1474 FRANK, Grace E. « Voltaire to Mazzuchelli. » *MLN* 57 : 355-356, May 1942.
Lettre inédite de la Bibliothèque du Vatican.

1474A FRÉVILLE, Jacques. « Variation autour d'un mariage royal (d'après une lettre de Voltaire à la présidente de Bernières datée de juillet 1724). » *Arcadie* 12 : 129-134, mars 1965.

1475 FROIDCOURT, Georges de. *Pierre Rousseau et le Journal encyclopédique à Liège 1756-1759*. Liège, Ed. de la revue *La Vie wallonne*, 1953. iv, 79 p. 15 cm (Extr. de *La Vie wallonne*, 1953, t. 27, sér., 263 : 161-194, 3ᵉ trim. ; sér. 264 : 261-301, 4ᵉ trim.).
Contient des lettres de V.

1476 FUCILLA, Joseph G. « An Italian letter by Voltaire. » *MLN* 70 : 424-426, June 1955.
Lettre à l'abbé Antonio Sambuca écrite de Prangins le 19 fév. [1755].

1477 — « A letter from Voltaire to Cav. Vansommer. » *SV* 1 : 111-113, 1955.
Lettre italienne publiée dans la *Gazzetta di Firenze* le 13 sept. 1768.

1478 — « Unedited Voltaire letters to Count di Polcenigo. » *MLN* 54 : 184-188, Mar. 1939.

1479 GAGNEBIN, Bernard. « Voltaire démasqué par sa correspondance avec les Tronchin. Suivi de trois lettres inédites. » *Revue savoisienne* 92 : 36-50, 1951.

1480 — « Voltaire épistolier. 550 lettres de Voltaire. » *Les Musées de Genève* 2, n° 2 : [1], fév. 1945.
Aux Tronchin.

1481 — « Voltaire et l'intolérance d'après ses lettres au pasteur Moultou. » *Les Musées de Genève*, 8, n° 8 : [1], sept. 1951.

1482 GENEVOY, Robert. « Autour d'une correspondance de Voltaire. » *Nouvelle Revue franc-comtoise* 6, n° 24 : 207-218, 1961.
Article basé sur les archives de la famille Pajot de Vaux de Gevingey.

1483 GIGNON, S. C. *Un ami de Voltaire à Angoulême*. s.l.n.d. [Préf. Paris, 1928]. 38 p.
Le Marquis d'Argence-Dirac.

1484 GILLET, J. E. « Voltaire's original letter to Mayáns about Corneille's *Héraclius*. » *MLN* 45 : 34-36, Jan. 1930.

1485 GILLOT, Hubert. « Voltaire à Strasbourg : le *Candide* de Balthasar Haug. » *L'Alsace française* 9 : 287-289, 31 mars 1929. ill.
Lettre au cardinal de Rohan.

1486 GROSCLAUDE, Pierre. « Deux documents sur l'activité de Voltaire en faveur des protestants. » *RHL* 58 : 49-52, janv.-mars 1958.
Contient une lettre de V.

1487 — « Une Lettre de Voltaire à Malesherbes à propos de la Cour des aides. » *RHL* 60 : 213-215, avr.-juin 1960.

1488 — « Une lettre retrouvée de Malesherbes à Voltaire. » *RHL* 58 : 47-49, janv.-mars 1958.

1489 — « Quand Voltaire rendait hommage aux Jésuites. » *NL* 27 avr. 1950, p. 1.
Lettre inédite au père Porée.

1490 GUINARD, Paul J., éd. « Une Fausse Lettre espagnole de Voltaire. » *RLC* 35 : 640-648, oct.-déc. 1961.

1491 HALLER, Franz & Johann SOFER. « Neues zu Voltaires *Histoire du Docteur Akakia.* » *ZFSL* 48 : 441-445, 1926.
Lettre à Maupertuis.

1492 HAVENS, George R., éd. « Twelve new letters of Voltaire to Gabriel Cramer. » *RR* 31 : 341-354, Dec. 1940.
Sur la conclusion du *Poème sur le désastre de Lisbonne.*

1493 — « Voltaire's letters to Pierre Pictet and his family. » *RR* 32 : 244-258, Oct. 1941.

1494 HAWKINS, Richmond L., éd. *Newly discovered French letters of the seventeenth, eighteenth and nineteenth centuries.* Cambridge, Harvard U P, 1933. 288 p. 23,5 cm.
P. 29-39, lettres de V ; voir aussi p. 56-60, 87-90.

1495 — « Six unpublished letters of Voltaire. » *MP* 27 : 245-253, Nov. 1929.

1496 HOLBROOK, William C. « Voltaire and Blin de Sainmore ; an unpublished Voltaire letter. » *MLN* 49 : 470-472, Nov. 1934.

1497 *Illuministi italiani.* Tomo 5 : *Reformatori napoletani.* A cura di Franco Venturi. Milano-Napoli, Riccardo Ricciardi, 1962. xxi, 1279 p.
P. 1021-1023, lettre inédite à V.

1498 Иоффе, Г. « Пять писем Вольтера » [Cinq lettres de Voltaire]. *Vlit* 1959, n° 9 : 162-167.
Trad. en français : « Cinq Lettres de Voltaire. » *Parler* 4, n° 12-13 : 34-40, automne-hiver 1960.
Lettres adressées au président Jean-Baptiste de Meynières.

1499 IRVIN, Leon P. « Unpublished letter to Père Menou, April 5, 1754. » *RR* 17 : 257-260, July 1926.

1500 JOUHANDEAU, Marcel. *Divertissements.* Paris, Gallimard, 1965. 155 p. 18,5 cm.
P. 112-147, « La Correspondance de Voltaire. »

1501 LAURENT, M. « Explication française : Voltaire et Frédéric II. » *L'Ecole* 1962-63, n° 9 : 391-392, 26 janv. 1963.

1502 LEIGH, R. A. « *Voltaire's Correspondence* (vols. IV to X) : some observations on the dating of the letters. » *MLR* 51 : 339-343, July 1956.

1503 — « Observations on the dating of the Voltaire letters - II (Vols. XI-XVI). » *MLR* 52 : 393-397, July 1957.

1504 — « Observations on the dating of the Voltaire letters - III (Vols. XVII-XXIV). *MLR* 53 : 550-552, Oct. 1958.

1505 — « Observations on the Voltaire letters (IV). » *MLR* 54 : 565-570, Oct. 1959.

1506 — « Observations on the Voltaire letters - V. » *MLR* 57 : 565-571, Oct. 1962.

1507 *Letter from Voltaire to Boswell dated 11 fév. 1765... A facsimile.* Foreword, R. H. I. New York, W. E. Rudge, 1927.
De la Collection Malahide Castle du colonel R. H. Isham.

1508 « Lettres inédites, de Voltaire au baron de Monthou (note). » *Intermédiaire* 89 : 461, 20-30 mai 1926.

1509 Люблинский, Владимир С. « Из неизданной переписки Вольтера » [Parmi les lettres inédites de Voltaire]. Звезда 1944, nᵒ 7-8 : 183-185.

Lettre à Jacob Vernet et lettre d'Helvétius.

1510 — « Наследие Вольтера в СССР » [L'Héritage de Voltaire en U.R.S.S.]. Литературное наследство 29-30 : 3-200, 1937.

P. 7-45, fragment de *Don Pèdre* et dédicace de la tragédie à Schouvalov ; p. 46-151, 57 lettres de V à d'Argental ; p. 152-164, lettres de V, lettres à V, documents biographiques ; p. 165-200, matériaux voltairiens dans les collections soviétiques.

1511 — « Новое в русских связях Вольтера » [Du nouveau sur les relations russes de Voltaire]. XVIII Век nᵒ 3 : 432-439, 1958.

Trad. en français : « Du Nouveau sur Voltaire et la Russie. » *Europe* nᵒ 361-362 : 97-105, mai-juin 1959.
Des renseignements bibliographiques sur des études russes au sujet de la correspondance de V ; considérations sur les matériaux voltairiens en U.R.S.S., avec des précisions sur certaines lettres.

1512 — éd. « Переписка Вольтера » [La Correspondance de Voltaire]. [In] Акад. Наук СССР. Вольтер : статьи и материалы. Москва-Ленинград, 1948. P. 339-498. fac-sims, carte.

P. 341-359, lettres de V ; p. 360-444, lettres à V ; p. 445-479, nouveaux éléments de la correspondance avec Jacob Vernet ; p. 480-491, résumé en français de cette dernière étude. Bien des lettres inédites en français et en traduction russe, avec commentaire.

1513 — « Письмо Вольтера к Пикте » [Une Lettre de Voltaire à Pictet]. [In] Ленинград Университет. Вольтер, статьи и материалы. Ленинград, 1947. P. 185-196.

Lettre à François-Pierre Pictet, 12 mars 1762.

1514 MARTIN-CIVAT, P. « Y a-t-il un texte original de Voltaire à la bibliothèque de Cognac ? » *Actes du Congrès national des sociétés savantes* Comité des travaux historiques et scientifiques 82 : 501-502, 1958.

1515 MATULKA, Barbara. « Voltaire and the Queen of Prussia ; a letter recovered. » *MLN* 42 : 394-395, June 1927.

1516 MERCIER, Roger. « Voltaire et l'italien. Une lettre *inédite*. » *RLC* 28 : 486-488, oct.-déc. 1954.

Note supplémentaire : « Les « inédits » de Voltaire. » *RLC* 29 : 111, janv.-mars 1955.
Contient une lettre publiée dans le *MdF* (mai 1746). Voir Pomeau nᵒ 1533.

1517 MEYER, E. « Addition à la correspondance échangée entre Voltaire et l'évêque d'Annecy à propos de ses communions de 1768 et 1769. » *RHL* 43 : 573-584, oct.-déc. 1936.

1518 — « Billets inédits de Voltaire. » *Grande* R 135 : 446-452, mai 1931. A Cideville.

1519 — « Voltaire contrebandier. » *Grande* R 132 : 94-101, mars 1930. Inédites.

1520 — « Voltaire seigneur en zone franche. » *Grande* R 130 : 19-38, juil. 1929. Inédites.

1521 MICHEL, François. « La Marquise et le philosophe. » *La Nouvelle Critique* 7, nᵒ 66 : 71-87, juin 1955.

Etude sur la correspondance entre V et Mme du Deffand.

1522 Модзалевский, Л. Б. « Собеседник Вольтера Б. М. Салтыков и два его новых письма 1760-1761 гг. (По материалам Архива Академии Наук СССР) » [B. M. Saltykov correspondant de Voltaire et deux de ses lettres nouvelles de 1760-1761 (sur des matériaux aux Archives de l'Académie des Sciences de l'U.R.S.S.)]. [In] Ленинград Университет. Вольтер, статьи и материалы, Ленинград, 1947. P. 174-184.

Deux lettres de Saltykov à Schouvalov traitent des relations du premier avec V (17/28 [sic] oct. 1760 et 9 déc. 1761).

1523 [MONIER, Mme R.] « Les Grandes Colères de M. de Voltaire. Avec neuf lettres inédites. » *NL* 14 juin 1956, p. 1, 5. fig.

A propos de Valkhoff n° 1562 et de Roulin n° 1576.

1524 MORGENSTERN, Joseph. « Some letters (19,000) from Voltaire. » *NYTBR* Mar. 31, 1957, p. 6. ill.

1525 NIVAT, Jean. « Quelques énigmes de la correspondance de Voltaire. » *RHL* 53 : 439-463, oct.-déc. 1953.

L'auteur déchiffre les noms employés par V dans sa correspondance avec Mme Denis.

1526 « Omaggio voltairiano alla Compagnia de Gesù. » *Osservatore romano* 90, n° 136 : 3, 11 giugno 1950.

1527 PATOUILLET, J. « Un Episode de l'histoire littéraire de la Russie : la lettre de Voltaire à Soumarokov (26 février 1769). » *RLC* 7 : 438-458, juil.-sept. 1927.

L'auteur présente dans leur milieu historique les relations de V avec Soumarokov dans la lutte contre le drame larmoyant et traite de la pénétration de ce genre en Russie.

1528 PEIGNOT, Jérôme. « Un Mousquetaire de la plume. » *NRF* 13 : 943-947, 1 mai 1965.

1529 PERKINS, Merle L. « An unpublished letter from the Abbé de Saint-Pierre to Voltaire. » *KFLQ* 7 : 131-133, 3rd quarter 1960.

1530 PERROCHON, Henri. « Voltaire et les vins vaudois. » *Revue historique vaudoise* 36 : 345-347, oct. 1928.

Lettre à Albert de Tscharner.

1531 PIATIER, J., éd. « Roi des quintes » et « champagne chez le roi de Prusse » : deux lettres inédites de Voltaire et du baron Dietrich von Keyserlingk. » *Monde* 3 nov. 1955, p. 6.

1532 POMA, Luigi. « Una Lettera inedita del Goldoni. » [In] *Studi letterari per il 250° anniversario della nascita di C. Goldoni*. Pavia, Tipografia del libro, 1957. viii, 461 p. (Studia Ghisleriana, Pubblicazioni del Collegio Ghislieri in Pavia e dell'Associazione Alunni. Ser. 2, vol. 2). P. 203-207.

Lettre de Goldoni à V, 7 mars 1764.

1533 POMEAU, René. « Deux Lettres inédites et une lettre oubliée de Voltaire. » *RHL* 53 : 464-466, oct.-déc. 1953.

Traite en partie de la lettre publiée dans le *MdF*, mai 1746. Voir Mercier n° 1516.

1534 POP, Augustin Z. N. « Voltaire în Biblioteca Academiei RPR » [Voltaire dans la bibliothèque de l'Académie de la RPR]. *Tinarul Scriitor* 6, n° 11 : 97-100, nov. 1957.

Lettres manuscrites adressées à l'Académie Française.

1535 QUYNN, William R. « An unpublished letter of Voltaire. » *MLN* 69 : 265-267, Apr. 1954.

1536   RALEY, Harold C. « Dating a letter of Voltaire. » *RomN* 4 : 160-161,
       spring 1964.
       A Mme Prault.

1537   RAS, Mathilde. « Voltaire galante : su epistolario con las damas. » *Repertorio
       americano* 25 : 329-330, 3 de dic. 1932.

1538   REMAK, Henry H. H. « Voltaire à d'Argental (juillet 1759). » *MLN* 56 :
       504-507, Nov. 1941.

1539   REZLER, Marta. « The Voltaire-d'Alembert correspondence : an historical
       and bibliographical re-appraisal. » *SV* 20 : 9-139, 1962.

1540   RICCI, Seymour de, éd. « Lettres de Voltaire sur Corneille et Racine. »
       RDM 8ᵉ pér., 38 : 366-388, 15 mars 1937.

1541   RIVIÈRE, M. « Voltaire et Blin de Sainmore. » *Intermédiaire* 98 : 624, 1935.
       Voir aussi 98 : 786, 886-887 ; 100 : 682, 1937.
       Au sujet d'une collection de 21 lettres autographes de V à Blin de
       Sainmore.

1542   ROCHEDIEU, Charles A. « An unpublished letter of Voltaire concerning the
       Didot-Barrois affair. » *MLN* 67 : 43-45, Jan. 1952.

1543   ROOSBROECK, G. L. van, éd. « An unpublished letter of Mme de Pompadour
       to Voltaire. » *Neophil* 20 : 90-91, 1935.

1544   — « An unpublished letter of Voltaire about the acquisition of « Les
       Délices. » *NM* 36 : 290-293, 1935.

1545   ROTTA, Salvatore, éd. « Una Lettera inedita di Domenico Passionei al
       Voltaire. » *RLI* 63, ser. 7, nᵒ 2 : 264-274, mag-ag. 1959.

1546   ROULIN, Alfred, éd. « Vingt Lettres inédites de Voltaire à David Constant
       d'Hermenches. » *Spettatore italiano* 6 : 494-503, nov. 1953.

1547   ROUSSEAU, Jean-Jacques. *Correspondance complète* [...]. Edition critique
       établie et annotée par R. A. Leigh. Tome 2 : *1744-1754*. Genève,
       Institut et Musée Voltaire, 1965. xxiv, 392 p.
       P. 92-95, Rousseau à V (11 déc. 1745) et V à Rousseau (15 déc. 1745).

1548   SABLÉ, J. « Essai de géographie littéraire : Voltaire à la cour de Lunéville
       chez le roi Stanislas. » *L'Ecole* (2ᵉ cycle, enseignement littéraire) 49,
       nᵒ 4 : 110, 143-144, 16 nov. 1957 ; nᵒ 5 : 146, 179, 30 nov. 1957.

1549   SACKE, Georg. « Enstehung des Briefwechsels zwischen der Kaiserin
       Katharina II. von Russland und Voltaire. » *ZFSL* 61 : 273-282, 1935.

1550   SAINTE-CLAIRE-DEVILLE, Paul, éd. « Lettres inédites de Voltaire à Monsieur
       Fabry, maire de Gex, subdélégué de l'Intendant de Bourgogne, chevalier
       des Ordres du Roi. » *Arts, lettres* 2, nᵒ 8-9 : 29-52 [1947].

1551   SEITZ, Robert W. « Voltaire : une lettre à Sir William Chambers. » *Inter-
       médiaire* 100 : 238, 30 mars 1937.

1552   SCHAZMANN, P. E. « Voltaire et ses voisins de Feuillasse, d'après des
       documents inédits. » *Gazette de Lausanne* 27 janv. 1935, p. 1.
       2 lettres de V sur un projet de vente de ce château.

1553   SHERMAN, Constance D., éd. « The correspondence of Voltaire and Madame
       Gallatin, 1758-1772 ; transcribed and translated with an introduction
       [...]. » *NYHSQ* 36 : 300-335, July 1952. port. fac-sim.
       La première publication complète des 59 lettres de la correspondance
       de V de la Collection Gallatin de la New York Historical Society. La
       plupart furent écrites par V et adressées à Mme de Gallatin-Vaudenet.

1554   SNIEDERS, F., éd. « Une Lettre inédite de Voltaire à Frédéric II. » *RBPH*
       7 (4) : 1337-1344, oct.-déc. 1928.

1555 STEINER, W. V. « Voltaire « korrigiert » ein Breve Papst Benedikt XIV. und einen Brief Friedrich II. » *Antiquariat* 13 : 266, 1957.

Essentiellement le même sujet que celui de Chapelan n° 1451.

1556 STONE, R. G. « Voltaire to Walther - an unpublished letter. » *AUMLA* n° 24 : 181-182, Nov. 1965.

1557 TAYLOR, O. R. « Quelques notes sur la correspondance de Voltaire. » *MLN* 65 : 472-474, Nov. 1950.

La datation de lettres de l'édition de Moland.

1558 TENENBAUM, Louis. « Madame du Deffand's correspondence with Voltaire. » *FR* 27 : 193-200, Jan. 1954.

1559 TROUDE, Robert. « L'Anti-Malebranche de Mme Le Vaillant (avec quelques lettres inédites de Voltaire, de l'abbé Pluche et de Mme du Boccage). » *RSSHN* 3e trim. 1958 : 35-44.

1560 TRUBLET, Abbé Nicolas. *Un Journal de la vie littéraire au 18e siècle. La correspondance de l'abbé Trublet. Documents inédits sur Voltaire* [...]. Avec une introduction et des notes explicatives par J. Jacquart. Paris, A. Picard, 1926. xx, 164 p. fac-sims 25,25 cm.

P. 1-3, Trublet à V (22 janv. 1739) ; p. 117-119, V à Trublet (27 avr. [1761]) et Trublet à V (10 mai 1761).

1561 VAGANAY, L. J. « Autographes de Voltaire à la bibliothèque de Tartu. » *RHL* 44 : 84-85, janv.-mars 1937.

1562 VALKHOFF, P. « Une Correspondance inédite de Voltaire. » *NL* 5 avr. 1930.

Lettres à Constant d'Hermenches.

1563 — « Lettres inédites de Voltaire à Constant d'Hermenches. » [In] *Mélanges* [...] *Salverda de Grave.* Gronigue, La Haye, Batavia, Soc. anonyme d'éditions J.-B. Wolters, 1933. P. 347-357.

1564 VERCRUYSSE, Jérôme, éd. « Lettre inédite de Madame du Deffand sur l'hommage à Voltaire [octobre 1772]. » *RSH* N.S. fasc. 116 : 581-582, oct.-déc. 1964.

1565 VIDAL, Gaston. « La Correspondance de Voltaire avec le Docteur Lafosse : du Voltaire inédit découvert à Montpellier. » *Monspeliensis Hippocrates* 6, n° 20 : 18-24, été 1963.

1566 — « Un Médecin montpelliéran : le docteur Lafosse, ami et correspondant de Voltaire. » *Monspeliensis Hippocrates* 5, n° 16 : 15-21, été 1962. ill.

1567 VIROLLE, Roland. « Explication de texte : lettre de Voltaire à J.-J. Rousseau (30 août 1755). » *L'Ecole* (2e cycle, enseignement littéraire) 48 : 347-350, 23 fév. 1957.

1568 VOLTAIRE, François-Marie Arouet de. « Billets inédits. » *Journal de Genève* 29 oct. 1933.

Adressés au colonel Frey à Bâle, l'un s. d., l'autre du 20 fév. 1767.

1569 — « Brieven » [Lettres]. Vertaald door H. Mulder. *Tirade* 4, n° 41 : 129-132, Mei 1960.

Lettres à J.-J. Rousseau, d'Alembert, Diderot et Hénault.

1570 — *Correspondance.* Texte établi et annoté par Theodore Besterman. [Paris] NRF [1963-]. v. 1- . (Bibliothèque de la Pléiade).

Edition française abrégée du numéro suivant.
C.R. : J. D. C[andaux], *Journal de Genève* 24 fév. 1966, p. 1 ; Jérôme Peignot, *NRF* 13 : 943-947, 1 mai 1965.

1571   — *Correspondence.* Edited by Theodore Besterman. Genève, Institut et Musée Voltaire, 1953-1965. 107 v. 24 cm (Publications de l'Institut et Musée Voltaire).

Edition critique. Pour une analyse des problèmes de dates, d'attribution, etc. voir Leigh n° 1502-1506.

Pour des lettres complémentaires voir *SV* 1 : 201-219, 1955 ; 2 : 289-315, 1956 ; 4 : 185-289, 1957 ; 6 : 163-291, 1958 ; 10 : 439-518, 1959 ; 12 : 71-110, 1960.

C.R. : vol. 1-3 : *BCLF* 8 : 567-568, oct. 1953 ; Pierre Daix, *LF* 15-22 mai 1953, p. 1-2 [réimpr. [in] *Sept Siècles de roman.* Paris, Les Editeurs français réunis [1955]. P. 188-195] ; le même, *LF* 22-29 mai 1953, p. 10 [réimpr. [in] *Sept Siècles de roman.* P. 199-205] ; le même [in] *Sept Siècles de roman.* P. 195-199 ; H. C. Lancaster, *MLN* 69 : 145-147, Feb. 1954 ; R. A. Leigh, *MLR* 49 : 236-244, Apr. 1954 ; J. Piatier, *Monde* 7 mai 1953, p. 7 ; René Pomeau, *RHL* 53 : 548-550, oct.-déc. 1953 ; F. A. Taylor, *FS* 8 : 163-165, Apr. 1954 ; Norman L. Torrey, *RR* 45 : 147-150, Apr. 1954 ; *TLS* Oct. 2, 1953, p. 621-622 ; vol. 1-20 : Pierre Guillaud-Brandon, *BAGB*, Supplément Lettres d'humanité 16, 4ᵉ sér., n° 4 : 131-154, déc. 1957 ; vol. 4-6 : Norman L. Torrey, *RR* 46 : 63-64, Feb. 1955 ; vol. 4-10 : R. A. Leigh, *MLR* 51 : 269-273, Apr. 1956 ; René Pomeau, *RHL* 56 : 262-267, avr.-juin 1956 ; vol. 4-16 : F. A. Taylor, *FS* 11 : 174-175, Apr. 1957 ; vol. 11-16 : R. A. Leigh, *MLR* 52 : 279-282, Apr. 1957 ; vol. 11-40 : René Pomeau, *RHL* 61 : 82-84, janv.-mars 1961 ; vol. 14-20 : *TLS* March 29, 1957, p. 185-186 ; vol. 14-29 : Henri Coulet, *SFr* 2 : 434-441, set.-dic. 1958 ; vol. 17-24 : R. A. Leigh, *MLR* 53 : 434-436, July 1958 ; vol. 20 : René Pomeau, *LF* 13-19 fév. 1958, p. 1, 5 ; vol. 25-34 : R. A. Leigh, *MLR* 54 : 604-608, Oct. 1959 ; vol. 25-39 : G. Meid, *Journal de Genève* 9-10 août 1958, p. 5 ; vol. 35-55 : R. A. Leigh, *MLR* 57 : 606-612, Oct. 1962 ; vol. 41-45 : F. Orlando, *SFr* 5 : 159-161, gen.-apr. 1961 ; vol. 46-50 : F. Orlando, *SFr* 5 : 559-561, set.-dic. 1961 ; vol. 51-55, *SFr* 6 : 156-157, gen.-apr. 1962 ; vol. 98-102 : *TLS* May 20, 1965, p. 388 ; C.R. général : R. A. Leigh, *TR* n° 122 : 164-175, fév. 1958.

1572   — *Correspondance avec les Tronchin.* Edition critique établie et annotée par André Delattre. Paris, Mercure de France, 1950. xliii, 796 p. ill. port. fac-sims 22 cm.

C.R. : Emile Henriot, *Monde* 27 déc. 1950, p. 7 ; Robert Kemp, *NL* 30 nov. 1950, p. 2 ; H. C. Lancaster, *MLN* 66 : 345-346, May 1951 ; R. A. Leigh, *MLR* 46 : 515-518, Oct. 1951 ; René Pomeau, *RHL* 53 : 550-553, oct.-déc. 1953 ; A. Rousseaux, *FL* 20 janv. 1951, p. 2 ; J. R. Smiley, *RR* 43 : 62-64, Feb. 1952 ; Jacques Voisine, *RLC* 27 : 230-231, avr.-juin 1951 ; *TLS* May 18, 1951, p. 308.

1573   — *Lettres choisies.* Avec une présentation, des notes et un index, par Raymond Naves. Paris, Garnier [1946]. 2 v.

Réimpr. : Paris, Garnier [1955]. xxvii, 692 p. et [Présentation, notes et index par Raymond Naves. Edition illustrée]. Paris, Garnier, [1963]. xxvii, 692 p. ill. port. 19 cm (Classiques Garnier). P. i-xxvii, « Introduction. »

1574   — *Lettres d'Alsace à sa nièce Madame Denis.* Publiées d'après les manuscrits originaux, avec des introductions et des notes par G. Jean-Aubry. Paris, Gallimard [1938]. 284 p.

Réimpr. : Paris, Gallimard [1960]. 298 p. 19 cm.
C.R. : Daniel Mornet, *RHL* 46 : 252-253, juil.-sept. 1939 ; Willy de Spens, *NRF* 8 : 512-514, 1 sept. 1960.

1575   — *Lettres d'amour de Voltaire à sa nièce.* Publiées pour la première fois par Theodore Besterman. Paris, Plon, 1957. 3-210 p. port. fac-sims.

P. 11-19, « Notes préliminaires. »
Trad. en anglais : *The love letters of Voltaire*. Edited and translated for first publication by T. Besterman. London, William Kimber [1958]. 158 p. ill.
C.R. : Paolo Alatri, *Società* 14 : 338-344, mar.-apr. 1958 (surtout p. 338-340) ; Georges Bilhaut, *Société d'émulation historique et littéraire d'Abbeville* 1957 : 32-39 ; Cyrill Connolly, *Sunday Times* Oct. 12, 1958, p. 17 ; Marcel Dunan, *RHD* 71 : 261-263, 1957 ; E. M. Forster, *Listener* 60 : 949, Dec. 4, 1958 ; Henri Guillemin, *Journal de Genève* 4-5 janv. 1958, p. 3 ; A. Pizzorusso, *SFr* 3 : 149, gen.-apr. 1959 ; René Pomeau, *RHL* 61 : 82-84, janv.-mars 1961 ; Peter Quennell, *Observer* Nov. 30, 1958, p. 18 ; *TLS* Jan. 30, 1959, p. 60.

1576 — *Lettres inédites à Constant d'Hermenches*. Présentées par Alfred Roulin. Paris, Corrêa, 1956. 215 p. 19 cm.

P. 9-36, « Voltaire et les Constant de Rebecque. »
C.R. : E. Benedetti, *RLMC* 12 : 175, giu. 1959 ; C. Govaert, *Thyrse* 49 : 362-363, 1956.

1577 — *Lettres inédites à son imprimeur, Gabriel Cramer*. Publiées avec une introduction et des notes par Bernard Gagnebin. Genève, Droz, 1952. xliii, 316 p. 19 cm (Textes littéraires français).

C.R. : Y. G. Arnaud, *L'Officiel de la librairie* 2, n° 15 : 14-15, mars 1953 ; André Billy, *FL* 27 déc. 1952, p. 2 ; Arrigo Cajumi, *Nuova Stampa* 9 gen. 1953, p. 3 ; Albert Delorme, *RdS* 73 : 185-187, janv.-juin 1953 ; Lucien Febvre, *Annales. Economies-Sociétés-Civilisations* 9 : 117, 1954 ; George R. Havens, *RR* 45 : 207-211, Oct. 1954 ; H. C. Lancaster, *MLN* 69 : 230, Mar. 1954 ; R. A. Leigh, *MLR* 49 : 236-244, Apr. 1954 ; Roland Mortier, *RBPH* 32 : 147-150, 1954 ; René Pomeau, *RHL* 53 : 550-553, oct.-déc. 1953 ; F. A. Taylor, *FS* 8 : 165-166, Apr. 1954 ; *TLS* Oct. 2, 1953, p. 621-622.

1578 — *Lettres inédites aux Tronchin*. Avec une introduction de Bernard Gagnebin. Genève, Droz ; Lille, Giard, 1950. 3 v. ill. port. fac-sims 19 cm (Textes littéraires français).

C.R. : Antoine Adam, *RSH* N.S. fasc. 60 : 291-292, oct.-déc. 1950 ; Lucien Febvre, *Annales. Economies-Sociétés-Civilisations* 7 : 393, 1952 ; Emile Henriot, *Monde* 27 déc. 1950, p. 7 ; Robert Kemp, *NL* 30 nov. 1950, p. 2 ; H. C. Lancaster, *MLN* 66 : 345-346, May 1951 ; R. A. Leigh, *MLR* 46 : 515-518, Oct. 1951 ; Roland Mortier, *RBPH* 30 : 239-243, 1952 ; René Pomeau, *RHL* 53 : 550-553, oct.-déc. 1953 ; J. Quignard, *LR* 7 : 284-288, 1 août 1953 ; J. R. Smiley, *RR* 43 : 62-64, Feb. 1952 ; *TLS* May 18, 1951, p. 308.

1579 — *Levelei* [Correspondance]. Válogatta, a bevezetöt irta és a jegyzeteket Kezitette : Gyergyai Albert. Fordi̇́totta Szávai Nándor. Budapest [Gondolat] 1963. xxi, 225 p. 16 ill. 19 cm (Auróra, 24).

P. i-xxi, introduction ; p. 235-254, appendice.

1580 — Новые тексты переписки Вольтера : Письма Вольтера. Публикация вводные статьи и примечания В. С. Люблинского. Москва-Ленинград, Издательство Акадɜ. Наук СССР, 1956. 430 p. fac-sims. 22 cm. Page de titre supplémentaire : *Textes nouveaux de la correspondance de Voltaire : Lettres de Voltaire*. Publiées par V. S. Lublinsky [...].

P. 419-423, résumé en français. Contient une liste utile de bibliothèques soviétiques (avec adresses) à consulter à propos de la publication de lettres voltairiennes.
C. R. : G. Guerman, Вестник истории мировой культуры, 1957, n° 3 : 238-240 ; А. Казарин, *ibid.*, 1959, n° 2 : 195-198 ; Lennart Kjellberg, *Lychnos* 1957-58 : 321-322 ; R. A. Leigh, *MLR* 52 : 607-609,

Oct 1957 ; J. Robert Loy, *RR* 50 : 62-67, Feb. 1959 ; Pierre C. Oustinoff, *MLN* 73 : 377-381, May 1958 ; René Pomeau, *RHL* 58 : 234, avr.-juin 1958 ; H. Сигал, *VLit* 1957, n° 4 : 229-233.

1581   — *Les Plus Belles Lettres de Voltaire.* Présentées par Marcel Jouhandeau. Paris, Calmann-Lévy [1961]. 155 p. ill.

P. 11-25, « Préface » : interprétation personnelle de la signification et de l'importance de V.

1582   — *Select letters of Voltaire.* Translated and edited by Theodore Besterman. London, Nelson [1963]. xii, 180 p. 24 cm.
C.R. : Peter Gay, *NYRB* 2 : 10, Apr. 16, 1964 ; George Peabody Gooch, *ConR* 205 : 100-104, Feb. 1964 ; *TLS* Feb. 13, 1964, p. 128.

1583   — *Voltaires Briefwechsel mit Friedrich dem Grossen und Katharina II.* Ausgewählt und in deutscher Übersetzung herausgegeben von Walter Mönch. Berlin, Hans von Hugo Verlag [1944]. 415 p. ill.
P. 7-23, préface.

1584   WADE, Ira O. « Some forgotten letters of Voltaire. » *MLN* 47 : 211-225, Apr. 1932.

Tirées de manuscrits à la Bibliothèque Nationale appartenant autrefois à Beuchot.

1585   WALPOLE, Horace. *The Yale edition of Horace Walpole's correspondence.* Edited by W. S. Lewis. New Haven, Yale U P ; London, Oxford U P, 1937-1965. 34 v.

Contient des lettres de V et à V et bien des références à lui *passim.*

1586   WILSON, Arthur M. « Une Partie inédite de la lettre de Diderot à Voltaire, le 11 juin 1749. » *RHL* 51 : 257-260, juil.-sept. 1951.

C. CRITIQUE D'ŒUVRES SÉPARÉES

A M. LOUIS RACINE

1587   WATTS, George B. « Early version of *A M. Louis Racine.* » *MLN* 42 : 20, Jan. 1927.

A Mme LA PRINCESSE ULRIQUE

1588   BALDENSPERGER, Fernand. « Le Madrigal de Voltaire à la princesse Ulrique. » *RdP* 38 (3) : 754-773, 15 juin 1931.

LES ADIEUX DU VIEILLARD

1589   TORREY, Norman L. « Voltaire's composition of *Les Adieux du vieillard.* » *RR* 30 : 361-368, Déc. 1939.

ALZIRE

1590   CHERPACK, Clifton C. « Gold and iron in Voltaire's *Alzire.* » *MLN* 74 : 629-633, Nov. 1959.

Explique la pièce en fonction de l'affrontement de deux cultures.

1591   MONTY, Jeanne R. « Le Travail de composition d'*Alzire.* » *FR* 35 : 383-389, Feb. 1962.

1592   PERKINS, Merle L. « The documentation of Voltaire's *Alzire.* » *MLQ* 4 : 433-436, Dec. 1943.

Sources espagnoles.

1593   — « Dryden's *The Indian Emperour* and Voltaire's *Alzire.* » *CL* 9 : 229-237, summer 1957.

1594 ROOSBROECK, G. L. van, éd. « *Alzirette* : an unpublished parody of Voltaire's *Alzire*. » *PMLA* 41 : 955-970, Dec. 1926.

1595 — « *Alzirette*, » *an unpublished parody of Voltaire's* « *Alzire* » *(followed by a* « *Lettre sur Alzire* »). New York, Institute of French Studies, 1929. 75 p. 20 cm.

LA BASTILLE

1596 SABLÉ, J. « Essai de géographie littéraire : gens de lettres à la Bastille : Voltaire. » *L'Ecole* (2e cycle, enseignement littéraire) 50, no 1 : 2, 35-36, 20 sept. 1958.

Etude du poème de V.

LA BIBLE ENFIN EXPLIQUÉE

1597 AGES, Arnold. « The technique of Biblical criticism : an inquiry into Voltaire's satirical approach in *La Bible enfin expliquée*. » *Sym* 19 : 67-79, spring 1965.

1598 — « Voltaire and Dom Calmet. » *RUO* 34 : 380-385, juil.-sept. 1964.

1599 — « Voltaire's critical notes in the Old Testament portion of *La Bible enfin expliquée*. » *DA* 24 : 5403, June 1964.

BRUTUS

1600 McKEE, Kenneth N. « Voltaire's *Brutus* during the French Revolution. » *MLN* 56 : 100-106, Feb. 1941.

1601 PRAAG, J. A. van. « Une Traduction espagnole inconnue du *Brutus* de Voltaire. » *RLC* 16 : 173-180, juin 1936.

CAHIERS

1602 GUIRAGOSSIAN, Diana. « Voltaire jottings. » *CLC* 14, no 2 : 11-17, Feb. 1965. ill.

Présentation en traduction anglaise d'un fragment de carnet inédit.

1603 SOWINSKA, Iwona. « Na marginesie notatników Woltera » [Sur les notes des cahiers de Voltaire]. *KN* 4 : 309-316, 1957.

Esquisse de la publication des cahiers de V jusqu'à l'édition de Besterman et récit des investigations sur les notes marginales de Beuchot à Torrey et à Besterman.

1604 TORREY, Norman L. « Voltaire's English notebook. » *MP* 27 : 307-325, Feb. 1929.

1605 VOLTAIRE, François-Marie Arouet de. *Voltaire's Notebooks.* Edited in large part for the first time by Theodore Besterman. Les Délices, Genève, Institut et Musée Voltaire, 1952. 2 v. 22 cm (Publications de l'Institut et Musée Voltaire, Série Voltaire, 1-2).

Les cahiers révèlent que V faisait des recherches historiques approfondies. L'introduction est une étude bibliographique.
C. R. : Arrigo Cajumi, *Mondo* 6 giugno 1953, p. 7 ; Bernard Gagnebin, *Schweizerische Zeitschrift für Geschichte* N.F. 2 : 637-638, 1952 ; le même, *Journal de Genève* 15-16 nov. 1952 [présente des fragments inédits] ; R. A. Leigh, *MLR* 49 : 236-244, Apr. 1954 ; René Pomeau, *RHL* 53 : 553-556, oct.-déc. 1953 ; F. A. Taylor, *FS* 7 : 69-71, Jan. 1953 ; Norman L. Torrey, *RR* 44 : 219-222, Oct. 1953.

CANDIDE

1. Bibliographie

1606 CANDAUX, Jean-Daniel. « La publication de Candide à Paris. » *SV* 18 : 173-178, 1961.

1607   FLOWER, Desmond. « *Candide* : a perennial problem. » *BC* 8 : 284-288,
        autumn 1959.

1608   GAGNEBIN, Bernard. « L'Edition originale de *Candide*. » *BBB* N.S. 1952, 4 :
        169-181.

1609   — « L'Edition originale de *Candide*. Réponse au professeur Wade. » *BBB*
        1960 : 22-31.

1610   MEURON, P. de. « A propos de l'originale de *Candide*. » *BBB* N.S. 17 :
        479-480, oct. 1938.

1611   MUIR, Percy H. « A letter to the editor on *Candide*. » *PULC* 21 : 168-170,
        spring 1960.

1612   SHAW, Edward P. « A note on the publication of *Candide*. » *MLN* 71 : 430-
        431, June 1956.

1613   TANNERY, Jean. « L'Edition originale de *Candide*. » *BBB* N.S. 12 : 7-15 ;
        13 : 62-70 ; 17 : 246-251 ; janv. 1933, janv. 1934, juin 1938.

1614   TORREY, Norman L. « The first edition of *Candide*. » *MLN* 48 : 307-
        310, May 1933.

1615   VANDÉREM, Fernand. « Précisions et conclusions sur l'originale de *Candide*. »
        BBB N.S. 17 : 289-293, juil 1938.

1616   — « La Véritable Originale de *Candide* et les conclusions de M. Jean
        Tannery. » *BBB* N.S. 17 : 337-344, août 1938.

1617   WADE, Ira O. « The first edition of *Candide* : a problem of identification. »
        PULC 20 : 63-88, winter 1959. fas-sims.

2. Etudes générales

1618   ANTOINE, P. Louis. « Voltaire et les *bavards*. » *Pédagogie* mars 1957,
        p. 190-197.

1619   BANKS, Loy Otis. « Moral perspective in *Gulliver's Travels* and *Candide* :
        broadsword and rapier ? » *ForumH* 4, n° 7 : 4-8, 1965.

1620   BARBER, W. H. « L'Angleterre dans *Candide*. » *RLC* 37 : 202-215, avr.-juin
        1963.

1621   — *Voltaire : Candide*. London, Arnold [1960]. 62 p. 19 cm (Studies in
        French literature, 5).

        C. R. : William F. Bottiglia, *FR* 35 : 210, Dec. 1961 ; J. H. Brumfitt,
        FS 15 : 70-71, Jan. 1961 ; C. A. Hackett, *MLR* 56 : 429-431, July
        1961 ; F. Orlando, *SFr* 6 : 359, mag.-ag. 1962 ; Jean Sareil, *RR* 52 :
        64-66, Feb. 1961 ; *TLS* July 22, 1960, p. 476.

1622   BERTRAND, Marc. « L'Amour et la sexualité dans *Candide*. » *FR* 37 :
        619-625, May 1964.

        Voir Mankin n° 1652.

1623   BESNIER, Charles. « Sur Voltaire et la signification de *Candide*. » *Nouvelle
        Revue pédagogique* 14, n° 16 : 1-4, 1 juin 1959.

1624   BOTTIGLIA, William F. « The art of characterization in Voltaire's *Candide*. »
        DA 15 : 412-413, 1955.

1625   — « Candide's garden. » *PMLA* 66 : 718-733, Sept. 1951.

        L'essentiel de cet article se trouve dans le ch. 4 de son *Voltaire's
        « Candide » : analysis of a classic*.

1626   — « The Eldorado episode in *Candide*. » *PMLA* 73 : 339-347, Sept. 1958.

        L'essentiel de cet article se trouve dans le ch. 5 du numéro suivant.

1627 — *Voltaire's « Candide »* : *analysis of a classic.* Genève, Institut et Musée Voltaire, 1959. 280 p. (SV, 7).

2nd edition, revised throughout. Genève, Institut et Musée Voltaire, 1964. 325 p. (SV, 7A).

C. R. : J. H. Brumfitt, *FS* 14 : 68-70, Jan. 1960 ; Lester G. Crocker, *FR* 33 : 425-427, Feb. 1960 ; Otis E. Fellows, *MLN* 74 : 754-755, Dec. 1959 ; A. J. Freer, *SFr* 3 : 494, set.-dic. 1959 ; René Pomeau, *RHL* 61 : 85-87, janv.-mars 1961 ; Norman L. Torrey, *RR* 50 : 218-220, Oct. 1959 ; Virgil W. Topazio, *Sym* 320-322, fall 1959. C. R. de la 2ᵉ éd. : Lester G. Crocker, *MLN* 80 : 410-412, May 1965.

1628 BROOME, J. H. « Voltaire and Fougeret de Monbron : a « Candide » problem reconsidered. » *MLR* 55 : 509-518, Oct. 1960.

1629 BROWN, James L. « Reference to Cunégonde in 1756. » *MLN* 68 : 490-491, Nov. 1953.

1630 CARNEY, E. « Voltaire's *Candide* and the English reader. » *MSpr* 52 : 234-251, 1958.

1631 CHOPTRAYANOV, Georges. *Essai sur « Candide ».* Skopié, Impr. Kraynitchanetz, 1943. v-lx, 111 p. 21 cm.

Réimpr. : Paris, Nizet, 1957.

1632 CLIFFORD, James L. « For Candide and Rasselas all was not for the best. » *NYTBR* Apr. 19, 1959, p. 4, 14. port.

Comparaison des ouvrages de V et de Samuel Johnson.

1633 — « Some remarks on *Candide* and *Rasselas.* » [In] *Bicentenary essays on « Rasselas » collected by Magdi Wahba.* Cairo, S.O.P. Press, 1959. 123 p. pl. 24 cm (Supplement to *Cairo studies in English*). P. 7-14.

1634 CONLON, P. M. « A bicentenary : Voltaire's *Candide,* 1759-1959. » *AUMLA* nᵒ 12 : 20-29, Nov. 1959.

1635 COULET, Henri. « La Candeur de Candide. » *AFLA* 34 : 87-99, 1960.

1636 ESCRIBANO, F. S. « Sobre el posible origen español de la frase « Il faut cultiver notre jardin » de *Candide* (con un apéndice de las obras españolas o sobre España en la biblioteca de Voltaire). *Hispanofila* nᵒ 22 : 15-26, sept. 1964.

1637 FALKE, Rita. « Eldorado : le meilleur des mondes possibles. » *SV* 2 : 25-41, 1956.

1638 FITCH, Robert E. « Tale of two pilgrims : a comparison of Bunyan's *Pilgrim's Progress* and Voltaire's *Candide.* » *HJ* 48 : 388-393, July 1950.

1639 FOSTER, Milton P., éd. *Voltaire's « Candide » and the critics.* Belmont, Calif., Wadsworth Publishing Co., Inc. [1962]. x, 182 p. 22 cm.

1640 GALLOIS, Daniel. « Dans un beau château... » *IL* 16 : 221-225, nov.-déc. 1964.

1641 GOMES, Eugenio. *Prata de Casa (ensaios de literatura brasileira).* Rio de Janeiro, Editôra A Noite [1953 ?]. 181 p. 23 cm.

P. 93-96, « Voltaire e Machado de Assis » : sur l'influence possible de *Candide* sur les *Memorias postumas de Brás Cubas.*

1642 Гордон, Л. С. «Вольтер и государство иезуитов в Парагвае» [Voltaire et l'état jésuite au Paraguay]. [In] Ленинград Университет. Вольтер, статьи и материалы. Ленинград, 1947.

P. 66-85.

1643 GORSSE, Pierre de. *En Marge d'un vieux livre à la manière de Candide... La Fatalité ou le voyageur espagnol.* Toulouse, Impr. toulousaine Lion et fils, 1938. 32 p. 24 cm [Extr. du *Bulletin de la Société de géographie de Toulouse,* 1938].

1644 Gor, A. « Quand Voltaire se moquait de l'Académie de Bordeaux. » *LF* 28 janv.-3 fév. 1960, p. 10.

1645 Gove, Philip B. *The imaginary voyage in prose fiction ; a history of its criticism and a guide for its study, with an annotated checklist of 215 imaginary voyages from 1700 to 1800.* New York, Columbia U P, 1941. xi, 445 p. 22 cm.
Réimpr. : [London] Holland P, 1961. xi, 445 p.
P. 333-334, 348-350, détails bibliographiques surtout sur *Candide* et sur *Micromégas*.

1646 Groos, René. « Le Romancier de *Candide*. » *LF* 2 déc. 1944, p. 5.

1647 Havens, George R. « The composition of Voltaire's *Candide*. » *MLN* 47 : 225-234, Apr. 1932.

1648 Kahn, Ludwig W. « Voltaire's *Candide* and the problem of secularization. » *PMLA* 67 : 886-888, Sept. 1952.

1649 Krappe, Alexander H. « The subterraneous voyage. » *PQ* 20 : 119-130, Apr. 1941.
Sources.

1650 Laufer, Roger. « *Candide* : joyau du style rococo. » *AJFS* 1 : 134-145, 1964.

1651 Lecomte, Georges. « Ce que *Candide* apprit au monde. » *Conferencia* 21 : 341-356, 5 avr. 1927. ill. port.

1652 Mankin, Paul A. « More on love and sexuality in *Candide*. » *FR* 38 : 86, Oct. 1964.

1653 McGhee, Dorothy M. *Fortunes of a tale.* Menasha, Wisconsin, Banta, 1954. 74 p. 24 cm.
P. 6-10, 11-17 : sources de *Candide* et de *L'Ingénu*.

1654 — « Voltaire's *Candide* and Gracián's *El Criticón*. » *PMLA* 52 : 778-784, Sept. 1937.

1655 Montagna Gianni. « *Candide e René*. » *Ausonia* (Siena) 15, n° 4 : 3-16 ; n° 5 : 20-28 ; n° 6 : 18-25 ; lugl.-ag., set.-ott., nov.-dic. 1960).
Comparaison de V et de Chateaubriand.

1656 Mornet, Daniel. « De quelques livres oubliés et pittoresques (*Candide*). » *NL* 30 juil. 1932, p. 3.

1657 Mortier, Roland. « A propos du *Candide anglois* de J.-L. Castillon. » *RLC* 28 : 490-491, oct.-déc. 1954.

1658 — « Deux imitations oubliées de *Candide* au xviiie siècle. » *Neophil* 35 : 17-24, Jan. 1951.
Le *Candide anglois* de Castillon et *L'Homme au latin* de Siret.

1659 Nash, J. V. « Voltaire's weapon : the smile. » *Am parade* 3, n° 1 : 103-108, Oct.-Dec. 1928.

1659A Naumann, Manfred. « Candides Streit mit der Theorie. » [In] Voltaire. *Candide oder der Optimismus.* Übersetzt von W.C.S. Mylius... Herausg. von Manfred Naumann. Berlin, Rütter und Loening, 1958, 17,5 cm. P. 261-291.

1660 Naves, Raymond. *De Candide à Saint-Preux. Essai littéraire et morale.* Paris, Editions « Centre-Racine » et « Steno-Express » [1940]. 3 fasc. 59 p. 26,5 cm (Cours des Facultés de France).
Etude de courants philosophiques et romantiques. Les ouvrages de V et de Rousseau se complètent : l'aridité, l'intelligence et la philosophie de l'un font contraste avec la richesse, les émotions et le romantisme de l'autre.

1661 PARAF, Pierre. « Les Deux Cents Ans de *Candide.* » *LF* 22-28 janv. 1959, p. 2.

1662 PERIN, Cevdet. « La Structure de *Candide.* » *Dialogues* (Istanbul) n° 2 : 119-125, janv. 1951.

1663 POMEAU, René. « La Genèse de *Candide.* » *BSTEC* n° 119 : 1-5 mars 1958.

1664 — « Voltaire 1959. » *Europe* 37 : n° 361-362 : 33-47, mai-juin 1959.
Des extraits réimpr. : « Pour le second centenaire de *Candide.* » *Cahiers rationalistes* n° 181 : 215-217, août-sept. 1959.

1665 PROD'HOMME, J. G. *Vingt Chefs-d'œuvre (du « Cid » à « Madame Bovary »)* *jugés par leurs contemporains.* Préface d'Albert Thibaudet. Paris, Stock, 1930. 291 p. 19 cm.

   P. 105-116, « Candide. »

1666 RAT, Maurice. « Le Bicentenaire de *Candide.* » *L'Education nationale* 15, n° 12 : 14-15, 19 mars 1959.

1667 ROUSSEAU, André-Michel. « En Marge de *Candide.* Voltaire et l'affaire Byng. » *RLC* 34 : 261-273, avr.-juin 1960.

1668 RYDING, Erik. « Voltaire et Bayle. *Etude sur Candide.* » *Lychnos* 1953 : 260-264.

1669 SAREIL, Jean. « L'Amour dans *Candide.* » *Sym* 18 : 273-278, fall 1964.

1670 SAURO, Antoine. *Etude sur la littérature française du XVIIIᵉ siècle.* Vol. 2 : *Candide.* Bari, Adriatica [1956]. 114 p. 21,5 cm.

1671 THOMÉ, J.-R. « Le *Candide* de Voltaire illustré par Antoni Clavé. » *Le Courrier graphique* n° 37 : 47-50, sept.-oct. 1948.

1672 TORREY, Norman L. « Candide's garden and the Lord's vineyard. » *SV* 27 : 1657-1666, 1963.

1673 — « Date of composition of *Candide* and Voltaire's corrections. » *MLN* 44 : 445-447, Nov. 1929.

1674 TROMPEO, Pietro Paolo. « Il Teatrino del diavolo. » [In] *Il Lettore vaga-* *bondo. Saggi e postille.* [Roma] Tuminelli [1942]. 281 p. 19 cm.
P. 57-60.
Sur la traduction de *Candide* par Roberto Palmarotti (oct. 1926).

1675 VAN DOREN, Mark. *The new invitation to learning.* New York, Random House [1942]. xiii, 436 p. 23 cm.
P. 178-191, « Voltaire : *Candide,* » transcription d'un dialogue radio-diffusé entre Irwin Edman, André Maurois et Mark Van Doren.

1676 VIER, Jacques. « Un Antidote à Jean-Jacques : le *Candide* de Voltaire. » *Nation française* 6 juin 1962, p. 12.

1677 VOLTAIRE, François-Marie Arouet de. *Candide : ou l'optimisme.* Edition critique avec une introduction et un commentaire par André Morize. Paris, Hachette, 1913. ci, 237 p. 4 pl. (Société des textes français modernes).
Réimpr. : Paris, Droz, 1931 ; Paris, Didier, 1957.

1678 — *Candide, ou l'optimisme.* Edited with introduction, notes [...] by George Havens. New York, Henry Holt & Co. [1934]. lxiii, 149, lxi p. port. pl. 17,5 cm.

1679 — *Candide* [...]. Paris, Editions océanes [1947]. 200 p. 19 cm.
P. 7-34, préface de Francis de Miomandre.

1680 — *Candido.* Illustrazioni incise su legno da Herbert Ott. [Trad. e] intro-duzione di F[rancesco] Carbonara. Putignano, A. de Robertis & F. [1955]. 208 p. 18,5 cm.

1681 — *Candide*. Neu übertragen von H. Studniczka, mit einem Essay « Zum Verständnis des Werkes » und einer Bibliographie von H. Friedrich. Hamburg, Rowohlt, 1957. 148 p. (Rowohlts-Klassiker, 8).

P. 114-142, « Zum Vertändnis des Werkes. » [Trad. en français avec le titre « *Candide* (1759). » *TR* n° 122 : 109-115, fév. 1958.]
C.R. : E. Caramaschi, *SFr* 2 : 500, set.-dic. 1958.

1682 — *Candide ou l'optimisme*. Edited with an introduction by Lester G. Crocker. London, London U P, 1958. 9-24, 128 p. 19,5 cm (Textes français classiques et modernes).

C. R. : J. H. Brumfitt, *FS* 13 : 270-271, July 1959; Rodney E. Harris, *FR* 33 : 83-84, Oct. 1959; L. A. Triebel, *ConR* 195 : 181-183, Mar. 1959.

1683 — *Candide ou l'optimisme.* Edition critique, avec une introduction et commentaire par René Pomeau. Paris, Nizet, 1959. 297 p. ill. port. facsim. 19 cm.

C.R. : William F. Bottiglia, *FR* 34 : 309-310, Jan. 1961; Henri Coulet. *RHL* 61 : 84-85, janv.-mars 1961; A. Pizzorusso, *SFr* 3 : 493-494, set.-dic. 1959.

1684 — *Kandid ili optimizam.* Beograd, Izdavočko Preduzeće « Rad, » 1959. 130 p. 18 cm (Bibliotecka « Reč i Masao, » Kolo 1, Knjiga 3).

1685 — *Kandyd czyli Optymizm.* Przełożyt i wstępem proprzedzit Tadeusz Zalenski (Boy). [Warszawa] Państwowy Instytut Wydawniczy [1961]. 153 p. 20 cm.

1686 — *Candide*. A bilingual edition translated and edited by Peter Gay. New York, St. Martin's P, 1963. xxviii, 299 p. 19 cm.

C.R. : Richard A Brooks, *FR* 37 : 239-240, Dec. 1963.

1687 — *Candide*. Vollständiger Text. Dokumentation [von] Dieter Hildebrandt. [Frankfurt/M] Ullstein Bücher [1963]. 168 p. 18 cm (Dichtung und Wirklichkeit, 12).

P. 5-31, « *Candide* - Apotheose des Menschenmöglichen. » Documentation sur : Das Erdbeben von Lissabon (p. 111-129), Der philosophische Hintergrund (p. 130-147), Justus Möser : *Anti-Candide* (p. 148-156). Appendice sur les éditions allemandes du roman ; bibliographie.

1688 WADE, Ira O. « Dulard and Voltaire. » *FR* 35 : 546-552, May 1962.
Sources possibles de *Candide*.

1689 — « The La Vallière MS of *Candide*. » *FR* 30 : 3-4, oct. 1956.

1690 — « A manuscript of Voltaire's *Candide*. » *PAPS* 101 : 93-105, Feb. 1957.
Le ms. La Vallière (n° 3160 de la Bibliothèque de l'Arsenal).

1691 — *Voltaire and « Candide »* : *a study in the fusion of history, art and philosophy, with text of the La Vallière manuscript of « Candide »*. Princeton, Princeton U P, 1959. xvi, 369 [82] p. 6 pl. 25 cm (Princeton publications in modern languages, 11) ; London, Oxford U P, 1959.

C.R. : Giles Barber, *Library* 5th Ser., 16 : 68-71, Mar. 1961; W. H. Barber, *MLR* 56 : 427-429, July 1961; William F. Bottiglia, *MLN* 76 : 171-174, Feb. 1961; Richard M. Chadbourne, *Thought* 35 : 472-473, autumn 1960; Henri Coulet, *RHL* 62 : 103, janv.-mars 1962; Francis J. Crowley, *FR* 35 : 108-109, Oct. 1961; A. J. Freer, *SFr* 5 : 351-352, mag.-ag. 1961; Edward T. Gargan, *RPol* 23 : 545-549, Oct. 1961; A. Goodwin, *EHR* 77 : 169-170, Jan. 1962; J. Michael Hayden, *Cross currents* 10 : 297-300, summer 1960; *History* 45 : 292-293, Oct. 1960; Arthur Knodel, *Person* 42 : 118-119, winter 1961; Roger B. Oake, *CL* 13 : 176-178, spring 1961; C. D. Rouillard, *MP* 60 : 145-149, Nov. 1962; O. R. Taylor, *FS* 16 : 66, Jan. 1962; *TLS* July 22, 1960, p. 464.

1692   WEIGHTMAN, J. G. « The quality of *Candide*. » [In] *Essays presented to*
        C. M. Girdlestone. Newcastle upon Tyne, King's College, U of Durham,
        1960. 368 p. port. P. 335-347.

1693   WEITZ, Morris. *Philosophy in literature : Shakespeare, Voltaire, Tolstoy and*
        Proust. Detroit, Wayne State U P, 1963. vii, 116 p. 20 cm.

        P. 7-21, « *Candide* : the burden of philosophy. » Voir aussi p. 91-109.
        C.R. : B. Jessup, *JAAC* 23 : 281-293, 1964-65.

1694   YARKER, P. M. « Voltaire among the positivists : a study of W. H. Mallock's
        The New Paul and Virginia. » *E&S* N.S. 8 : 21-39, 1955.

CE QUI PLAIT AUX DAMES

1695   HUNTER, Alfred C. « Le « Conte de la femme de Bath » en France au
        xviiie siècle. » *RLC* 9 : 117-140, janv.-mars 1929.

COMMENTAIRE HISTORIQUE

1696   TORREY, Norman L. « Note on Voltaire's *Commentaire historique*. » *MLN*
        43 : 439-442, Nov. 1928.

1697   Вайнштейн, О. Л. « Кто является автором Исторического
        комментария к произведениям Вольтера ? » [Qui fut l'auteur
        probable du *Commentaire historique* dans les œuvres de Voltaire ?].
        [In] Ленинград Университет. Вольтер, статьи и материалы.
        Ленинград, 1947. P. 202-209.

        Une étude des notes relevées dans un exemplaire des *Additions au*
        Commentaire historique à l'Université d'Odessa. Une comparaison de
        cette étape intermédiaire de l'ouvrage avec sa forme finale. Wagnière
        serait un collaborateur actif dans sa composition sinon l'auteur. Voir
        le n° 2175.

COMMENTAIRES SUR CORNEILLE

1698   GROSS, Nathan. « *Suréna* : Voltaire's *Remarque* and Corneille's tragedy. »
        RomN 7 : 30-35, autumn 1965.

1699   HOOPER, Roger L. « Voltaire's *Commentaires sur Corneille*. » *KFLQ* 10 :
        8-13, first quarter 1963.

LE CROCHETEUR BORGNE

1700   WHITWORTH, Kenneth B., Jr. « A study of Voltaire's thought and expression
        in *Le Crocheteur borgne* and *Zadig*. » *DA* 13 : 397-398, 1953.

LA DÉFENSE DU MONDAIN

1701   MORRISSETTE, Bruce A. « Mlle Desjardins and the Apologie du luxe. »
        MLN 209-211, Mar. 1941.

DES EMBELLISSEMENTS DE LA VILLE DE CACHEMIRE

1702   MICHEL, Pierre. « Un Libelle de Voltaire : *Des embellissements de la ville*
        de Cachemire, 1750. » *L'Ecole* (2e cycle, enseignement littéraire) 43,
        n° 12 : 358, 378-380, mars 1952.

DIATRIBE A L'AUTEUR DES ÉPHÉMÉRIDES

1703   FIELDS, Madeleine. « La Dernière Escarmouche entre Voltaire et Fréron. »
        FR 36 : 365-373, Feb. 1963.

DIATRIBE DU DOCTEUR AKAKIA

1704   VOLTAIRE, François-Marie Arouet de. « L'*Akakia* de Voltaire. » Edition
        critique par Charles Fleischauer. *SV* 30 : 7-145, 1964.

DICTIONNAIRE PHILOSOPHIQUE et QUESTIONS SUR L'ENCYCLOPEDIE

1705 ALAIN [Emile Auguste Chartier]. « Voltaire fut-il infâme ? » *Arcadie* 1 : 26-34, mars 1954.

Commentaire sur des passages du *Dictionnaire philosophique* (1764) « amitié, » « amour nommé socratique. »

1705A ARCHIE, William C. « An introduction to Voltaire's *Questions sur l'Encyclopédie.* » *DA* 15 : 409-410, 1955.

1706 — « Voltaire's *Dictionnaire philosophique* : les Questions sur l'Encyclopédie. » *Sym* 5 : 317-327, 1951.

1707 BELLESSORT, André. « Le Dictionnaire philosophique. » *Journal des débats politiques et littéraires* 9 avr. 1931, p. 1.

1708 BENDA, Julien & Raymond NAVES. « En Marge d'un dictionnaire. » *RdP* 43 (2) : 18-29, 1 mars 1936.

1709 CARMODY, Francis J., éd. « Seminar papers on Voltaire. » *FR* 31 : 292-299, Feb. 1958.

P. 292-294, Frederic Jenkins, « The article *Conciles* : sources and presentation » ; p. 294-296, Audrey Bowyer, « The gospel according to Voltaire » ; p. 296-299, Elizabeth Nichols, « Dom Calmet » qui n'a raisonné jamais... »

1710 CAZENEUVE, Jean. « La Philosophie de Voltaire d'après le *Dictionnaire philosophique.* » *Synthèses* 16, n° 181-182 : 14-31, juin-juil. 1961. La relation entre la métaphysique, la morale et l'action humanitaire.

1711 CRIST, Clifford. M. *The Dictionnaire philosophique portatif and the early French deists.* Brooklyn, S. J. Clark's sons, 1934. 66 p. 23 cm.

1712 — « Voltaire, Barcochébas and the early French deists. » *FR* 6 : 483-489, May 1933.

Les sources de l'article « Messie. »

1713 DOWNS, Robert B. *Moulders of the modern mind : 111 books that shaped western civilization.* New York, Barnes & Noble [1961]. xx, 396 p. 23 cm.

P. 134-137, « Genius of mockery : François Marie Arouet de Voltaire's *Philosophical Dictionary* (1764). »

1714 FLORENNE, Yves. « Voltaire, ou de la raison et de la déraison par l'alphabet. » *Europe* 40, n° 398 : 40-53, juin 1962.

Ce texte sert d'introduction à l'édition par Florenne du *Dictionnaire philosophique suivi de quarante questions sur l'Encyclopédie* ([Paris] Club français du livre [1962]. xxvi, 653 p. 21 cm).

1715 KEYS, A. C. « Landor's marginalia to the *Dictionnaire philosophique.* » *AUMLA* n° 5 : 26-34, Oct. 1956.

Les opinions de Walter Savage Landor au sujet de V d'après ses notes marginales et d'après d'autres écrits.

1716 MILLS, Gilbert Emory. « The fidelity of Voltaire to his Biblical and patristic sources as shown by the first (1764) edition of the *Dictionnaire philosophique portatif.* » *DA* 16 : 752, 1956.

1717 POMEAU, René. « Histoire d'une œuvre de Voltaire : le *Dictionnaire philosophique portatif.* » *IL* 7 : 43-50, mars-avr. 1955.

1718 TEISSONNIÈRE, Paul. *La Religion de Voltaire d'après son « Dictionnaire philosophique ».* Bruxelles, Edition Garnier [192?]. 23 p. (Conférences du foyer).

1719   VOLTAIRE, François-Marie Arouet de. *Dictionnaire philosophique.* Avec
        introduction, variantes et notes par Julien Benda. Texte établi par
        Raymond Naves. Paris, Garnier [1936]. 2 v. 18,5 cm.

    Réimpr. : [Introduction, relevé de variantes et notes par Julien Benda.
    Texte établi par Raymond Naves]. Paris, Garnier [1961]. xxxvi, 632 p.
    ill. (Classiques Garnier).
    Trad. en turc. *Felsefe sözlüğü.* İstanbul, Maarif matbaası, 1943-46.
    4 v. in 2 (Dünya edebiyatından tercümeler, Fransız klâsikleri, 46).
    C.R. : Daniel Mornet, *RHL* 43 : 596-597, oct.-déc. 1936.

1720   — *Philosophical dictionary.* Translated with an introduction and glossary
        by Peter Gay. Preface by André Maurois. New York, Basic Books
        [1962]. 2 v. 22 cm.

    L'introduction de l'éditeur est réimprimée sous une forme légèrement
    remaniée [in] *The party of humanity.* New York [1963]. P. 7-54.
    C.R. : J. H. Brumfitt, *MLR* 58 : 262-263, Apr. 1963 ; Otis E. Fellows,
    RR 57 : 298-300, Dec. 1965 ; Gordon McNeil, *JMH* 25 : 80, Mar.
    1963 ; *Revue historique* 88 : 247, janv.-mars 1964.

1721   WATERMAN, Mina. « Voltaire and Firmin Abauzit. » *RR* 33 : 236-249,
        Oct. 1942.

    L'identification de l'auteur de l'article « Apocalypse. »

DISCOURS EN VERS SUR L'HOMME

1722   CROWLEY, Francis J. « A note to the Moland edition of Voltaire. » *MLN*
        65 : 425-426, June 1950.

LE DROIT DU SEIGNEUR

1723   HOWARTH, W. D. « The theme of the « droit du seigneur » in the eighteenth-
        century theatre. » *FS* 15 : 228-240, July 1961.

    Voir surtout p. 230-231, 234-235.

L'ÉCOSSAISE

1724   LYNCH, K. M. « *Pamela Nubile, L'Ecossaise,* and *The English merchant.* »
        MLN 47 : 94-96, Feb. 1932.

    Etude comparative des sources de Goldoni, V et Colman.

LES ÉLÉMENTS DE LA PHILOSOPHIE DE NEWTON

1725   KONCZEWSKA, Hélène. « *Les Elémens de la philosophie de Newton* et la
        physique contemporaine. » *RHSA* 8 : 303-318, 1955.

1726   SÁNCHEZ BARBUDO, A. « Las Manzanas de Newton : un libro de Voltaire. »
        Repertorio americano 25 : 329, 3 de dic. 1932.

1727   VOLTAIRE, François-Marie Arouet de. *Elementy filozofii Newtona* [Les
        Eléments de la philosophie de Newton]. [Przekład Heleny Konczewskiej.
        Opracował Boleslaw J. Gawecki. Wstępem poprzedził Armin Teske.
        [Warszawa] Panstwowe wyd. naukowe, 1956. liii, 247 p. ill. 19 cm
        (Polska akademia nauk. Komit filozoficzny. Biblioteka klasykow filozo-
        ficzny, 28).

    P. xi-1, sur la signification de l'ouvrage autrefois et jusqu'au présent.
    C.R. : W. Voizé, *Kwartálnik historii nauki i techniki* 3, n° 1 : 180-181,
    1958.

1728   WALTERS, Robert L. « Voltaire and the Newtonian universe : a study of
        the Eléments de la philosophie de Newton. » *DA* 16 : 540, 1956.

ÉLOGE DE CREBILLON

1729   VERCRUYSSE, Jérôme. « Pages peu connues de Voltaire : le factum de
        Rapterre contre Giolot Ticalani (La Critique du *Catalina* de Crébillon). »
        ALM n° 37 [1961]. 20 p.

        Les réactions du xviiie siècle à la pièce de Crébillon qui incluent
        l'*Eloge de Crébillon* de V, aussi bien que son *factum*, ouvrage presque
        inconnu, dont le texte intégral est présenté.

L'ENFANT PRODIGUE

1730   VOLTAIRE, François-Marie Arouet de. *Syn Marnotrawny, komedia w pięciu
        aktach* [L'Enfant prodigue, comédie en cinq actes]. W przekładzie
        Stanisław Trembecki, Opracował Jerzy Adamski. Wrocław, Wydawnictwo
        zakładu narodowego imienia ossolinskich [1951]. lxviii, 97 p. (Biblioteka
        narodowa, Ser. 2, 63).

        P. iii-xxxii, « Wolter i jego *Syn Marnotrawny* » [Voltaire et son *Enfant
        prodigue*] ; p. xxxii-xlix, « Wolter w Polsce » [Voltaire en Pologne] ;
        p. xlix-lxvi, « Polski przekład *Syna Marnotrawnego* » [La Traduction
        polonaise de l'*Enfant prodigue*].

ÉPITRE A MADAME LA MARQUISE DU CHATELET
SUR LA PHILOSOPHIE DE NEWTON

1731   MURDOCH, Ruth T. « Voltaire, James Thomson, and a poem for the Marquise
        du Châtelet. » *SV* 6 : 147-153, 1958.

ÉPITRE A URANIE

1732   WADE, Ira O. « The *Epître à Uranie*. » *PMLA* 47 : 1066-1112, Dec. 1932.
        Une édition critique.

ÉRIPHYLE

1733   KRAPPE, Alexander H. « Note on the source of Voltaire's *Eriphyle*. » *RR*
        18 : 142-148, 1927.

ESSAI SUR LA POÉSIE ÉPIQUE

1734   MERIAN-GENAST, Ernst. « Voltaire und die Entwicklung der Idee der
        Weltliteratur. » *RF* 40 : 1-226, Juli 1926.

1735   RAMSEY, Warren. « Voltaire and Homer. » *PMLA* 66 : 182-196, Mar. 1951.

1736   VOLTAIRE, François-Marie Arouet de. *Voltaire's Essay on Milton*. Edited
        by Desmond Flower. Cambridge, Privately printed, 1954. xiii, 29 p. port.

ESSAI SUR LES MŒURS

1737   BIRD, C. W. « Voltaire, a source for Hugo's *Sultan Mourad*. » *MLN* 47 :
        237, 1932.

1738   VOLTAIRE, François-Marie Arouet de. *Essai sur les mœurs et l'esprit des
        nations*. Introduction et notes par Jacqueline Marchand. Paris, Editions
        sociales [1962]. 304 p. 18 cm (Les Classiques du peuple).
        P. 7-60, introduction.
        C.R. : Jean Chesneaux, *Pensée* N.S. n° 108 : 141-142, avr. 1963 ;
        Lionello Sozzi, *SFr* 8 : 355, mag.-ag. 1964.

1739   — *Essai sur les mœurs et l'esprit des nations et sur les principaux faits de
        l'histoire depuis Charlemagne jusqu'à Louis XIII*. Introduction, biblio-
        graphie, relevé de variantes, notes et index par René Pomeau. Paris,
        Garnier [1963] 2 v. lxxxii, 906, 1013 p. 35 & 32 ill. (Classiques
        Garnier).

C.R. : Paolo Alatri, *Culture française* (Bari) 11 : 153-154, 1964 ; J. H. Brumfitt, *FS* 19 : 188-189, Apr. 1965 ; Lester G. Crocker, *MLN* 80 : 401-404, May 1965 ; Jacques van den Heuvel, *RHL* 66 : 321-322, avr.-juin 1966 ; Jérôme Vercruysse, *BIV* 3, n° 23 : 249-252, 1964.

LA HENRIADE

1740   BESTERMAN, Théodore. « Un Nouveau Trésor au Musée Voltaire. » *Musées de Genève* 2, N.S. n° 11 : 6-7, janv. 1961. pl.

Description d'un exemplaire de l'édition in-folio Didot (1815) tiré spécialement pour Louis XVIII.

1741   HAXO, Henry E. « Pierre Bayle et Voltaire avant les *Lettres philosophiques*. » *PMLA* 46 : 461-497, June 1931.

Sur la documentation historique de *La Ligue*.

1742   ISAACS, T. « Voltaire query. » *N&Q* 156 : 209, 23 Mar. 1929. Réponses : 156 : 271, 288 ; 13, 20 Apr. 1929.

L'édition publiée à Londres en 1728.

1743   MANDIĆ-PACHL, Helena. « Une Traduction croate de la *Henriade* de Voltaire. » *SRAZ* 2, n° 4 : 45-52, 1957.

Traduction par le père Franjo Strehe des 3 premiers chants et du début du 4e.

1744   MINDERHOUD, H. J. « *La Henriade* » dans la littérature hollandaise. Paris, Champion, 1927. 183 p. 25 cm (Bibliothèque de la *RLC*, 36).

Au xviiie siècle.

1745   RIGAL, Juliette. « L'Iconographie de la *Henriade* au xviiie siècle ou la naissance du style troubadour. » *SV* 32 : 23-71, 1965.

Evolution du style iconographique.

1746   RONZY, Pierre. « De la *Henriade* à la *Marseillaise de la paix* en passant par Monti. » *Ausonia* (Grenoble) 5 : 90-94, janv.-mars 1940.

1747   VOLTAIRE, François-Marie Arouet de. *La Henriade*. Edition critique avec une introduction et des notes par O. R. Taylor. Genève, Institut et Musée Voltaire, 1965. 3 v. (*SV*, 38-40).

HISTOIRE DE CHARLES XII

1748   BRULIN, Herman. « Handskriftsmaterial till Voltaires *Charles XII* » [Matière manuscrite sur le *Charles XII* de Voltaire]. [In] *Karolinska Försambundets Årsbok* 7 : 7-37, 1940.

P. 27-37, relevé de manuscrits à la Bibliothèque Nationale à propos de V et de son *Histoire de Charles XII*.

1749   CORDIÉ, Carlo. « Voltaire e l'*Histoire de Charles XII*. » [In] *Ideali e figure d'Europa*. [Pisa] Nistri-Lischi [1954]. viii, 428 p. 19 cm (Saggi di varia umanità, 7). P. 3-17.

1750   CUNHA, A. G. « Uma Tradução portuguesa da *Histoire de Charles XII* de Voltaire. » *RP* Sér. A, Lingua Portuguesa, 23 : 351-359, Jul. 1958.

Par Freire de Andrade (1739).

1751   GOSSMAN, Lionel. « Voltaire's *Charles XII* : history into art. » *SV* 25 : 691-720, 1963.

1751A   HILDEBRAND, Karl-Gustaf. « Till Karl XII-uppfattningens historia från Voltaire till Fryxell. » [Conception historique de Charles XII de Voltaire à Fryxell]. *Historisk-Tidskrift* 74 : 353-392, Häfte 4, 1954.

1752 VOLTAIRE, François-Marie Arouet de. *Geschichte Karls XII. Königs von Schweden.* Mit einer Einführung von Carl J. Burckhardt. Ins Deutsch übertragen von Theodora Von Der Mühll. Zürich, Fretz & Wasmuth Verlag Ag. [1943]. xv, 250 p.

P. v-xv, introduction.
Réimpr. de l'introduction : « Voltaires Geschichte Karls XII. » *Neue schweizer Rundschau* N.F. 11 : 484-491, Dez. 1943 et avec le même titre [in] *Bildnisse.* Frankfurt am Main, S. Fischer, 1958. 325 p. 20 cm. P. 27-37.
Etude de l'historiographie de V.

HISTOIRE DE JENNI

1753 CHERPACK, Clifton. « Voltaire's *Histoire de Jenni* : a synthetic creed. » *MP* 54 : 26-32, Aug. 1956.

1754 NAJEM, Robert Elias. « A critical edition of Voltaire's *Histoire de Jenni.* » *DA* 18 : 2146-2147, 1958.

HISTOIRE DE L'EMPIRE DE RUSSIE SOUS PIERRE LE GRAND

1755 *L'Apothéose de Pierre le Grand, etc. Trois écrits historiques inconnus, présumés de M. V. Lomonosov, destinés à Voltaire.* Publiés d'après le manuscrit de Prague, avec une introduction sur les relations de Lomonosov et Voltaire, par Václav Černý [...]. Prague, Editions de l'Académie tchécoslovaque des sciences, 1964. 213 p. 21 cm.

P. 12-15, « Pétersbourg-Keyserlingk-Ferney » ; p. 15-25, « Esquisse de la naissance de l'*Histoire de Pierre le Grand,* de Voltaire » ; p. 25-36, « Lomonosov est-il vraiment l'auteur des textes de Prague ? » ; p. 37-56, « La Naissance, la nature et les enseignements des textes de Prague » ; p. 56-65, « Du nouveau sur Voltaire. » P. 157-212, résumé russe de l'introduction.
C.R. : Jean Varloot, *RHL* 66 : 717-720, oct.-déc. 1966.

1756 ARMANDI, Gabriele. « Voltaire e Pietro il Grande. » *Mondo* 26 feb. 1963, p. 14.

1757 ARNAUD, Yves G. « Une Edition inconnue nous révèle... un Voltaire réformateur — clandestin — de l'orthographe. » *L'Officiel de la librairie* 1, n° 11 : 7, nov. 1952.

L'orthographe de noms de lieu étrangers.

1758 Арнольд, О. В. « Некоторые приемы оформления русской лексики Вольтером (по материалам Истории России при Петре Великом) » [Le Système de Voltaire pour la francisation des mots russes (de matériaux sur l'*Histoire de Russie sous Pierre le Grand*)]. Ученые записки (Ленинград Университет) 299 : 37-45, 1961.

1759 HAINZ, Otto. « Peter der Grosse, Friedrich der Grosse und Voltaire. Zur Entstehungsgeschichte von Voltaires *Histoire de l'empire de Russie sous Pierre le Grand.* » Akademie der Wissenschaften und der Literatur (Mainz), *Abhandlungen der geistes- und sozialwissenschaftlichen Klasse* 1961, n° 5 : 513-556.

1760 Крачковский, И. Ю. « Арабский перевод Истории Петра Великого и Истории Карла XII, короля Швеции » [Une traduction arabe de l'*Histoire de Pierre le Grand* et de l'*Histoire de Charles XII, roi de Suède*]. [In] Ленинград Университет. Вольтер, статьи и материалы. Ленинград, 1947. P. 57-65.

1761   Кулябко, Е. С. & Н. В. Соколова. « Источники Вольтеровской Истории Петра » [Les sources de l'*Histoire de Pierre le Grand* de Voltaire]. Француский ежегодник 1964 : 274-278 [1965].

       P. 278, résumé en français. L'influence de Miller serait plus grande que celle de Lomonosov.

1762   Платоновой, Н. « Вольтер в работе над Историей России При Петре Великом, новые материалы » [Voltaire d'après son ouvrage sur l'*Histoire de Russie sous Pierre le Grand,* nouveaux matériaux]. Литературное наследство n° 33-34 : 1-24, 1939.

1763   Прийма, Ф. Я. « Ломоносов и История российской империи при Петре Великом Вольтера » [Lomonosov et l'*Histoire de l'Empire de Russie sous Pierre le Grand* de Voltaire]. 3 : 170-186, 1958.

1764   Šmurlo, Yevgeniĭ Frantzovich. *Voltaire et son œuvre « Histoire de l'Empire de Russie sous Pierre le Grand ».* Prague, « Orbis », 1929. 484 p. (Czecho-Slovakia. Ministerstvo zahraničnich věr. Archiv. Publikace, Řada 1, číslo 6).

       Texte et page de titre supplémentaire en russe, avec résumé en français. Appendice en russe et en français.

1765   Voltaire, François-Marie Arouet de. *Storia dell'Impero russo sotto Pietro il Grande.* A cura di Barbara Allason. Roma, Migliaresi [1945]. 360 p.

1766   — *Storia dell'Impero di Russia sotto Pietro il Grande.* [Introduzione e traduzione di Piero Bertolucci]. Torino, Boringhieri, 1962. 440 p. ill. 20,5 cm (Enciclopedia di autori classici [...] 76).

       P. 11-20, « Introduzione » ; p. 435-440, « Lettera di V a Giovanni Suvalov sul 1° tomo della *Storia,* Ferney 11 VI 1761 » ; p. 417-434, « Aneddoti sullo zar Pietro il Grande. »

HISTOIRE DES VOYAGES DE SCARMENTADO

1767   Nedergaard-Hansen, Leif. « Sur la date de composition de l'*Histoire de Scarmentado.* » SV 2 : 273-277, 1956.

1768   Petriconi, Hellmuth. « Abenteuer und kein Ende. » *RJ* 14 : 27-44, 1963.

       Voir p. 41-44 pour *Histoire des voyages de Scarmentado* et *Candide.*

L'HOMME AUX QUARANTE ÉCUS

1769   Jovicevich, Alexandre. « Note sur *L'Homme aux quarante écus* de Voltaire. » *RHL* 63 : 278-281, avr.-juin 1963.

       Etude bibliographique.

1770   — « Sur la date de composition de *L'Homme aux quarante écus.* » *Sym* 18 : 251-257, fall 1964.

IDÉES RÉPUBLICAINES

1771   Gay, Peter. « Voltaire's *Idées républicaines* : a study in bibliography and interpretation. » SV 6 : 67-105, 1958.

       Réimpr. sous une forme légèrement remaniée : « Voltaire's *Idées républicaines* : from detection to interpretation. » [In] *The party of humanity.* New York, 1964. P. 55-96.
       Voir aussi « The date of Voltaire's *Idées républicaines.* » [In] *Voltaire's politics : the poet as realist.* Princeton, 1959. P. 346-351.

L'INGÉNU

1772   Hartley, K. H. « Un Roman philosophique anglais : *Hermsprong* de Robert Bage. » *RLC* 38 : 558-563, oct.-déc. 1964.

       L'influence de *L'Ingénu.*

1773   « Histoire d'un manuscrit. » *Bibliothèque mondiale* n° 3 : 123-131, 2 avr. 1953.

1774   KEMPF, Roger. « La Table de Voltaire. » *CS* 52, n° 383-384 : 169-171, août-sept.-oct. 1965.

   Trad. en anglais : « The many meals of Voltaire. » (Tr. by Joy N. Humes). *TriQ* 4 : 62-64 [fall 1965].
   L'importance littéraire des repas dans *L'Ingénu*.

1775   LAUFER, Roger. *Style rococo, style des « lumières »*. Paris, José Corti, 1963. 154 p. 22 cm.

   P. 97-111.
   C.R. : Patrick Brady, *SFr* 7 : 511-514, set.-dic. 1963 ; J. M. Cocking, *FS* 19 : 89-93, Jan. 1965 ; Pascal Pia, *Carrefour* 14 août 1963, p. 18 ; Arnaldo Pizzorusso, *Belfagor* 19 : 738-742, 30 nov. 1964 ; Jean Sgard, *RHL* 65 : 120-121, janv.-mars 1965 ; I. H. Smith, *AUMLA* n° 23 : 148-150, May 1965.

1776   MEYER, E. « Une Source de l'*Ingénu*. Les Voyages du baron de La Hontan. » *RCC* 31 (2) : 561-576, 746-762, 30 juin, 30 juil. 1930.

1777   NIVAT, Jean. « *L'Ingénu* de Voltaire, les Jésuites et l'Affaire La Chalotais. » *RSH* N.S. fasc. 66 : 97-108, avr.-juin 1952.

1778   POMEAU, René. « Une Esquisse inédite de *L'Ingénu*. » *RHL* 61 : 58-60, janv.-mars 1961.

1779   PRUNER, Francis. « Recherches sur la création romanesque dans *L'Ingénu* de Voltaire. » *ALM* n° 30⁶⁹⁻⁷¹, mars-avr. 1960. 47 p.

1780   ROVILLAIN, E. E. « *L'Ingénu* de Voltaire ; quelques influences. » *PMLA* 44 : 537-545, June 1929.

1781   VOLTAIRE, François-Marie Arouet de. « *L'Ingénu* » *de Voltaire*. Edition critique avec commentaires [par William Richmond Jones]. Paris, E. Droz, 1936. 142 p.

   Réimpr. avec introduction augmentée : *L'Ingénu ; histoire véritable*. Edition critique publiée par William R. Jones. Genève, Droz ; Paris, Minard, 1957. 192 p. fac-sims 19 cm (Textes littéraires français, 75). C.R. : Francis J. Crowley, *RR* 29 : 87-89, 1938 ; Daniel Mornet, *RHL* 43 : 597-599, oct.-déc. 1936 ; Paolo Alatri, *Paese* 10, n° 212 : 3, 1 ag. 1957 ; le même, *Società* 13 : 771-775, ag. 1957 ; J. H. Brumfitt, *FS* 12 : 372-373, Oct. 1958 ; Jacques van den Heuvel, *RSH* N.S. fasc. 93 : 106-107, janv.-mars 1959 ; Arnaldo Pizzorusso, *SFr* 2 : 319-320, mag.-ag. 1958.

INSTRUCTION DU GARDIEN DES CAPUCINS DE RAGUSE [...]

1782   ЕМЕЛЯХ, Л. И. « Первый памфлет в россии против Библии (из русского « Рукописного Вольтера » XVIII в.) » [Le Premier Pamphlet paru en Russie contre la Bible (tiré d'un manuscrit russe de Voltaire du XVIIIᵉ siècle)]. Ежегодник музея истории религии и атеизма 1 : 402-410, 1957.

   Le texte de l'*Instruction du gardien des Capucins de Raguse à frère Pédiculoso, partant pour la Terre Sainte* (1768) avec commentaire.

IRENE

1783   BESTERMAN, Theodore, éd. « Voltaire's directions to the actors in *Irène*. » *SV* 12 : 67-69, 1960.

LETTRE AU DOCTEUR JEAN-JACQUES PANSOPHE

1784   PILLIONNEL, J. H. « Voltaire et Christophe de Beaumont. » *MLN* 41 : 467, Nov. 1926.

LETTRES D'AMABED

1785 JOVICEVICH, Alexandre. « A propos d'une « Paméla » de Voltaire. » *FR* 36 : 276-283, Jan. 1963.

1786 — « Les *Lettres persanes* et les *Lettres d'Amabed.* » *BIV* 1, n° 3, 4, 5 : 21-24, 25-29, 33-40, fév., mars, avr. 1962.

1787 VOLTAIRE, François-Marie Arouet de. *Les Lettres d'Amabed de Voltaire.* Edition critique et commentée par Alexandre Jovicevich, Paris, Editions universitaires [1961]. lxxviii, 87 p. 24 cm.

C.R. : *BIV* 1, n° 7 : 55-56, juin 1962 ; E. R. Briggs, *MLR* 58 : 434, July 1963 ; J. H. Brumfitt, *FS* 17 : 262-264, July 1963 ; John N. Pappas, *LR* 18 : 86-89, 1 fév. 1964 ; Jean Sareil, *RR* 53 : 229-230, Oct. 1962 ; Lionello Sozzi, *SFr* 7 : 559, set.-dic. 1963.

LETTRES DE MONSIEUR DE VOLTAIRE A SES AMIS DE PARNASSE

1788 Алексеев, М. П. « Книга Вольтера в библиотеке Томского Университета » [Un livre de Voltaire dans la bibliothèque de l'Université de Tomsk]. [In] Ленинград Университет. Вольтер, статьи и материалы. Ленинград, 1947. P. 210-218.

LETTRES PHILOSOPHIQUES

1789 B[ALDENSPERGER], Fernand. « A propos des « Lettres » de Muralt sur les Anglais et les Français. » *RLC* 9 : 744-745, oct.-déc. 1929.

1790 BERGNER, Georges. « Lettres philosophiques de Voltaire. » *Alsace française* 14 : 381, 1934.

1791 BONDOIS, P. M. « La Documentation des *Lettres philosophiques,* Voltaire et l'abbé Bignon. » *RHL* 37 : 227-228, avr.-juin 1930.

1792 BONNO, Gabriel D. *La Culture et la civilisation britanniques devant l'opinion française de la paix d'Utrecht aux « Lettres philosophiques ».* TAPS 38, n° 1, 1948. 184 p.

Voir V *passim,* mais surtout les conclusions, p. 165-167.
C.R. : Jules C. Alciatore, *MP* 49 : 281-284, May 1952 ; Daniel Mornet, *RLC* 23 : 589-592, oct.-déc. 1949 ; Edith Philips, *RR* 42 : 60-61, Feb. 1951 ; F. A. Taylor, *FS* 3 : 277-279, July 1949 ; Fernand Vial, *FR* 23 : 327-329, Feb. 1950.

1793 — « Diffusion and influence of Locke's *Essay concerning human understanding* in France before Voltaire's *Lettres philosophiques.* » *PAPS* 91, n° 5 : 421-425, 1947.

1794 — « Un texte inédit de l'abbé Leblanc sur les *Lettres philosophiques* de Voltaire. » *MLN* 55 : 503-505, Nov. 1940.

1795 BRUNET, Pierre. *L'Introduction des théories de Newton en France au XVIIIᵉ siècle.* Vol. 1. Paris, A. Blanchard, 1931. 355 p. 25 cm.

P. 231-237.

1796 CARRÉ, J.-R. « Pascal et Voltaire. Raison ou sentiment. » *RMM* 42 : 358-373, juil. 1935.

Réimpr. du ch. 3 du numéro suivant.

1797 — *Réflexions sur « l'Anti-Pascal »* de Voltaire. Paris, Alcan, 1935. 121 p. 19 cm.

1798 GAUDIN, Lois S. *Les Lettres anglaises dans l'Encyclopédie.* New York, Privately printed, 1942. xvii, 256 p. 23,5 cm.

En partie sur l'influence de V.
C.R. : George R. Havens, *MLR* 58 : 303-304, Apr. 1943 ; Henri Peyre, *RR* 34 : 269-271, Oct. 1943.

1799   LANTOINE, Albert. *Les Lettres philosophiques de Voltaire.* Paris, Edgar
        Malfère, 1931. 192 p. 19 cm (Les grands événements littéraires).

        Etude des origines et de l'influence des *Lettres.*
        C.R. : Emile Henriot, *Temps* 20 oct. 1931, p. 2.

1800   LUPORINI, Cesare. « Voltaire e le *Lettres philosophiques.* » *Società* 6 :
        212-241, 411-437, 620-649, 1950.

        Grandement remanié et augmenté [in] *Voltaire e le « Lettres philoso-
        phiques. » Il concetto della storia e l'illuminismo.* Firenze, Sansoni,
        1955. 245 p. 20 cm. P. 1-198.
        C.R. : Nicola Matteucci, *Mulino* 6 : 143-148, feb. 1957 ; Roger Mercier,
        RHL 58 : 78-80, janv.-mars 1958 ; Glauco Natoli, *Belfagor* 12 : 97-99,
        31 gen. 1957.

1801   MENHENNET, David. « A note on Voltaire's political anglomania. » *Parlia-
        mentary affairs* 14 : 202-210, spring 1961.

1802   OAKE, Roger B. « A note on the 1752 text of *Lettres philosophiques.* »
        MLN 58 : 532-534, Nov. 1943.

1803   POMEAU, René. « En marge des *Lettres philosophiques* : un essai de
        Voltaire sur le suicide. » *RSH* N.S. fasc. 75 : 285-294, juil.-sept. 1954.

1804   VOLTAIRE, François-Marie Arouet de. *Lettres philosophiques.* Edition
        critique, avec une introduction et un commentaire par Gustave Lanson.
        5ᵉ éd., Paris, Droz, 1937. 2 v. 19 cm (Société des textes français
        modernes).

        Réimpr. : Nouveau tirage revu et complété par André M. Rousseau.
        Paris, Didier, 1964. 2 v. 18 cm (Société des textes français modernes).
        Le 1ᵉʳ vol. de ce dernier contient un « Avertissement du nouveau
        tirage », 6 pages de notes et une « Note typographique » ; 2 : 309-326,
        « Notes complémentaires. »
        C.R. : [Lionello Sozzi], *SFr* 10 : 155, gen.-apr. 1966.

1805   — *Lettres philosophiques, ou Lettres anglaises. Avec le texte complet des
        Remarques sur les Pensées de Pascal.* Introduction, notes, choix de
        variantes et rapprochements par Raymond Naves. Paris, Garnier [1938].
        xvi, 304 p. 19 cm.

        C.R. : Daniel Mornet, *RHL* 46 : 253, juil.-déc. 1939.

1806   — *Lettres philosophiques.* Edited by F. A. Taylor. Oxford, Blackwell,
        1943. xxxii, 184 p. 18,5 cm.

        Edition revue et augmentée : Oxford, Blackwell, 1946. lxi, 185 p.
        18 cm (Blackwell's French texts).
        C.R. : Donald F. Bond, *MP* 41 : 127, Nov. 1943 ; H. Temple Patterson,
        MLR 39 : 316-317, July 1944.

1807   — *Cartas filosoficas.* Trad. de E. Warschaver y G. Weinberg. Buenos
        Aires, Ed. Lautaro, 1952. 232 p.

1808   — *Lettere inglesi.* [Trad. Mauro Misul]. [Torino] Editore Boringhieri
        [1958]. vi, 178 p. (Enciclopedia di autori classici, 3).

        Première édition italienne.
        C.R. : Gabriele Armandi, *Mondo* 3 mar. 1959, p. 9.

MAHOMET

1809   BONDOIS, P. M. « Le Procureur-général Joly de Fleury et le *Mahomet* de
        Voltaire. » *RHL* 36 : 246-259, avr.-juin 1929.

1810   DI CASTRI, Luca. *Due falsi di Voltaire : la dedica del « Mahomet » e
        l'accettazione papale.* Napoli, R. Pironti, 1939. 21 p. 21,4 cm.

1811 FELICE, Renzo de. « Trois Prises de position italiennes à propos de Mahomet. » *SV* 10 : 259-266, 1959.

Trois pamphlets italiens du xvIIIe siècle révèlent des réactions à la dédicace de *Mahomet* à Benoît XIV.

1812 MARTINO, Pierre. « L'Interdiction du *Mahomet* de Voltaire et la dédicace au pape, 1742-45. » [In] *Mémorial Henri Basset. Nouvelles études [...] publiées par l'Institut des Hautes Etudes marocaines.* Paris, P. Guenther, 1928. 2 v. (Publications de l'Institut des Hautes Etudes marocaines, 17, 18). 2 : 89-103.

1813 — « Quelques Notes sur l'histoire et la géographie dans le *Mahomet* de Voltaire. » [In] *Mélanges de géographie et d'orientalisme offerts à E. F. Gautier.* Tours, Arrault, 1937. 464 p. 25 cm. P. 341-347.

1814 — « Un Réquisitoire contre Voltaire, 1746. » *RHL* 35 : 563-567, oct. 1928.

1815 MITCHELL, Robert Edward. « The genesis, sources, composition and reception of Voltaire's *Mahomet*. » DA 22 : 4018, May 1962.

1816 MÜHLBERGER, Josef. « Der zeitgemässe *Mahomet*. » *WuW* 2 : 197-198, Juli 1947.

Contient des observations sur la traduction de Gœthe.

1817 NOLTE, Fred O. « Voltaire's *Mahomet* as a source of Lessing's *Nathan der Weise* and *Emilia Galotti*. » *MLN* 48 : 152-156, Mar. 1933.

1818 ROOSBROECK, G. L. van, éd. « *L'Empirique* », *an unpublished parody of Voltaire's « Mahomet ».* New York, Institute of French Studies, 1929. 77 p. 21 cm.

1819 — « Une Parodie inédite du *Mahomet* de Voltaire. » *RHL* 35 : 235-240, avr.-juin 1928.

1820 САИТОВ, С. « С Вольтеровским сарказмом » [Avec un sarcasme voltairien]. Театральная жизнь 1965, n° 16 : 14-15. ill.

Sur une représentation de *Mahomet* en Bachkirie, avec des observations sur V adversaire de la religion et de la superstition.

1821 STEWART, Nancy. « The *Mahomet* of Voltaire and the *Mahomet* of Henri de Bornier. » *RR* 27 : 262-268, Oct.-Dec. 1936.

1822 TOBIN, Ronald W. « The sources of Voltaire's *Mahomet*. » *FR* 34 : 372-378, Feb. 1961.

1823 WATTS, George B. « Notes on Voltaire. » *MLN* 41 : 118-122, Feb. 1926.

MARIAMNE

1824 HARTLEY, K. H. « The sources of Voltaire's *Mariamne*. » *AUMLA* n° 21 : 5-14, May 1964.

MÉMOIRES POUR SERVIR A LA VIE DE M. DE VOLTAIRE

1825 CRANE, Ronald S. « The text of Goldsmith's *Memoirs of M. de Voltaire*. » *MP* 28 : 212-219, Nov. 1930.

1826 VOLTAIRE, François-Marie Arouet de. [...] *Mémoires, suivis de mélanges divers et précédés de « Voltaire démiurge »* par Paul Souday. Paris, Hazan [1927]. xxix, 217 p. 19 cm.

C.R. : Marcel Thiébaut, *RdP* 7 : 239-240, 1 juil. 1927.

1827 — *Mémoires pour servir à la vie de M. de Voltaire, écrits par lui-même.* Nouvelle édition accompagnée de notes, de commentaires et d'une étude bio-bibliographique par Fernand Mitton. Paris, G. Le Prat [1945]. 129 p. 18 cm (Collection des petits chefs-d'œuvre).

1828   — *Mémoires pour servir à la vie de M. Voltaire, écrits par lui-même,
        suivis de Lettres à Frédéric II.* Edition présentée et annotée par Jacques
        Brenner. [Paris] MdF, 1965. 241 p. 20,5 cm (Le Temps retrouvé, 1).

        C.R. : G. Mirandola, *SFr* 9 : 364-365, mag.-ag. 1965.

MÉROPE

1829   GUBLER, Max. *Mérope ; Maffei, Voltaire, Lessing. Zu einem Literatur-
        streit des 18. Jahrhunderts. ZBVL* 4, 1955. 90 p.

        Réimpr. : Zürich, Juris-Verlag, 1955. 91 p. 22,5 cm.

1830   HARTLEY, K. H. « Voltaire and Maffei. » *AUMLA* n° 6 : 42-46, May 1957.

1831   HORSLEY, Phyllis M. « Aaron Hill : an English translator of *Mérope.* »
        Comparative literature studies (Cardiff, Wales) 12 : 17-23, 1944.

1832   OLIVER, Thomas E. *The « Mérope » of George Jeffreys as a source of
        Voltaire's « Mérope ».* [Urbana] U of Illinois, 1927. 111 p. (U of
        Illinois studies in language and literature, vol. 12, n° 4).

        C.R. : H. C. Lancaster, *MLN* 43 : 561-562, Dec. 1928 ; G. L. van
        Roosbroeck, *RR* 21 : 257-259, 1930.

MICROMÉGAS

1833   BARBER, W. H. « The genesis of Voltaire's *Micromégas.* » *FS* 11 :
        1-15, Jan. 1957.

1834   CHERPACK, Clifton. « Proportion in *Micromégas.* » *MLN* 70 : 512-514, Nov.
        1955.

1835   C[LARESON], T[homas] D. « A note on Voltaire's *Micromégas.* » *Extra-
        polation* 2 : 4, 1960.

        A propos de Glass (voir ci-dessous).

1836   ENGSTROM, Alfred G. « Lucretius and *Micromégas.* » [In] *Romance studies
        presented to William Morton Dey* [...] Chapel Hill [U of North Caro-
        lina P] 1950. (U of North Carolina studies in Romance languages, 12).
        P. 59-60.

1837   FOLKIERSKI, Wladyslaw. « Voltaire contre Fontenelle ou la présence de
        Copernic. » [In] *Literature and science, proceedings of the sixth triennial
        congress, Oxford, 1954.* Oxford, Blackwell, 1955. P. 174-184.

1838   GLASS, Bentley. *Science and liberal education.* Baton Rouge, Louisiana
        State U P [1959]. x, 115 p. 21 cm.

        Voir p. 74-76.

1839   GOBERT, David L. « Comic in *Micromégas* as expressive of theme. » *SV*
        37 : 53-60, 1965.

1840   KAHANE, Ernest. « *Micromégas* et l'anticipation scientifique. » *Europe*
        37, n° 361-362 : 129-136, mai-juin 1959.

1841   MOREAU, Marie-Louise. « Conversation de Micromégas avec les hommes.
        Analyse d'un texte satirique. » *CAT* 1965, n° 7 : 72-81.

1842   NEDERGAARD-HANSEN, Leif. « Quelques contributions à la compréhension de
        Micromégas de Voltaire. » *OL* 10 : 429-442, 1955.

        Comparaison de ce conte avec les ouvrages de Cyrano de Bergerac
        et de Swift.

1843   — « Sur l'identité du *Baron de Gangan* avec *Micromégas,* et d'autres contri-
        butions à la compréhension des contes de Voltaire », *OL* 9 : 222-232, 1954.

1844　Voltaire, François-Marie Arouet de. *Voltaire's « Micromégas » ; a study in the fusion of science, myth, and art, by Ira O. Wade.* Princeton, Princeton U P, 1950. xii, 190 p. 21 cm (Princeton publication in modern languages, 10).

C.R. : Emile Malakis, *MLN* 66 : 347-348, May 1951 ; Marjorie Nicolson, *RR* 42 : 208-211, Oct. 1951 ; H. Temple Patterson, *MLR*, 47 : 403-404, July 1952 ; René Pomeau, *RSH* N. S. fasc. 65 : 93-94, janv.-mars 1952 ; O.R. Taylor, *FS* 5 : 276-277, July 1951.

LE MONDAIN

1845　Dédéyan, Charles. « Une Version inconnue du *Mondain*. » *RHL* 49 : 67-74, janv.-mars 1949.

Un complément à l'édition critique de Morize.

1846　Dyberg, Nils Olof. « *Le Mondain* de Voltaire. » [In] *Studier tillägnade Anton Blanck den 29 December 1946.* Uppsala, Svenska Letteratursäll-skapet, 1946. xii, 373 p. port. 26 cm. P. 80-93.

Sur les sources, la date de composition et la signification du poème.

1847　Raaphorst, Madeleine R. « Voltaire et la question du luxe. » *RUS* 51 : nº 3 : 69-80, 1965.

Cette étude poursuit le sujet au-delà du *Mondain*.

1848　Sablé, J. « Essai de géographie littéraire. Voltaire et le luxe. » *L'Ecole* (2e cycle, enseignement littéraire) 50 : 110, 143-144, 114, 1 nov. 1958.

1849　Styff, H. « *Le Mondain* i Sverige » [*Le Mondain* en Suède]. *Nysvenska studier* 17 : 210-218, 1937.

LA MORT DE CÉSAR

1850　Voltaire, François-Marie Arouet de. *La Mort de César.* Edition accompagnée de textes complémentaires [par] André-M. Rousseau. Paris, Soc. d'éditions d'enseignement supérieur, 1964. 197 p. 17,5 cm.

C.R. : Jérôme Vercruysse, *BIV* 3, nº 20 : 208-209, 1964.

ŒDIPE

1851　Derche, Roland. *Quatre Mythes poétiques (Œdipe, Narcisse, Psyché, Lorelei).* Paris, Soc. d'éditions d'enseignement supérieur, 1962. 198 p. 18 cm.

P. 42-51, « Œdipe de Voltaire, » par rapport à l'œuvre de Corneille et de Sophocle.

1852　Francq, H.-G. « Les Malheurs d'Œdipe. Etude comparée de l'*Œdipe* de Corneille, Voltaire, Sophocle, Sénèque, Gide, Cocteau. » *RUL* 20 : 209-224, 308-317, nov., déc. 1965 [à suivre].

1853　Jördens, Wolfgang. *Die französischen Œdipusdramen.* Bochum, Pöpping-haus, 1933. 150 p.

Voir p. 29-42.

1854　Stoll, Elmer E. « Œdipus and Othello : Corneille, Rymer and Voltaire. » *R anglo-américaine* 12 : 385-400, juin 1935.

Réimpr. [in] *Shakespeare and other masters.* Cambridge, Mass., Harvard U P, 1940. 430 p. 24,5 cm. P. 213-229.

1855　Van Eerde, John « The people in eighteenth-century tragedy from *Œdipe* to *Guillaume Tell*. » *SV* 27 : 1703-1713, 1963.

Voir p. 1703-1707 pour *Œdipe* et *Brutus*.

L'ORPHELIN DE LA CHINE

1856   BESTERMAN, Theodore. « Voltaire en 1755. » [In] [Monographie établie par Sylvie Chevalley, bibliothécaire-archiviste de la Comédie-Française à l'occasion de la reprise du 21 février 1965.] Paris, S.I.P.E., 1965. 27 p. P. 3-6.

1857   CHEVALLEY, Sylvie. « L'Orphelin de la Chine. » [In] [Monographie établie par Sylvie Chevalley, bibliothécaire-archiviste à la Comédie-Française à l'occasion de la reprise du 21 février 1965.] Paris, S.I.P.E., 1965. 27 p. ill. P. 7-26.

Sur les interprètes, le décor et les costumes, l'accueil du public, une parodie de la pièce et le couronnement de V.

1858   GOTÔ, Souéo. « L'Orphelin de la Chine et son original chinois. » RLC 12 : 712-728, oct.-déc. 1932.

1859   LEE-YOU, Ya Oui. Le Théâtre classique en Chine et en France d'après L'Orphelin de la Chine et l'Orphelin de la famille Tchao. Paris, Presses modernes, 1937. 187 p. Thèse, Paris.

1860   LEMARCHAND, Jacques. « L'Orphelin de la Chine de Voltaire à la Comédie-Française. » FL 4-10 mars 1965, p. 24.

C.R. d'une reprise de la pièce avec décor de Vercors.

1861   LIU WU-CHI. « The original Orphan of China. » CL 5 : 193-212, summer 1953.

Voir surtout p. 206-209, « Voltaire and L'Orphelin de la Chine. »

LE PHILOSOPHE IGNORANT

1862   VOLTAIRE, François-Marie Arouet de. Le Philosophe ignorant. Edited with an introduction by J. L. Carr. London, U of London P, [1965]. 152 p. 20 cm (Textes français classiques et modernes).

LA PHILOSOPHIE DE L'HISTOIRE

1863   — La Philosophie de l'histoire. Critical edition with introduction and commentary by J. H. Brumfitt. Genève, Institut et Musée Voltaire, 1964. 327 p. (SV, 28).

C.R. : Madeleine Laurent-Hubert, RHL 65 : 512-515, juil.-sept. 1965 ; TLS Jan. 14, 1965, p. 23 ; Renée Waldinger, RR 57 : 300-302, Dec. 1965.

POÈME SUR LA LOI NATURELLE

1864   — Voltaire's « Poème sur la loi naturelle » ; a critical edition. By Francis J. Crowley. Berkeley, Calif., U of Calif. P, 1938. 177-304 p. 23,5 cm (Publications of the U of Calif. at Los Angeles in languages and literatures, vol. 1, n° 4).

C.R. : J. David, MLQ 2 : 133-134, 1941 ; Herbert Dieckmann, MLN 56 : 233-234, Mar. 1941 ; Norman L. Torrey, RR 31 : 181-183, Mar. 1940 ; Paul Vernière, RHL 47 : 372-373, oct.-déc. 1947.

POÈME SUR LE DÉSASTRE DE LISBONNE

1865   CROWLEY, Francis J. « Pastor Bertrand and Voltaire's Lisbonne. » MLN 74 : 430-433, May 1959.

1866   — « A Persian source of Voltaire's Lisbonne. » MLN 72 : 428-430, June 1957.

1867   HAVENS, George R. « The beginning of Voltaire's Poème sur le désastre de Lisbonne. » MLN 62 : 465-467, Nov. 1947.

1868 — « The conclusion of Voltaire's *Poème sur le désastre de Lisbonne.* » *MLN* 56 : 422-426, June 1941.

1869 — « Voltaire's pessimistic revision of the conclusion of his *Poème sur le désastre de Lisbonne.* » *MLN* 44 : 489-492, Dec. 1929.

1870 NEGRI, Renzo. « L'Antivolterianismo del Varano e la Visione VII *Sopra il terremoto di Lisbona.* » *Conv* 30 N.S. : 156-167, mar.-apr. 1962.

Contraste du point de vue philosophique de V et de Varano.

1871 PERKINS, Merle L. « Concepts of necessity in Voltaire's *Poème sur le désastre de Lisbonne.* » *KFLQ* 3 : 21-28, first quarter 1956.

1872 ROHRER, B. *Das Erdbeben von Lissabon in der französischen Literatur des achtzehnten Jahrhunderts.* Heidelberg, Brausdruch G.M.B.H., 1933. 70 p.

P. 29-44, « Das philosophische Element. Voltaires *Poème sur le désastre de Lisbonne.* »

1873 SCHINZ, Albert. « Voltaire reread. » *MLN* 45 : 120, Feb. 1930.

Une correction textuelle.

PRÉCIS DU SIÈCLE DE LOUIS XV

1874 LAULAN, Robert. « Le Cas du chevalier d'Assas. » *MdF* 311 : 559-562, 1 mars 1951.

LA PRINCESSE DE BABYLONE

1875 FIELDS, Madeleine. « La Première Edition française de la *Princesse de Babylone.* » *SV* 18 : 179-182, 1961.

1876 LEGROS, R. P. « *L'Orlando furioso* et la *Princesse de Babylone* de Voltaire. » *MLR* 22 : 155-161, Apr. 1927.

1877 LILJEGREN, S. B. « Voltaire et l'Angleterre d'après *La Princesse de Babylone.* » [In] *Mélanges de philosophie offerts à M. Johan Melander* [...]. Uppsala, Lundquist [1943]. 24,5 cm. P. 222-234.

1878 TANNERY, Jean. « L'Edition originale de la *Princesse de Babylone.* » *BBB* N. S. 13 : 198-203, mai 1934.

LA PRINCESSE DE NAVARRE

1879 TIERSOT, Julien. « Voltaire et Rameau collaborateurs. » *R Musicale* 17 : 217-223, sept. 1936.

LA PUCELLE

1880 ADAMSKI, Jerzy. « Problem tekstu Wolterowskiej *Darczanki* » [Problèmes textuels de *La Pucelle*]. *KN* 6, n° 4 : 289-303, 1959.

Résumé en français à la fin.

1881 — « Wolter i przesłanki postawy Deistycznez » [Voltaire et les prémisses de la manière de penser déiste]. *Studia filosoficzne* n° 6 (9) : 56-86, 1958.

P. 85-86, résumés en russe et en anglais. Ce poème est important dans le développement de la pensée déiste de V.

1882 BRĂESCU, Ion. « Fecioara din Orléans de Voltaire » [La Pucelle d'Orléans de Voltaire]. *RFRG* 1 : 65-76, 1957.

P. 74-75, résumé en russe ; p. 75-76, résumé en français. Sur les divers aspects de l'importance philosophique et sociale du poème.

1883 C. N^r^. « Une source inédite de la *Pucelle* de Voltaire. » *Intermédiaire* 103 : col. 188-189, 15 mars 1940.

1884   CHENAIS, Margaret. « New light on the publication of the *Pucelle*. » *SV* 12 : 9-20, 1960.

1885   EHINGER, Georg. « Voltaires *Jungfrau*. » *Pforte* 2, H. 9 : 26-48, 1949.
        Étude générale de composition, critique et influence.

1886   HARLAND, Frances & Chandler B. BEALL. « Voltaire and Don Quijote : supplementary notes. » *MLF* 25 : 113-116, Sept. 1940.
        Cervantès comme source possible du chant XVIII.

1887   HARTLEY K. H. « Some Italian sources for *La Pucelle d'Orléans*. » *MLN* 72 : 512-517, Nov. 1957.

1888   JEANNÉ, Egide. *L'Image de la Pucelle d'Orléans dans la littérature française depuis Voltaire*. Paris, J. Vrin, 1935. 232 p. 24,5 cm.
        Voir p. 8-24.

1889   MARCUSE, Ludwig. « Einige Aufklärungen. » *Voltaire Club* 2 : 13-33 [1965].
        P. 15-19, « Schiller, Voltaire und die Jungfrau. »

1890   TOPAZIO, Virgil W. « Voltaire's *Pucelle* : a study in burlesque. » *SV* 2 : 207-223, 1956.

1891   « Voltaire : bibliography. » *N&Q* 161 : 136-137, Aug. 22, 1931.
        Questions à propos de la 1ʳᵉ édition.

PYGMALION, FABLE

1892   CARR, J. L. « Pygmalion and the *philosophes* ; the animated statue in eighteenth-century France. » *JWCI* 23 : 239-255, July-Dec. 1960.
        Voir p. 248-250.

QUESTIONS SUR LES MIRACLES

1893   PHILIPS, Edith. « Some changes contemplated by Voltaire in his *Questions sur les miracles*. » *MP* 28 : 360-362, Feb. 1931.

SAÜL

1894   BALDINI, Massimo. *La Genesi del « Saul » di Vittorio Alfieri*. Firenze, Le Monnier, 1934. 223 p.
        Voir p. 113-127.

LES SCYTHES

1895   BALDENSPERGER, Fernand. « Voltaire contre la Suisse de Jean-Jacques : la tragédie des *Scythes*. » *RCC* 32 (2) : 673-689, 30 juil. 1931.

1896   DAVID, Jean. « Les Scythes et les Tartares dans Voltaire et dans quelques-uns de ses contemporains. » *MLN* 53 : 1-10, Jan. 1938.
        Voir réponse de Fernand Baldensperger, *MLN* 53 : 318, Apr. 1938.

1897   VERCRUYSSE, Jérôme, éd. « Quelques vers inédits de Voltaire. » *SV* 12 : 55-61, 1960.
        A propos des *Scythes* et des *Guèbres*.

SÉMIRAMIS

1898   BJURSTRÖM, Per. « Mises en scène de *Sémiramis* de Voltaire en 1748 et 1759. » *RHT* 8 : 299-320, 1956. ill.

1899   VOLTAIRE, François-Marie Arouet de. *Sémiramis, tragédie*. Edition critique, Publiée par Jean-Jacques Olivier. Paris, Droz, 1946. xlix, 93 p. fac-sim. 19 cm (Textes littéraires français).
        C.R. : C. M. Girdlestone, *FS* 2 : 91-93, Jan. 1948.

SERMON DES CINQUANTE

1900   — *The sermon of the fifty.* The bicentennial edition, translated with introduction and notes by J. A. R. Séguin. New York, 1962. viii, 56 p. 24 cm.

[Second edition revised and enlarged] Jersey City, Paxton, 1963. vii, 60 p.

SERMON DU RABBIN AKIB

1901   — *Sermon du Rabbin Akib.* A photographic reproduction of the Genevan edition (1765) edited with a foreward by J. A. R. Séguin. Jersey City, Paxton, 1963. [5] 72-83 p. 24 cm.

SIÈCLE DE LOUIS XIV

1902   BOUVIER, Emile. « Contribution à l'étude des sources du *Siècle de Louis XIV*. » *RHL* 45 : 364-371, juil.-sept. 1938.

Sur un passage inspiré par un article du *Dictionnaire* de Bayle.

1903   BRUN, Max. « Contribution à l'étude d'une édition in-4° du *Siècle de Louis XIV* publiée en Angleterre un an après l'originale. » *LE* n° 26 : 134-145, 1961.

L'édition de Dodsley (1752).

1904   CONLON, P. M., éd. « Two letters of Mme de Graffigny to Maupertuis. » *SV* 2 : 279-283, 1956.

Sur la publication du *Siècle de Louis XIV*.

1905   FONTIUS, Martin. « Voltaires literarische Hilfsmittel in Berlin. » [In] *Neue Beiträge zur Literatur der Aufklärung.* [Herausgegeben von [...] Werner Krauss und [...] Walter Dietze]. Berlin Rütten und Loening, 1964, 485 p. (Neue Beiträge zur Literaturwissenschaft, 21). P. 77-105, 342-348.

Liste de 68 livres empruntés ou commandés par V pendant son séjour à Potsdam et analyse de la préparation du *Siècle de Louis XIV*.

1906   GROOS René. « *Le Siècle de Louis XIV* de Voltaire. » *MdF* 212 : 587-594, 15 juin 1929.

1907   MATTEUCCI, Nicola. « Voltaire e *Le Siècle de Louis XIV*. » *Mulino* 1, n° 1 : 32-39, nov. 1951.

1908   OAKE, Roger B. « An edition of Voltaire's *Siècle de Louis XIV*. » *PULC* 4 : 135-136, June 1943.

Description d'une édition in-4° publiée à Londres en 1752 par Dodsley.

1909   QUIGNARD, J. « Un Etablissement de texte : *Le Siècle de Louis XIV* de Voltaire. » *LR* 5 : 305-338, 1 nov. 1951.

Une comparaison d'éditions révèle chez V le souci du style et de la documentation.

1910   ROUSSENQ, A. « L'Histoire maritime du siècle de Louis XIV vue par Voltaire. » *Revue maritime* N. S. 58 : 216-222, fév. 1951.

1911   VIROLLE, Roland. « Explication française. Un bon roi selon Voltaire. » *L'Ecole* (2e cycle, enseignement littéraire) 49 : 317-319, 25 janv. 1958.

Explication du ch. 39 du *Siècle de Louis XIV*.

1912   VOLTAIRE, François-Marie Arouet de. *The Age of Louis XIV and other selected writings.* Newly translated and abridged with an introduction by J. H. Brumfitt. New York, Washington Square P [1963]. xxxviii, 346 p. 22 cm (The great histories).

Réimpr. : New York, Twayne Publishers [1965]. xxxviii, 346 p. 22 cm. P. vii-xxxiii, introduction.

1913   — *Il Secolo di Luigi XIV.* Introduzione di Ernesto Sestan. Traduzione
di Umberto Morra. [Torino] Einaudi [1951]. lvi, 523 p. (Scrittori di
storia).

Réimpr. de l'introduction : « Significato del *Siècle de Louis XIV.* »
[In] *Europa settecentesca ed altri saggi.* Milano, Napoli, Riccardi, 1951.
263 p. 23 cm. P. 86-134.

C.R. : Vittorio de Caprariis, *Spettatore italiano* 4 : 324-328, 1951 ;
Silvio Furlani, *ICS* 34 : 75-76, luglio 1951 ; Claudio Pavone, *Società*
7 : 532, 1951.

SOCRATE

1914   DAVIS, Rose Mary. « [James] Thomson and Voltaire's *Socrate.* » *PMLA* 49 :
560-565, June 1934.

SOPHONISBE

1915   AXELRAD, A. José. *Le Thème de Sophonisbe dans les principales tragédies
de la littérature occidentale. (France, Angleterre, Allemagne)* [...]. Lille,
Bibliothèque universitaire, 1956. 188 p. 25 cm.

P. 78-81, « Voltaire. »

TANCRÈDE

1915A   BORNE, E. van den. « *Tancrède* et la querelle avec Fréron. » *R franco-belge*
12 : 28-36, 93-104, 1932.

1916   CIORANESCO, Alex. « *Tancrède* de Voltaire et ses sources épiques. » *RLC*
19 : 280-292, avr.-juin 1939.

1917   GAIFFE, Félix. « La Publication et les premières éditions de *Tancrède.* »
[In] *Mélanges* [...] *Joseph Vianey.* Paris, Presses françaises, 1934. 513 p.
25,5 cm. P. 277-289.

1918   — « Quelques précisions sur *Tancrède* de Voltaire. » *RU* 43 (1) : 318-
338, avr. 1934.

1919   PIKE, Robert E. « Voltaire : *Le Patriot insulaire.* » *MLN* 57 : 354-355,
May 1942.

Une pièce appelée *Le Patriot insulaire* dans le *Public advertiser* (Londres, le 27 nov. 1759) est *Tancrède.*

LE TAUREAU BLANC

1920   CROWLEY, Francis J. « Note sur *Le Taureau blanc.* » *RHL* 61 : 60-61,
janv.-mars 1961.

1921   VOLTAIRE, François-Marie Arouet de. *Le Taureau blanc.* Edition critique
par René Pomeau. Paris. Nizet, 1956 [1957] ; Lyon, Ed. et imprimeries
du Sud-Est, 1956, lxxii, 99 p. 18,5 cm.

C.R. : H. Coulet, *RHL* 58 : 234-235, avr.-juin 1958 ; Arnaldo
Pizzorusso, *SFr* 2 : 320, mag.-ag. 1958.

LE TEMPLE DU GOUT

1922   ROOSBROECK, G. L. van. « The original version of Voltaire's *Temple du
goût.* » *RR* 25 : 324-341, Oct.-Dec. 1934.

1923   VIROLLE, Roland. « Explication de texte. Voltaire : *Le Temple du goût.* »
L'Ecole (2e cycle, enseignement littéraire) 47, no 10 : 316-317, 4 fév.
1956.

1924 VOLTAIRE, François-Marie Arouet de. *Le Temple du goût*. Edition critique par E. Carcassonne. Paris, E. Droz, 1938. 192 p. 19 cm (Soc. des textes français modernes).

Réimpr. : 2ᵉ édition. Genève, Droz, 1953. 202 p. (Textes littéraires français).

C.R. : George R. Havens. *RR* 31 : 77-78, Jan. 1940 ; Albert Schinz, *MLN* 54 : 301, Apr. 1939.

TOUT EN DIEU

1925 [—] « Todo en Dios. Comentario sobre Malebranche por Voltaire. » (Traducción, introducción y notas de Elisabeth Goguel de Labrousse.) *Notas y estudios de filosofía* 2 : 142-163, abril-junio de 1951.

TRAITÉ DE MÉTAPHYSIQUE

1926 PATTERSON, H. Temple. « Voltaire's *Traité de métaphysique*. » *MLR* 33 : 261-266, Apr. 1938.

1927 VOLTAIRE, François-Marie Arouet de. *Traité de métaphysique (1734)*. Reproduced from the Kehl text, with preface, notes and variants, by H. Temple Patterson. [Manchester] Manchester U P, 1937. xv, 76 p. 18,5 cm.

Réimpr. : 2nd edition. [Manchester] Manchester U P, 1957. xv, 76 p. 18,5 cm.

C.R. : F. Orlando, *SFr* 3 : 148-149, gen.-apr. 1959.

TRAITÉ SUR LA TOLÉRANCE

1928 GURANOWSKI, Jan. « Nad Wolterowskim *Traktaten o tolerancji* » [Sur le *Traité sur la tolérance* de Voltaire]. *Nowe drogi* 10, n° 9 : 118-127, Wrzesień 1956.

C. R. du *Traktat o tolerancji napisany z powodu śmierci Jana Calasa* [Traité sur la tolérance écrit à cause de la mort de Jean Calas]. Warszawa, P.I.W., 1956.

1929 VOLTAIRE, François-Marie Arouet de. *Traité sur la tolérance*. Précédé d'un essai d'Emmanuel Berl sur Voltaire et la liberté et d'une préface d'Adrien Lachenal. Genève, Editions du cheval ailé [1948]. 236 p. 19 cm.

P. 9-25, « Préface » ; p. 27-63, « Voltaire et la liberté. »

1930 — *Traktat om Toleransen*. Med inledning av Herbert Tingsten. Stockholm, Bokförlaget Prisma [1964]. 160 p. 18,5 cm.

P. 7-17, introduction.

1931 — *Trattato sulla tolleranza* [...]. A cura di Palmiro Togliatti. Milano, Universale economica, 1949. 131 p. P. 5-8, Prefazione.

Préface trad. en allemand : « Vorward zur Voltaires *Traktat über die Toleranz*. » *Deutsche Zeitschrift für Philosophie* 2 : 149-152, 1954.

VIE DE MOLIÈRE

1932 MONGRÉDIEN, Georges. « Les Biographes de Molière au XVIIIᵉ siècle. » *RHL* 56 : 342-354, juil.-sept. 1956.

Voir p. 350-354.

VOIX DU SAGE ET DU PEUPLE

1933 SHACKLETON, Robert. « Voltaire and Montesquieu : a false attribution. » *SV* 6 : 155-156, 1958.

Une édition des *Observations on government* [...] (Dublin, 1751) attribuée à Montesquieu est en réalité la *Voix du sage et du peuple*.

ZADIG

1934   COUFFIGNAL, Robert. « Visages de l'humanisme français. Voltaire ou l'humanisme de la raison. » *Pédagogie*, oct. 1954, p. 529-537.

          Analyse du ch. XI, « Le Bûcher. »

1935   COWPER, Frederick A. G. « The hermit story as used by Voltaire and Mark Twain. » [In] *In honor of the 90th birthday of Ch. Frederick Johnson.* Hartford, Conn., [1928]. 379 p. 23,5 cm.

          Voir p. 313-317, « Zadig. »

1936   CUFF, George. « Cien años de novela policiaca. IV. El Precedente de Voltaire. » *Indice de artes y letras* 7, nº 47 : 2, 15 de enero 1952.

1937   FOULET, Alfred. « Zadig and Job. » *MLN* 75 : 421-423, May 1960.

1938   GENGOUX, Jacques. « Zadig et les trois puissances de Voltaire. » *LR* 16 : 115-147, 266-274, 340-362, 1ᵉʳ mai, 1ᵉʳ août, 1ᵉʳ nov. 1962.

          La sagesse humaine est basée sur le développement complet du corps, de l'esprit et du cœur.

1939   GUINARD, Paul J. « Une Adaptation espagnole de *Zadig* au xviiiᵉ siècle. » *RLC* 32 : 481-495, oct.-déc. 1958.

1940   HOLMBERG, Olle. « Zadig och Candide » [Zadig et Candide]. [In] *Festskrift tillägnad Yrjö Hirn den 7. December 1930.* Helsingfors, Holger Schildts, 1930. 467 p. ill. P. 151-162.

1941   HUDSON, Arthur Palmer. « The hermit and Divine Providence. » [In] *Royster memorial studies edited by Louis B. Wright* [...]. Chapel Hill, U of North Carolina P, 1931. x, 329 p. 24,5 cm (Réimpr. d'U de North Carolina studies in philology, 28, nº 3). P. 218-234.

          Une comparaison systématique des 5 versions de l'histoire et des sources.

1942   LICHTENSTEIN, Julius. « The title of Voltaire's *Zadig.* » *FR* 33 : 65-67, Oct. 1959.

          Sur la possibilité d'une origine hébraïque du nom.

1943   LOSS, H. « An analogue of *L'Ermite* in *Zadig.* » *MLN* 61 : 115-118, Feb. 1946.

1944   — « A prototype of the story in *Zadig* ch. III : Le chien et le cheval. » *MLN* 51 : 576, Dec. 1937.

1945   MEYERSON, Harold. « Note on the etymology of names in Voltaire's *Zadig.* » *MLN* 54 : 597-598, Dec. 1939.

1946   PEAIRS, Edith. « The hound, the bay horse, and the turtle dove : a study of Thoreau and Voltaire. » *PMLA* 52 : 863-869, Sept. 1937.

1947   ROVILLAIN, Eugène E. « Rapports probables entre le *Zadig* de Voltaire et la pensée stoïcienne. » *PMLA* 52 : 374-389, June 1937.

1948   — « Sur le *Zadig* de Voltaire ; quelques autres influences. » *PMLA* 46 : 533-539, June 1931.

          Continuation du numéro suivant.

1949   — « Sur le *Zadig* de Voltaire ; quelques influences probables. » *PMLA* 43 : 447-455, June 1928.

1950   SIEGEL, June Sigler. « Voltaire, *Zadig*, and the problem of evil. » *RR* 50 : 25-34, Feb. 1959.

1951   VIROLLE, Roland. « Explication de texte : Zadig et l'art de vivre voltairien. » *L'Ecole* (2ᵉ cycle, enseignement littéraire) 51, nº 7 : 231-232, 5 déc. 1959.

1952   VOLTAIRE, François-Marie Arouet de. *Zadig ou la destinée, histoire orientale.* Edition critique, avec une introduction et un commentaire par Georges Ascoli [...]. Paris, Hachette, 1929. 2 v. 19 cm (Soc. des textes français modernes).

Deuxième tirage revu et complété par Jean Fabre. Paris, Didier, 1962. 2 v. 19 cm (Soc. des textes français modernes).
C.R. : G. L. van Roosbroeck, *MP* 29 : 125-127, 1931-32.

1953   — *Zadig; ou la destinée.* Edité par Verdun L. Saulnier. Paris, Droz, 1946. xxxvii, 102 p. 19 cm (Textes littéraires français).

Edition augmentée : Introduction et notes de V. L. Saulnier. Nouvelle édition refondue et augmentée. Genève, Droz ; Paris, Minard, 1965. xl, 126 p. (Textes littéraires français, 6).
C.R. : M. Gerard Davis, *FS* 5 : 172-173, Apr. 1951.

1954   — *Zadig ou la destinée.* A cura di Massimo Colesanti. [Firenze] Sansoni [1963]. xliv, 154 p. 20 cm (Collana di classici francesi).

L'introduction et les notes sont en français.

1955   VON DER MÜHLL, E. « Une Source du *Zadig* de Voltaire. » *MLN* 52 : 268, Apr. 1937.

1956   WILLARD, Nedd. « *Zadig* and *Rasselas* considered. » [In] *Bicentenary essays on « Rasselas » collected by Magdi Wahba.* Cairo, S.O.P.-Press, 1959. 123 p. pl. 24 cm (Supplement to *Cairo studies in English*). P. 111-123.

ZAIRE

1957   GAIFFE, Félix. « Une Parodie inédite de *Zaïre.* » *BSHT* 2 : 68-76, juil. 1934.

1958   LIÈVRE, Pierre. « Théâtre : *Zaïre.* » *MdF* 251 : 144-147, 1 avr. 1934.

1959   PIKE, Robert E. « Fact and fiction in *Zaïre.* » *PMLA* 51 : 436-439, June 1936. Sources.

1960   TREICH, Léon. « Le Bicentenaire de *Zaïre.* » *NL* 6 août 1932, p. 4.

1961   VOLTAIRE, François-Marie Arouet de. *Zaïre ; tragédie.* Avec une notice biographique, une notice historique et littéraire, des notes explicatives, des jugements [...] par Julien Grentzberger. Paris, Larousse [1938]. 106 p. 17 cm (Classiques Larousse).

1962   WYSPIAŃSKI, Stanisław. *Dzieła zebrane.* Tom 10 : *Fragmenty dramatyczne Zygmunt August.* Kraków, Wydawnictwo literackie [1960]. 414 p. ill. 20 cm.

P. 155-174, « Zara », traductions de *Zaïre* par Wyspiański ; p. 355-362, notes.

ZULIME

1963   CROWLEY, Francis J. « Notes on Voltaire's *Zulime.* » *RR* 46 : 108-111, Apr. 1955.

D. OUVRAGES APOCRYPHES

CONNAISSANCE DES BEAUTÉS [...]

1964   BESTERMAN, Theodore. « Note on the authorship of the *Connaissance des beautés.* » *SV* 4 : 291-294, 1957.

Ouvrage attribué à David Durand.

ÉLOGE DE L'EUCHARISTIE

1965   J. M. « Voltaire : *Eloge de l'Eucharistie.* » *Intermédiaire* 97 : 3, 15 janv. 1934. (Réponses : col. 360, 454-455, 694).

LE MÉDIATEUR D'UNE GRANDE QUERELLE

1966   FRÉMONT, Hélène. « Sur un mémoire en faveur des Jésuites attribué à Voltaire. » *BBB* N.S. 1955 : 99-107.

1967   VIDAL, Gaston. « Une Publication de Voltaire demeurée inconnue, *Le Médiateur d'une grande querelle.* » *BBB* N.S. 1953 : 283-292. fac-sims.

1968   — « Voltaire et *Le Médiateur d'une grande querelle.* » *BBB* N.S. 1956 : 49-70.

OUVRAGES DIVERS

1969   « Voltaire : trois pièces qui lui sont attribuées. » *Intermédiaire* 100 : 573, 15 juil. 1937.

   Les Philippiques, Parodie de la dernière scène de Mithridate, Le Maquereau changé en rouget.

VIE PRIVÉE DU ROI DE PRUSSE

1970   [VOLTAIRE, François-Marie Arouet de]. *Vita privata di Federico II.* Traduzione di Giorgio Bassi. Con un saggio di Alberto Savinio. Roma, Atlantica, 1945. 151 p. (Lo Zodiaco).

   P. 9-39, « Saggio ».

VII

ANNIVERSAIRES

1971 ANGRAND, Cécile. « Pour le 250ᵉ anniversaire de Voltaire. » *Pensée* N.S. nº 1 : 55-68, oct.-déc. 1944.

1972 Деборин, А. М. « Франсуа-Мари Вольтер (к 250-й годовщине со дня рождения) » [François-Marie Voltaire (en mémoire du 250ᵉ anniversaire de sa naissance)]. Вестник ANSSSR 14 nº 11-12 : 59-77, 1944.

1973 HESSE, Franz. « *König Voltaire* (zum 255. Geburtstag Voltaires). » *GuT* 4 : 499-502, 1949.

1974 *Hommages à Voltaire, Anatole France, Gabriel Fauré, Paul Valéry*. Paris, Imprimerie nationale, 1945. 48 p. (Ministère de l'éducation nationale. Supplément au nº 48 du *Bulletin officiel*).

P. 6-20, série de discours en mémoire du 250ᵉ anniversaire de la naissance de V : p. 7-10, Emile Henriot ; p. 11, Henri Wallon ; p. 13-17, Paul Valéry ; p. 19-20, René Capitant.

1975 HUGO, Victor. « Le Centenaire de Voltaire [...] » *BIV* 1, nº 7 : 56-62, juin 1962.

1975A — « Rede auf Voltaire. » *SuF* 4, H. 1 : 11-20, 1952.

Réimpr. : *GuZ* 1961, nº 1 : 79-85.
Traduction du célèbre discours prononcé par Hugo lors du 100ᵉ anniversaire de la mort de V.

1976 Комаров, В. Л. « Апостол разума (к 250-летию со дня рождения Вольтера) » [Apôtre de la raison (en mémoire du 250ᵉ anniversaire de la naissance de Voltaire]. Наука и жизнь 1945, nº 1 : 39-40. port.

1977 Лифшиц, М. « Великий французский просветитель (к 175-летию со дня смерти Вольтера) » [Le Grand illuminateur français (en mémoire du 175ᵉ anniversaire de la mort de Voltaire)]. *NouM* 29, nº 6 : 239-255, 1953.

1978 Митов, Д. Б. « Волтер » [Voltaire]. Литературен фронт 9, nº 23 : [4], 4 юни 1953.

1979 Нечкина, М. « Вольтер и русское общество, к 250-летию со дня рождения Вольтера » [Voltaire et la société russe, en mémoire du 250ᵉ anniversaire de la naissance de Voltaire]. Большевик nº 22 : 30-39, ноябрь 1944.

1980 PORZIO, Guido. « La celebrazione in Francia e in Italia del primo centenario della morte di Voltaire. » *Fatti e teorie* 1950 (XI-XII) : 3-13.

1981   SCHREIBER, Flora R. « Voltaire in American thought and action. A round table broadcast. » *French forum* ser. 7, n° 10 : 334-339, Dec. 1944.

1982   SEEHOF, Arthur. « Voltaire, die Toleranz und McCarthy. Zu Voltaires 175. Todestag, am 30. Mai 1953. » *Befreiung* 1 : 115-116, 1. Juni 1953.

1983   « Le Souvenir de Voltaire. » *Carrefours de culture humaniste* 2 : 157-164, janv.-fév. 1945.

Résumé d'hommages à V dans la presse lors du 250ᵉ anniversaire de sa naissance. Voir aussi n° 619.

1984   Тулисов, М. П. « К 175-летию со дня смерти великого французского философа-просветителя Вольтера » [En mémoire du 175ᵉ anniversaire de la mort du grand philosophe-illuminateur français, Voltaire]. Вопросу философии 1953, n° 4 : 231-236.

Compte rendu de la session plénière de la Section des sciences sociales tenue à Moscou le 29 mai 1953 pour commémorer le 175ᵉ anniversaire de la mort de V. On considéra surtout son intérêt pour l'histoire russe et l'influence de ses idées sur les écrivains russes.

1985   UHLMANN, A. M. « Liegt nicht in seinem Programm eine ganze Revolution ? Zur Wiederkehr des 175. Todestages des grossen französischen Aufklärers Voltaire am 30. Mai. » *Börsenblatt für den deutschen Buchhandel* 120 : 448-450, 30. Mai 1953. ill.

1986   « We celebrate Voltaire's birth. » *PW* 146 : 107, July 8, 1944.

VIII

MÉLANGES

1987   « An anecdote of Voltaire. » *N & Q* 175 : 423, 463 ; 176 : 213 ; 179 : 376 ; Dec. 10, 24, 1938 ; Mar. 25, 1939 ; Nov. 23, 1940.

Une citation faussement attribuée à V vient de Guillaume Bautru, comte de Serrant.

1988   AUDEN, W. H. « Voltaire at Ferney. » *Poetry* 54 : 119-121, June 1939.

Un poème.

1989   BERNSTEIN, Leonard. *Candide ; a comic opera based on Voltaire's satire.* Book by Lillian Hellman. Music by Leonard Bernstein. Lyrics by Richard Wilbur. Other lyrics by John Latouche, Dorothy Parker, Lillian Hellman and Leonard Bernstein. Vocal score. New York, G. Schirmer [1958]. 203 p. 21 cm.

1990   BERSON, Simone. *Les Rencontres imaginaires.* Vol. 2 : *Du château de Ferney aux ruines de la Bastille.* Bruxelles, Renaissance du livre, 1956. 218 p. 18 cm.

P. 7-40, « C'est la faute à Voltaire. »
C.R. : [Jérôme Vercruysse], *BIV* 2, n° 13 : 116-117, janv. 1963.

1991   BRAYBROOKE, David. « Professor Stevenson, Voltaire and the case of Admiral Byng. » *JP* 53 : 787-796, Nov. 22, 1956.

1992   « Brevet de la Calotte pour M. de Voltaire de grand bâtonnier du régiment, poème. » *MdF* 285 : 576, 1er août 1938.

1993   BRULEZ, Raymond. *De beste der Werelden ; zeer vrij naar Voltaire's « Candide ou l'optimisme ».* [Le Meilleur des mondes ; très librement d'après « Candide ou l'optimisme » de Voltaire]. Antwerpen, Uitgeverij Ontwikkeling, 1953. 127 p. 3 pl.

Une pièce en trois actes.

1994   CASTELNUOVO-TEDESCO, Mario. *Candide.* [Piano solo]. Six illustrations for the novel by Voltaire. Los Angeles, Delkas [1947]. 32 p.

1995   « Une Citation de Voltaire par Carlyle. » *Intermédiaire* 89 : 192, 10 mars 1926 ; 92 : 770, 846, 20-30 oct., 10 nov. 1929.

1996   CONNOLLY, Cyril. *Condemned playground ; essays : 1927-1944.* New York, Macmillan, 1946. xiii, 287 p. 21 cm.

P. 164-168, « An unfortunate visit. »

1997   CRIST, Clifford M. « Voltaire in the eighteenth and nineteenth-century theatre. » *MLN* 51 : 145-151, Mar. 1936.

Liste de pièces sur V.

1998   DAVY, Charles. « Voltaire. » *Spectator* 152 : 14, Jan. 5, 1934.
        C.R. d'un film.

1999   DE HAAS, Arline & A. P. WAXMAN. *Voltaire. A play in three acts.* Lam-
        bertsville, N.J., Record-News P [c. 1931].

2000   DOBRÉE, Bonamy. *As their friends saw them ; biographical conversations.*
        London, J. Cape [1933]. 154 p. 19,5 cm.

        P. 65-72, « Young Voltaire. »

2001   — « Young Voltaire ; a conversation between William Congreve and
        Alexander Pope. » *Nation* (London) 40 : 179-180, 6 Nov. 1926.

2002   ENDORE, Guy. *The heart and the mind : the story of Rousseau and Voltaire.*
        London, W. H. Allen, 1962. 360 p. 23 cm.

2003   — *Voltaire ! Voltaire ! ; a novel* [...]. New York, Simon and Schuster, 1961.
        507 p. 22 cm.

        C.R. : Frederick Morton, *NYTBR* June 18, 1961, p. 4-5.

2004   *Esprit de Voltaire.* Paris, Gallimard, 1927. 156 p. (Collection d'Anas [...]
        n° 26).

        Recueil d'anecdotes par V et à son sujet.

2005   « Un Film aux prises avec la censure : les aventures de Candide en 1960. »
        L'Express 15 déc. 1960, p. 50-51. ill.

        Traduction anglaise : « *Candide,* the film the French won't let us see. »
        Atlas 1, n° 1 : 47-49, Mar. 1961. ill.
        C.R. d'un film.

2006   FORREST, Mark. « Voltaire in strange company. » *SatR* 157 : 27, Jan. 6, 1934.
        C.R. du film avec George Arliss.

2007   FORSTER, E[dward]. M. « But... » E. M. Forster on Voltaire's visit to
        Frederick the Great. » *Listener* 25 : 120-121, Jan. 23, 1941.

2008   — « Fog over Ferney ; a fantasy... » *Listener* 60 : 1029-1030, Dec. 18,
        1958. port.

2009   — « Happy ending [Ferney]. » *New statesman* 20 : 442, Nov. 2, 1940.

2010   HALE, William Harlan. « A memorandum ; From : François-Marie Arouet
        de Voltaire ; To : the spacemen ; Subject : on ascending from the
        best of possible worlds. » *Horizon* 4, n° 1 : 18-19, Sept. 1961.

2011   HELLMAN, Lillian. *Candide ; a comic operetta based on Voltaire's satire.*
        Score by L. Bernstein. Lyrics by R. Wilbur. Other lyrics by J. Latouche
        and D. Parker. New York, Random House [1957]. 143 p. 21 cm.

2012   HÉROLD, A.-Ferdinand. *Zadig. Comédie musicale en quatre actes en cinq
        tableaux.* D'après Voltaire. Musique de Jean Dupérier. Paris, MdF,
        1938. 124 p.

        Texte en vers. Présenté la première fois le 17 juin 1938.
        C.R. : René Dumesnil, *MdF* 285 : 727-730, 1 août 1938.

2013   HILDEBRAND, Joel H. « Voltaire on education. » *School and society* 54 :
        232-240, Sept. 27, 1941. Discussion : 54 : 443-444, 595-596 ; 55 :
        105-106 ; Nov. 15, Dec. 20, 1941 ; Jan. 24, 1942.

        Présentation pseudo-savante d'un ouvrage de V nouvellement découvert.

2014   JINESTA, Carlos. « Voltaire y Rodó. » *Repertorio americano* 28 : 294, 19
        de mayo 1934.

2015   KINNE, Burdette I. « Voltaire never said it ! » *MLN* 58 : 534-535, Nov. 1943.
        « I disapprove of what you say, but I will defend to the death your
        right to say it. »

2016   LEMBOURN, Hans Jørgen. *The best of all worlds or, What Voltaire never knew*. Tr. from the Danish by Evelyn Ramsdan with drawings by Gunvor ōvden Edwards. New York, G. P. Putnam's sons [1961]. 192 p. 22 cm.

Une satire du monde actuel à la manière de V.

2017   LENKEI, Heinrich. « Interview with Voltaire. » *Living age* 330 : 102-105, July 10, 1926.

Réimpr. du *Pester Lloyd* (Budapest). Interview imaginaire par le *MdF* (mai 1778).

2018   MADARIAGA, Salvador de. *Elysian fields ; a dialogue in which Gœthe, Mary Stuart, Voltaire, Napoleon, Karl Marx, and President Washington hold discourse on present events, discuss fascism and communism and the organic unity of healthy societies and examine the evil effects of the cinematograph (otherwise known as the moving pictures) on the peace of nations, as well as the causes of America's reluctance to join the League of Nations. To this effect calling from their slumbers the spirit of a film actress asleep on the edge of her swimming pool in Beverly Hills and the spirit of a senator (fortunately unknown) asleep on the edge of a debate on the Capitol Hill, the first being as thrilled at seeing General Washington in his (astral) flesh as the second is awed and perplexed at hearing him in his living spirit*. London, George Allen & Unwin ltd. [1937]. 9-110 p. 18 cm.

Réimpr. : New York, Oxford, 1938.

2019   « Un Mot de Voltaire. » *Intermédiaire* 98 : 959-960, 30 déc. 1935.

« Mentez, mentez toujours, il en restera quelque chose. »

2020   NOLST TRENITÉ, J. G. L. « *Zaïre* » *vrij bewerkt naar Voltaire door J. G. L. Nolst Trenité met coupletten en musiek door Charivarius* [« Zaïre » librement adapté d'après Voltaire par J. G. L. Nolst Trenité avec vers et musique par Charivarius]. Tweede Druck. Haarlem, N/V H. D. Tjeenk Willink & Zoon, 1929. 27 p. 20 cm (Dilettanten-tooneel onder redactie van G. Nolst Trenité, 9).

2021   PALMAROCCHI, R., éd. *Voltaire : aneddoti*. Roma, Formiggini [1930]. 125 p. 21 cm.

2022   PICARD, Gaston. « De M. Thiers à M. Voltaire. » *Renaissance* 15, n⁰ 36 : 5, 3 sept. 1927.

2023   PUAUX, René. « Candide reçoit le chevalier de Lowenskiold. » *MdF* 258 : 247-256, 1ᵉʳ mars 1935.

Fantaisie à la manière de V.

2024   RIDING, Laura. *Voltaire, a biographical fantasy*. London, Hogarth P, 1927. 30 p.

2025   SAISSELIN, Rémy G. « Du nouveau sur Voltaire, ou Voltaire et le symbole. » *Bayou* 24, cahier 81-82 : 36-39, printemps-été 1960.

2026   — « Pangloss, Martin, and the disappearing eighteenth century. » *CLS* 2 : 161-170, 1965.

2027   Соловьев, Всеволод Сергеевич. Вольтерьянец ; роман конца XVIII века [Les Voltairiens ; roman de la fin du xviiiᵉ siècle]. Вашингтон, Камкин, 1961. 2 v. 22 cm (Хроника четырех поколений).

2028   TRILLAT, Ennemond. *En marge de Voltaire. Le mot et la chose. XVIIIᵉ siècle*. Musique E. T. Lyon, Béal, 1960. 4 p. 31 cm.

2029   — *Gertrude, conte en vers de Voltaire mis en musique* [...]. [Lyon, Béal]
        1960.

2030   — *Trois Epîtres de Voltaire pour chant et piano ou clavecin : La Peau
        du tambour, Le Voyage inutile, L'Impossible Bonheur.* Lyon, Béal [1959].

2031   — *Voltaire : « Les Tu et les vous ».* Musique [...] Lyon, Béal, 1960.

2032   — *Voltaire : poésie arabe du IXe siècle.* Musique [...] [Lyon, Canaria] 1960.

2033   URN, Althea. « Voltaire monodic. » *TQ* 6, n° 1 : 121-136, spring 1963.

2034   VALENTINE, P. F. « Voltaire speaks again. » *School and society* 54 : 443-
        444, Nov. 15, 1941.

2035   VERCRUYSSE, Jérôme. « C'est la faute à Rousseau, c'est la faute à Voltaire. »
        SV 23 : 61-76, 1963.

        La fortune historique du refrain.

2036   — « Le Franc Voltaire. » *BIV* 3, n° 19 : 196-197, 1964.

        Sur le billet de 10 FF.

2037   VESTDIJK, Simon. *De filosoof en de sluipmoordenaar ; roman* [Le Philosophe
        et l'assassin]. 'sGravenhage, Rotterdam, Nijgh & Van Ditmar, 1961.
        264 p.

2038   WEBER, Jean-Paul. « On ne pouvait donc pas laisser Candide cultiver son
        jardin ? Le Cinéma s'attaque aujourd'hui à Voltaire ! » *FL* 30 juil.
        1960, p. 3.

IX

ICONOGRAPHIE

2039 BENISOVICH, Michel. « Houdon's statue of *Voltaire seated.* » *Art bulletin* 30 : 70-71, Mar. 1948.

Histoire de la statue actuellement à la Comédie-Française.

2040 BESTERMAN, Theodore. « Une Iconographie des œuvres de Voltaire. » *Musées de Genève* 1 (N.S.), n° 5 : 2-3, mai 1960. pl.

2041 — « La Terre cuite du *Voltaire assis* exécutée par Houdon pour Beaumarchais. » *Genava* N.S. 5 : 149-159, déc. 1957. pl.

Remanié et traduit en anglais : « The terra-cotta statue of Voltaire made by Houdon for Beaumarchais. » *SV* 12 : 21-27, 1960. pl.
Réimpr. [in] *Voltaire essays and another.* London, 1962. P. 124-130.
Etude d'une statue actuellement aux Délices.

2041A BIEHAHN, Erich. « Das Rheinsberger Voltaire-Bildnis. » *Archiv für Kulturgeschichte* 47 : 249-251, 1965.

2042 BILLY, André. « Pour la statue de Voltaire. » *Figaro,* Supplément littéraire 6 déc. 1941, p. 3-4.

Protestation contre la condamnation de la statue de V au quai Malaquais.

2043 BRIÈRE, G. « Portrait de Voltaire. » *Bull musées de France* 3 : 127, 1931.

2044 « Buste de Voltaire. » *Renaissance* 14 : 134, avr. 1931.

En marbre par Houdon.

2045 CANDAUX, Jean Daniel. « Un Buste de Houdon au Musée Voltaire. » *Musées de Genève* 14, n° 2 : [2], fév. 1957. ill.

2046 DEONNA, W. « Portraits de Voltaire par Jean Huber. » *Genava* 16 : 171-172, 1938.

2047 « Disparition d'une statue de Voltaire. » *MdF* 246 : 508-509, 1 sept. 1933.

Celle de la mairie du IXᵉ arrondissement.

2048 GIELLY, Louis Jules. *Voltaire ; documents iconographiques.* Avec une préface et des notes. Genève, P. Cailler, 1948. 118 p. 80 pl. (Collection Visages des hommes célèbres).

2049 — « Voltaire et Jean Huber. » *Musées de Genève* 2, n° 2 : [2], fév. 1945.

2050 HÉBERT DE LA ROUSSELIÈRE, J. « Histoire d'une statue de Voltaire. » *MAA* 8ᵉ sér., 3 : 60-74, 1959.

Cet article est suivi d'une lettre de G. du Peloux de Praron, p. 74-76.
A propos de la statue par Pigalle à l'Académie Française.

2051 « Houdons Voltaire. » *Weltkunst* Jan. 24, 1937, p. 1.

2052   ISKIERSKI, Stanislas. « Deux Figurines de Voltaire et de Franklin au palais
        de Lazienski à Varsovie. » *Gazette des beaux arts* 6e sér., 11 : 245-247,
        avr. 1934.

2053   « J. A. Houdon : masque de Voltaire (terre cuite originale). » *Bulletin de
        l'art ancien et moderne* (Supplément à la *Revue de l'art ancien et
        moderne*) n° 790 : 274, juil.-sept. 1932.

2054   JEAN-AUBRY, G. « Jean Huber, ou le démon de Genève. » *RdP* 43 (3) :
        593-626, 807-821, 1, 15 juin 1936.

2055   « Lever de Voltaire. » *Aesculape* 27 : 231, 1937.

2056   Левинсон-Лессинг, В. « Художник Гюбер и Вольтер » [Le Peintre
        Huber et Voltaire]. Литературное наследство n° 33-34 : 935-944,
        1939. port.

2057   LOSSKY, H. Boris. « Musée de Tours : le legs de Foulon de Vaulx. » *Revue
        des arts* 4 : 179-184, sept. 1954. ill.

        P. 181-182, à propos d'un portrait de V par Quentin de La Tour,
        « préparation pour la gravure. »

2057A   MARS, Francis L. « Voltaire à Nice en 1773. » *Nice historique* 67 : 65-66,
        1964.

        Titre se rapportant à un portrait de V (décrit dans la *Gazette de Nice*
        du 9 déc. 1773) par Antoine Caire-Morand (1747-1805), dit Caire du
        Rivaud.

2058   « Masque de Voltaire par La Tour. » *Beaux-Arts* 7 (7) : 11, juil. 1929.

2059   MIOMANDRE, Francis de. « Voltaire est perdu. » *NL* 16 sept. 1933, p. 1.

        A propos d'une statue de la mairie du 9e arrondissement.

2060   MONTAGU, Jennifer. « Inventaire des tableaux, sculptures, estampes, etc.
        de l'Institut et Musée Voltaire. » *SV* 20 : 223-247, 1962.

2061   MONTGOLFIER, Bernard de & Michel GALLET. « Souvenirs de Voltaire et
        de Rousseau au Musée Carnavalet. » *Bulletin du Musée Carnavalet*
        13, n° 2, nov. 1960 [1961]. 24 p. ill.

        P. 2-12, « Souvenirs de Voltaire » ; p. 16-21, « Le Culte posthume de
        Voltaire et de Rousseau. »

2062   « A new acquisition of great importance and rarity for the Victoria and
        Albert Museum : a bust of Voltaire by Houdon. » *Illustrated London
        news* Jan. 22, 1949, p. 116.

2063   NICLAUSSE, Juliette. « Sur un buste de Voltaire par Pigalle fondu par
        Thomire en 1778. » *Pro arte* 7, n° 69 : 23-32, janv. 1948. ill.

2064   « Pastel mask of Voltaire by Q. de La Tour. » *Magazine of art* 30 :
        suppl., p. 13, Nov. 1937.

2065   Петрусевич, Н. Б. Статуя Вольтера, работы Гудона [Une Statue
        de Voltaire de l'œuvre de Houdon]. Ленинград, Издательство
        « Советский художник », 1964. 30 p. 17 cm ill.

2066   « Pigalle's bust of Voltaire. » *American magazine of art* 22 : 391, May 1931.

2067   *Portraits [de Voltaire] in the Launoit collection.* [Titre de relieur]. 22 cm.

        148 photo-copies de gravures et une d'un manuscrit ayant rapport à
        V. Ce ne sont pas tous des portraits, puisque le recueil contient
        quelques illustrations tirées des œuvres de V ou d'ouvrages polémiques.
        Ce recueil se trouve à l'Institut et Musée Voltaire. Ce numéro et le
        suivant ne sont pas à la rigueur des publications mais ce sont des
        sources utiles pour ceux qui s'intéressent à l'iconographie.

2068   *Portraits [de Voltaire] in the Morgan Library.* [Titre de relieur]. Recueil de 85 photo-copies de portraits, dont la plupart sont des gravures. Ce recueil se trouve à l'Institut et Musée Voltaire.

2069   Réau, Louis. « A bust of Voltaire by Houdon. » *Burlington magazine* 91 : 62-65, Mar. 1949. ill.

     Un buste acquis par le Victoria and Albert Museum.

2070   — « Les Bustes de Marie-Anne Collot. » *Renaissance* 14 : 306-312, nov. 1931.

     Buste de V au Musée de l'Ermitage à Leningrad.

2071   — *J.-B. Pigalle.* [Préface de Francis Salet]. Paris, Ed. Pierre Tisné, 1950. 187 p. 52 pl. 25 cm (Les Grands Sculpteurs français, 1).

     P. 60-67, « Le Voltaire nu. »

2072   Redig de Campos, Dioclezio. « Un Ritrattino del Voltaire dipinto da Jean Huber ritrovato in Vaticano. » *Rivista d'arte* 20 (ser. 2, anno 10) : 364-378, ott. 1938.

     Réimpr. : Firenze, Leo S. Olschki [1938]. 16 p.
     Résumé français : « Un Portrait de Voltaire, par Jean Huber, retrouvé au Vatican. » *Genava* 17 : 105-108, 1939. pl.
     Voir frontispice pour le détail de ce portrait.

2073   Rogers, Meyric. « Bust of Pigalle goes to St. Louis. » *Art news* 29, n° 27 : 25, Apr. 4, 1931.

2074   — « Pigalle's bust of Voltaire. » *International studio* 99 : 48-50, June 1931.

     Acquis par le St. Louis Art Museum.

2075   — « Voltaire by Pigalle. » *Bull City Art Museum, St. Louis* 16 : 13-15, Apr. 1931.

2076   « Samuel McIntire's triumph. » *Antiques* 28 : 138-140, Oct. 1935.

     Un buste de V.

2077   Sauerländer, Willibald. *Jean-Antoine Houdon : Voltaire.* Stuttgart, Philipp Reclam Jun [1963]. 32 p. 16 ill. 15,5 cm (Werkmonographien zur Bildenden Kunst in Reclams Universal-Bibliothek [...] 89).

2078   Scharf, Alfred. « Noch eine unbekannte Voltairebüste von Houdon [ill.] » *Pantheon* 8 : 119, Apr. 1935.

2079   Schwark, Gunther. « Zwei undekannte Houdonbüste in Deutschland. » *Pantheon* 6 : 407-409, sup. 71, Sept. 1930.

2080   Sieveking, A. F. « Some little known portraits of Voltaire. » *Connoisseur* 78 : 153-159, July 1927.

2081   Штегман, В. « Корнель и Вольтер в собрании камей Эрмитажа » [Corneille et Voltaire dans la collection de camées de l'Ermitage]. Литературное наследство n° 33-34 : 971-972, 1939. ill.

2082   Taylor, F. A. « An unknown portrait of Voltaire. » *FS* 5 : 62-64, Jan. 1951. port.

     Description d'un portrait par Théodore Gardelle.

2083   « Terra cotta portrait of Voltaire by Houdon. » [ill.] *Parnassus* 9, n° 2 : 33, Feb. 1937.

2084   Thompson, J. R. Fawcett & F. Gordon Roe. « More paintings at the British Museum. » *Connoisseur* 147 : 189-195, Apr. 1961. ill. (Ed. amér. : mai 1961).

     P. 192-193, description d'un portrait de V par Théodore Gardelle.

2085   Timbrell, W. F. J. « Portraits of Voltaire. » *N & Q* 152 : 446, 18 June 1927.

     (Réponse à Alfred Hamill, *ibid.*, p. 387, 28 May 1927.) Voir aussi 153 : 14, 19, 9 July 1927.

2086   TROMPEO, Pietro Paolo. « Voltaire in Vaticano. » [In] *La Scala del sole.* [Roma] Donatello de Luigi [1945]. 291 p. 20 cm (La Barraccia, 2). P. 93-99.

Réimpr. [in] *Preti.* [Caltanisetta-Roma] Salvatore Sciascia Editore [1962]. 302 p. P. 233-238.
Portrait par Huber. Voir Redig de Campos n° 2072.

2087   « Voltaire assis, par Houdon. » *Beaux-Arts* 13 nov. 1936, p. 5.

2088   « Voltaire coiffé d'un bonnet phrygien. » *Amour de l'art* 17 : 158, avr. 1936.

Buste attribué à Houdon.

2089   « Voltaire retrouvé. » *NL* 30 sept. 1933, p. 1.

Réponse à Miomandre n° 2059. La statue se trouve actuellement dans le parc de Chatenay-Malabry.

2090   WORTLEY, Clare S. « Amateur etchers. » *Print collector's* Q 19 : 198-199, July 1932.

Caricature de V par Thomas Orde (1772).

X

L'INSTITUT ET MUSÉE VOLTAIRE

2091   BESTERMAN, Theodore. « L'Institut et Musée Voltaire et ses collections. »
        Genava N.S. 7 : 137-143, mai 1959.

        Traduction anglaise [in] *Voltaire essays and another*. London, 1962.
        P. 114-123.
        Une note sur les diverses publications de l'Institut et une liste générale
        de l'étendue de ses collections.

2092   BONNER, G. Bradlaugh. « Voltaire in Geneva today. » *Freethinker* 74, n° 43 :
        338, Oct. 22, 1954.

2093   CHENAIS, Margaret-R. « L'Œuvre de M. Besterman aux Délices. » *Visages
        de l'Ain* 12, n° 46 : 33-35, avr.-juin 1959.

2094   ETIEMBLE. « Aimez Voltaire ! » *LetN* N.S. n° 3 : 25-27, 18 mars 1959.

2095   « L'Institut et Musée Voltaire aux Délices (Genève). » *Cahiers rationalistes*
        n° 181 : 218, août-sept. 1959.

2096   JOHANNET, René. « Les Délices, centre d'études voltairiennes. » *RDM*
        1 oct. 1955, p. 531-536.

2097   LEITHÄUSER, Joachim G. « Ein Tempel Voltaires. » *Monat* 12, n° 124 : 82-
        86, Jan. 1959.

2098   THOMMEN, Heinrich. « Dr. Theodore Besterman und sein Voltaire-Institut
        in Genf. » *Antiquariat* 13 : 1-2, 1957.

APPENDICE I

ÉTUDES DE LA PÉRIODE 1825-1925
(Supplément au n° 1 ci-dessus)

2099 AMBROSI, Luigi. *La Psicologia della immaginazione nella storia della filosofia. (Esposizione e critica).* Roma, Soc. ed. Dante Alighieri, 1898. 562 p. 23,5 cm.

P. 244-248, « Enciclopedisti. »

2099A BARTHÉLEMY, Ch. « Voltaire librettiste. » *Chronique musicale* 5 : 193-202, 6 : 9-15, 208-217, 1 sept., 1 oct., 1 déc. 1874.

2100 BARTOLINI, Agostino. *Varietà letterarie.* Roma, Tip. L. Ricca e C., 1913. 111 p.

P. 75-80, « La Pulcella d'Orleans di Voltaire e la Giovanna d'Arco di Schiller. »

2101 BATTAGLIA, Giacinto. *Mosaico : saggi diversi di critica drammatica.* Milano, Vincenzo Guglielmini, 1845. 279 p. 20 cm.

P. 120-195, « Voltaire, poeta tragico, imitatore di Shakespeare. »

2102 BAUD-BOVY, Daniel. *Peintres genevois, 1702-1817 (Première série). Huber, Saint-Ours, De La Rive.* Reproductions photographiques par Fréd. Boissonnas. [Genève] Journal de Genève, 1903. 174 p. ill. 33 cm.

P. 45-74, 139-146, 164, Huber et ses relations avec V.

2102A BENOIST, Antoine. « Des théories dramatiques de Voltaire. » *Annales de la Faculté des lettres de Bordeaux* 3 : 221-247, 1881.

2103 BIRRELL, Francis. « Racine and some critics. » *Nineteenth century and after* 93 : 557-564, Apr. 1923.

En grande partie sur la critique de *Bérénice* par V.

2104 BONDI, Paolina. *Etudes littéraires : essais sur les philosophes et les moralistes français.* Florence [G. Spinelli e C.] 1918. 327 p.

P. 207-235, essai général sur V.

2105 BRAGA, Theophile. *Os Centenarios como synthese affectiva nas sociedades modernas.* Porto, Tip. A. J. da Silva Teixeira, 1884. x, 234 p. 13 cm.

P. 89-161, « O Centenario de Voltaire » (Lisbonne, 30 mai 1878).

2106 BRAYBROOKE, Lord, éd. « An evening with Voltaire. » *The Gentleman's magazine and Historical review* N.S. 34 : 571-573, Dec. 1850.

Visite de Richard Neville Neville à V le 4 juillet 1772.

2106A BROUGHAM, Henry, Lord. *Voltaire et Rousseau...* ouvrage accompagné de lettres entièrement inédites de Voltaire, de Helvetius, de Hume, ... Paris, Amyot, 1845. 354 p. 21 cm.

Lettres de Voltaire, p. 328-353.

2107   Brusacca, Cono. *Le Idee pedagogiche del Voltaire.* Messina, Stab. C.
        Tip. Eco di Messina, 1915. 72 p. 21 cm.

2107A   Buceta, Erasmo. « Voltaire y Cervantes. » *RFE* 7 : 60-61, 1920.

2108   Carlyle, Thomas. [« Voltaire »]. *Foreign review* 3, n° 6 : 419-475, Apr. 1829.
        Censément un compte rendu, mais en réalité une appréciation de V
        et son œuvre.

2109   Castagnola, Paolo Emilio. *Il Dramma. Saggi critici.* Imola, Tip. Ignazio
        Galeati e figlio, 1897. vi, 136 p. 19 cm.
        P. 60-93, « Le Quattro *Meropi.* » Voir surtout p. 72-82.

2110   *Le Catholicisme jugé par Voltaire.* Nîmes, Edition de « Floréal », Fédé-
        ration des Jeunesses laïques de France [1913]. 112 p.

2111   *Centenaire de l'initiation maç ∴ de Voltaire. 7 avril 1777 [sic]-7 avril
        1878. Relation de la fête solennelle célébrée le 7 avril 1878.* Par la
        R ∴ ⌐⊙⌐ n° 6, le Mont-Sinaï avec le concours de plusieurs autres
        at ∴ Paris, Impr. et lithographie Prissette, 1878. 36 p. port. 21 cm.

2112   *Il Centenario di Voltaire celebrato dalla massoneria in Roma.* Roma, Regia
        tipografia, 1878. 24 p. 21 cm.

2113   *Centenario in onore di Carlo Goldoni.* Pubblicato a cura della Società
        degli drammatici italiani. Roma, Edoardo Perino, 1893.
        P. 17, « Voltaire e Goldoni » (madrigal de V sur Goldoni).

2114   Cervino, M. « Voltaire y Mayáns. » *Boletín de la Sociedad española de
        excursiones* 7 : 172-175, ag.-oct. 1899 (n° 78-80).
        Deux lettres inédites de V à Gregorio Mayáns y Siscar.

2115   Croce, Benedetto. *Teoria e storia della storiografia.* 2 ed. riv. Bari, Gius.
        Laterza e figli, 1920. vi, 293 p. 22 cm (Filosofia como scienza dello
        spirito, 4).
        P. 228-241, V.

2116   Cru, R. Loyalty. *Diderot as disciple of English thought.* New York,
        Columbia U P, 1913. xiii, 498 p. 18,5 cm (Columbia U studies in
        Romance philology and literature).
        P. 10-12, « Voltaire-Diderot-Montesquieu and England » ; p. 166-169,
        « Voltaire's deism and Diderot's materialism » ; p. 381-386, « Candide,
        Tristram Shandy and Jacques le fataliste. »

2117   Dedieu, Joseph. *Montesquieu et la tradition politique anglaise en France ;
        les sources anglaises de l' « Esprit des lois ».* Paris, J. Gabalda, 1909.
        396 p. 23 cm.
        Voir p. 113-123.

2118   DeNino, Antonio. *Briciole letterarie.* Lanciano, R. Carabba, 1884-85. 2 v.
        1 : 113-114, « Candido o l'ottimismo di Voltaire. »

2118A   Dhanys, Marcel. *Monsieur de Voltaire, précepteur de Marie Corneille.* 3.
        éd. Paris, Paul Ollendorff, s.d. 279 p. 18,5 cm.
        Correspondance qui fournit des détails biographiques.

2119   Du Deffand, Marie de Vichy-Chamrond, marquise. *Correspondance
        complète* [...]. Précédée d'une histoire de sa vie, de son salon, de
        ses amis, suivie de ses œuvres diverses et éclairée de nombreuses
        notes par M. de Lescure. Ouvrage orné de deux portraits gravés par
        Adrien Nargeot et de plusieurs fac-similés. Paris, Henri Plon, 1865. 2 v.
        De nombreuses références à V.

2120   Dufresne, J. A. *Encore une visite au château de Ferney-Voltaire (faite en
        1831).* Paris, chez l'auteur ; Versailles, Klefer, 1834. 20 p.
        P. 16-20, notes. Description détaillée des pièces du château.

2121   [Dupanloup, Félix-Antoine-Philibert]. Dernière Lettre à MM. les membres du Conseil municipal sur le centenaire de Voltaire par M. l'Evêque d'Orléans. Paris, Impr. Victor Goupy, 1878. 24 p.

2122   — *Voltaire e gli avvocati di S. Pietro in occasione del suo centenario che si celebra il 30 maggio 1878 dai moderni sedicenti redentori dei popoli. Raccolta di lettere scritte da monsignor Dupanloup vescovo d'Orleans, senatore di Francia.* Roma, Tip. poliglotta della S. C. di Prof. Fide, 1878. 37 p. 19 cm.

Traduction des lettres 2, 3, 4, 5, 7, avec quelques raccourcissements.

2123   Dupré, Ernest. *Inauguration de la statue de Voltaire à 25 ans, offerte par l'auteur, M. Emile Lambert à la ville de Paris et placée dans la cour de la mairie du IX⁰ arrondissement.* (Discours du 6 nov. 1882). Paris, Impr. Chaix, 1887. 12 p. 21 cm.

Le sculpteur n'est pas nommé, mais M. Aldrophe a dessiné le piédestal.

2124   Eccles, F. Y. « The mantle of Voltaire. » *DubR* 144 : 357-367, Jan. & Apr. 1909.

Le style de A. France comparé à celui de V et de Renan.

2125   Esmein, A. *Histoire de la procédure criminelle en France et spécialement de la procédurre inquisitoire, depuis le XIII⁰ siècle jusqu'à nos jours.* Paris, L. Larose et Forcel, 1882. xi, 596 p. 23 cm.

Voir p. 365-370.

2126   Ewald, Oskar. *Die französische Aufklärungsphilosophie.* München, Verlag Ernst Reinhardt, 1924. 168 p. 20 cm (Geschichte der Philosophie in Einzeldarstellungen, 25).

P. 54-68, « Voltaire. »

2127   Fontaine, Léon. *Le Théâtre et la philosophie au XVIII⁰ siècle.* Paris, Léopold Cerf [1879 ?]. 264 p. 23 cm.

P. 69-77, « Le Prêtre et la religion dans les tragédies de Voltaire » ; p. 78-90, « Tragédies imitées de Voltaire. Prêtres du paganisme. Sacrifices humains. »

2128   Fournier, Pierre. *Essai sur la Mérope du marquis Scipion Maffei et de Marie Arouet de Voltaire.* Sassari, Tip. Alfredo Forni, 1905. 79 p. 20 cm.

P. 59-77, « La Mérope de Voltaire. »

2129   François, Alexis. *La Grammaire du purisme et l'Académie Française au XVIII⁰ siècle. Introduction à l'étude des commentaires grammaticaux d'auteurs classiques.* Paris, Soc. nouvelle de librairie et d'édition, 1905. xv, 281 p. 21,5 cm.

Voir V *passim*, mais surtout le ch. 3. P. xi-xv, bibliographie.

2130   Friedrich II von Preussen. *Morgenstudien über die Regierungskunst [...] geschrieben für seinem Neffen.* Originaltext mit gegenüberstehender Übersetzung. Freiburg im Breisgau, Herder, 1863. 104 p. 22 cm.

P. 70-104, notes. Ouvrages attribués à V.

2131   Gélis, M. F. de. « Les Philosophes du dix-huitième siècle et les jeux floraux : L'Eloge de Bayle, Voltaire maître ès jeux, Les Eloges de J.-J. Rousseau. » *MAT* 11⁰ sér., 8 : 15-56, 1920.

Voir p. 31-44.

2132   Gerlier, Félix. *Voltaire, Turgot et les franchises du pays de Gex.* Genève, J. Jullien ; Paris, G. Fischbacher, 1883. 85 p. 24 cm.

2133   Гроссман, Леонид, « Русский Кандид. К вопросу о влиянии Вольтера на Достоевскаго » [Candide russe. Sur la question de l'influence de Voltaire sur Dostoïevsky]. Вестник европы Май 1914 : 192-203.

2134 GYALUI, Ilona. *Voltaire muveszeti és irodalmi kritikája* [La Critique artistique et littéraire de Voltaire]. Kolozsvár, Stief Jenó és Társa Könyvnyom dai Mürnteżete, 1916. 89 p. 23 cm.

P. 63-81, notes avec de nombreuses références bibliographiques ; p. 82-83, table des matières analytique ; p. 85-87, index.

2135 HARTOGH, K. de. *Voltaire en Hollande* [Voltaire et la Hollande]. Nimègue, Impr. G. J. Thieme [1924]. 40 p. 20 cm.

Les rapports de V avec ses connaissances mondaines et autres en Hollande.

2136 HEECKEREN, J. A. F. L., baron van. *Voltaire de dichterlijke maar partijdige bestrijder der Godsdienstige vervolgzucht* [Voltaire poète, adversaire passionné de la persécution religieuse]. Iets over en uit de *Henriade* door J. A. F. L. [...] Heeckeren en T. N. van der Stok. Zutphen, W. J. Thieme & Cie, 1865. 88 p. 19 cm.

2137 HONEGGER, Paola. *I Diritti dell'uomo e il concetto della libertà in Voltaire*. Torino, Rosenberg & Sellier, 1924. 22 p. 24,5 cm.

2138 HUNT, Leigh. *The autobiography of Leigh Hunt, with reminiscences of friends and contemporaries* [...]. Westminster, A. Constable & Co., 1td., 1903. 2 v. 23,5 cm.

Voir 1 : 158-164.

2139 HUXLEY, Aldous. *On the margin ; notes and essays*. London, Chatto & Windus ltd., 1923. v, 229 p. 19,5 cm.

P. 12-17, « On re-reading *Candide*. »

2140 Кадлубовскаго, А. П. « К вопросу о влиянии Вольтера на Пушкина » [Sur la question de l'influence de Voltaire sur Pouchkine]. Пушкин и его современники 2, n° 5 : 1-29, 1907.

2141 KURZ, Harry. *European characters in French drama of the eighteenth century*. New York, Columbia U P, 1916. xii, 329 p. 21 cm (Columbia U studies in romance philology and literature).

Réimpr. : New York, AMS Press, Inc., 1966. xii, 329 p. 21 cm.
Nombreuses références à V.

2142 LANSON, Gustave. *L'Art de la prose*. Paris, Librairie des Annales politiques et littéraires, 1911. vii, 304 p.

P. 164-175.

2143 LA VISTA, Luigi. *Memorie e scritti* [...]. Raccolti e pubblicati da Pasquale Villari. Firenze, Felice Le Monnier, 1863. 375 p. 18 cm.

P. 59-60 sur V. historien.

2143A LINTILHAC, Eugène. « L'*Ecossaise* de Voltaire (d'après le compte-rendu sténographique). » *RCC* 6 (1) : 651-658, 706-720, 17, 24 fév. 1898.

2144 [MADDEN, J. P. A.]. *Lettres d'un bibliographe. 4e série*. Paris, Ernest Leroux, 1875. 287 p.

P. 236-239 : *L'Homme au latin* (Genève, 1769) est de L. P. Siret et non pas de V.

2145 — *Lettres d'un bibliographe, suivies d'un essai sur l'origine de l'imprimerie de Paris. 5e série*. Paris, Ernest Leroux, 1878, 284 p.

P. 92-95, 18e lettre, « Le Centenaire de J.-J. Rousseau et de Voltaire. »

2146 MANGOLD, Wilhelm. *Jean Calas und Voltaire. Ein Beitrag zur Geschichte des Kampfes um die Toleranz*. Kassel, Carl Luckhardt, 1861. 52 p. 19 cm.

L'original du n° 511 de la bibliographie de Barr (voir n° 1 ci-dessus).

2147 MARÉCHAL, Sylvain. *Dictionnaire des athées anciens et modernes.* 2ᵉ éd. augmentée des suppléments de J. Lalande, de plusieurs articles inédits et d'une notice nouvelle sur Maréchal et ses œuvres par J. B. Germond. Bruxelles, 1833. (23) xxix, 328 (85) p.

P. 317-319, (34), « Voltaire. »

2148 MAROY, Charles. *Les Séjours de Voltaire à Bruxelles.* Bruxelles, Vromant & Cie, 1905. 19 p. [Extr. des *Annales de la Société d'archéologie de Bruxelles* 19, 3ᵉ & 4ᵉ livraisons, 1905].

2149 MARTINI, Ferdinando. *Pagine raccolte.* Firenze, Sansoni, 1912. 858 p. 18 cm.

P. 297-312, « La Prima recita della *Zaira* (1732) ; p. 313-321, « Briciole volteriane. »

2150 MASI, Ernesto. *Nuovi Studi e ritratti.* Bologna, Zanichelli, 1894. 2 v.

P. 33-102, « Due Diplomatici italiani e gli ultimi giorni del Voltaire. »

2151 — *Studi e ritratti.* Bologna, Zanichelli, 1881. 428 p. 17,5 cm.

P. 157-171, « Laura Bassi e il Voltaire. »

2152 — *La Vita, i tempi, gli amici di Francesco Albergati commediografo del secolo XVIII.* Bologna, Zanichelli, 1878. 491 p. 19 cm.

P. 128-151, commentaires sur la correspondance entre V et Albergati et sur les traducteurs italiens des ouvrages de V.

2153 MASSARANI, Tullio. *Storia e fisiologia dell'arte di ridere* [...]. Tomo 3 : *Nel Mondo moderno.* Milano, Hoepli, 1902. [v]-xvi, 723 p. 19,5 cm.

P. 43-79, « Voltaire, Beaumarchais e il secolo degli Enciclopedisti. » Voir surtout p. 50-66.

2154 MAZZONI, Guido. *Il Teatro della Rivoluzione. La Vita di Molière e altri brevi scritti di letteratura francese.* Bologna, Zanichelli, 1894. 438 p. 18 cm.

P. 409-417, « La Morte de Voltaire » (note bibliographique sur une tragi-comédie en 5 actes présentée au seminario Farnese à Fano en 1792).

2155 MÉRAULT DE BIZY, [Athanase-René]. *Voltaire apologiste de la religion chrétienne.* Paris, Lyon, Librairie catholique de Perisse frères, 1838. [8], 408 p. 21 cm.

2156 MONTAGU, Elizabeth. *Saggio sugli scritti e sul genio di Shakespeare paragonato ai poeti drammatici greci e francesi con alcune considerazioni intorno alle false critiche del sig. de Voltaire* [...]. Traduzione dall'inglese. Firenze, Tip. all'insegna di Dante, 1828. xvi, 229 p. 24 cm.

2156A MORICI, Giuseppe. « L'Ombra di Voltaire e un sonnetto attribuito al Pindemonte. » *GSLI* 75 : 40-45, 1° sem. 1920.

2156B MULSANE, E. « Voltaire, Piron et Sémiramis. » *Chronique musicale* 2, n° 4 : 26-29, 1874.

2156C NERI, A[chille]. « Un Corrispondente genovese di Voltaire. » *Giornale ligustico* 11 : 442-463, 1884.

Gerolamo Gastaldi.

2156D — « L'*Olimpia* del Voltaire in Italia. » *Giornale storico e letterario della Liguria* 5 : 251-261, 1904.

2157 OBERDORFER, Aldo. « Pensieri di Voltaire e di Goethe interno alla questione delle sepolture. » *GSLI* 71, fasc. 212-213 : 342-347, 1918.

2157A PAILLERON, Marie-Louise. « Voltaire au faubourg St-Germain. » *Opinion* 14 mars 1925, p. 12-14.

Commentaire sur les conférences de Bellesort consacrées à V.

2158   Pessina, Enrico. *Voltaire. Conferenza al Circolo filologico di Napoli.* Napoli, Riccardo Marchieri di Guis., 1878. 10 p.

2159   Pitollet, Camille. « L'Espagne dans l'œuvre de M. de Voltaire. » *Renaissance d'Occident* 13 : 861-868, mars 1925.

2160   [Poltoratzky, Sergeï]. *Ferney-Voltaire. Chapitre XCII de l'Ermite en province de Jouy. Rectification du Journal des débats, avec des notes par un bibliothécaire russe.* Paris, Impr. Maulde & Renou, 1848. [3]-7 p.

Voir *Journal des débats* du 30 mars 1825.

2161   *Le Portefeuille de Madame Dupin, dame de Chenonceaux. Lettres et œuvres inédites de Madame Dupin, l'abbé de St-Pierre, Voltaire, J.-J. Rousseau* [...]. Publié par le comte Gaston de Villeneuve-Guibert. Paris, Calmann-Lévy [1884]. iii, 596 p.

P. 303-306, « Notice sur Voltaire » ; p. 307-309, « Lettres de Voltaire à Mme Dupin » ; p. 309-314, « Plan de la tragédie d'*Alzire* » ; p. 315-317, 321-327, lettres ; p. 318-320, « Discours en vers sur les événements de l'année 1744. »

2162   Previtera, Alexandre. *Les Harmonies. Croquis critiques. Petits poèmes.* Messine, V. Muglia, 1903. 108 p. 22,5 cm.

P. 33-37, « Voltaire » (sur V réformateur et partisan de la liberté).

2162A   Rattel, J. A. Adjutor. *Etude médico-littéraire sur Voltaire.* Thèse pour le doctorat en médecine. Paris, Impr. Chaix, 1883. 109 p. 27 cm.

2162B   Romain-Cornut. *Voltaire et la Pologne.* Paris, Jacques Lecoffre, 1846. 103 p. 15,5 cm.

2163   Scafi, Arduino. « Voltaire, Pezzana, Pecis. » *Rivista delle biblioteche e degli archivi* 9, n° 7-9 : 97-103, lugl.-set. 1900.

Sur les correspondants italiens de V.

2164   Sée, Henri. *L'Evolution de la pensée politique en France au XVIIIe siècle.* Paris, Giard, 1925. 398 p. 22 cm.

P. 104-133, « Voltaire ».

2165   Sells, Arthur Lytton. *Les Sources françaises de Goldsmith.* Paris, Champion, 1924. viii, 232 p. 22,5 cm.

P. 60-67, « Goldsmith et Voltaire » ; p. 142-147, les emprunts de Goldsmith à V ; beaucoup d'autres références.

2166   Smith, David Eugene. « Among my autographs. 11. Voltaire and mathematics. » *AMM* 28 : 303-305, Aug.-Sept. 1921.

Lettres de 1749 et du 30 avr. 1766, celle-ci adressée à M. le chevalier de Taulès.

2167   — « Among my autographs. 12. The marquise du Chastellet. » *AMM* 28 : 368-369, Oct. 1921.

Lettre de Paris, 31 août 1744, où il s'agit de V.

2168   — « Historical-mathematical Paris. Ile de la cité and the Voltaire-Châtelet Paris. » *AMM* 30 : 107-109, Mar.-Apr. 1923.

2169   Smolarski, Mieczysław. *Studya nad Wolterem w Polsce* [Etudes sur Voltaire en Pologne]. Lwow, Nakładem towarzystwa dla popierania nauki Polskiez z funduszu wandy orchechowiczowej, 1918. 221 p. 25 cm (Archiwum naukowe wydawnictwo twarzystwa dla Popierania nauki Polskiej. Dział 1, Tom 9, Zeszyt 3).

P. 214-217 : Tłomaczenia z Woltera w Polsce (chronologicznie) ; Literatura polemiczna. Książki oddzielne za i przecuv Wolterowi.

2170   Стороженко, Н. И. Очерк истории западно-европейской литературы ; лекции читанния в Московском Университете [Esquisse
de l'histoire de la littérature de l'Europe de l'Ouest ; conférences lues
à l'Université de Moscou]. Издание учеников и почитателеи.
Москва, Типография Г. Лисснера и Д. Собко, 1908. 416 p.

P. 316-328, « Вольтер » [Voltaire].

2170A   Thiébault, Dieudonné. *Souvenirs de vingt ans de séjour à Berlin.* Tome
2. Paris, F. Didot frères, 1860. 438 p. (Bibliothèques des mémoires...
p.p. Fr. Barrère).

Anecdotes sur Voltaire, p. 327-369.

2171   Thouaille, Albert. *Voltaire et J.-J. Rousseau comparés comme écrivains.*
Reims, Impr. Matot-Braine, 1884. 11 p. 21 cm (Concours général
de 1884 entre les lycées et collèges des départements. Enseignement
secondaire spécial - littérature).

2172   Titsworth, Paul Emerson. The attitude of Gœthe and Schiller toward
the French classical drama. » *JEGP* 11 : 509-564, Oct. 1912.

P. 536-538, V jugé par Gœthe ; p. 556-558, V jugé par Schiller.

2173   Toldo, Pietro. « L'Algarotti oltr'Alpe. » *GSLI* 71 : 1-48, 1918.

Une partie considérable de cet article traite de l'intérêt de V et
d'Algarotti à la philosophie newtonienne, à la littérature et à l'art.

2174   Vautel, Clément & Léo Marchès. *Candide. Pièce en cinq actes et neuf
tableaux (D'après le roman de Voltaire).* Avec musique de scène de Félix
Fourdrain. *La Petite Illustration,* n° 177, 12 janv. 1924. 28 p.

2175   Вайнштейн, О. Л. « Fragment inédit sur Voltaire. » Журнал научно-
исследовательских кафедр в Одессе 1, n° 7 : 44-50, Май 1924.

Article en français précédé d'un résumé en russe. L'original du n°
1697 sur le *Commentaire historique.*

2176   Voltaire, François-Marie Arouet de. *Correspondance inédite de Voltaire
avec P. M. Hennin* [...] Publiée par M. Hennin Fils. Paris, J.-S. Merlin,
1825. xxx, 296 p.

2177   — *History of Charles XII, by M. de Voltaire with a Life of Voltaire by
Lord Brougham and critical notices by Lord Macaulay and Thomas
Carlyle.* Edited by O. W. Wright. New York, Derby & Packson, 1859.
452 p. 19 cm.

Réimpr. : New York, Hurd & Houghton, 1870. 452 p. 19 cm ; Boston,
Houghton Mifflin [1887]. 452 p. 19,5 cm.
P. 11-125, « Life of Voltaire » ; p. 127-139, « Voltaire and Frederick
the Great » (Lord Macaulay)) ; p. 141-146, « Voltaire and the Church »
(Lord Macaulay) ; p. 147-180, « Character and genius of Voltaire »
(Thomas Carlyle) - la plus grande partie de cette étude-ci est tirée
du n° 2108.

2178   — *Lettres choisies.* Edition classique précédée d'une étude sur Voltaire
et accompagnée de notes historiques et littéraires par M. l'abbé J.
Martin. Paris, Poussielgue frères, 1883. xxxii, 340 p. 16 cm (Alliance
des maisons d'éducation chrétienne).

2179   — *Lettres de Voltaire à M. le conseiller Le Bault.* Publiées et annotées par
Ch. de Mandat-Grancey, capitaine de cavalerie. Paris, Didier, 1868.
xi, 82 p.

2180   — *Tancrède.* Rédaction primitive d'après le ms. de Munich avec les
variantes de l'édition définitive publiée pour la première fois par Leo

Jordan. Strasbourg, J.H. Heitz [1913]. 118 p. 15 cm (Bibliotheca Romanica, n° 175-176. Bibliothèque française).

P. 1-15, notice ; p. 110-118, notes.

2181 — *Zaïre, tragédie de Voltaire.* Ouvrage inscrit au programme de l'agrégation des lettres pour l'année 1889. Edition critique préparée sous la direction de M. Fontaine [...]. Paris, Leroux, 1889. lvii, 190 p. 25 cm (Bibliothèque de la Faculté des lettres de Lyon, 8).

2182 [« Voltaire »]. *QR* 135, n° 270 : 331-373, Oct. 1873.

C.R. de Desnoiresterres, Strauss, Varnhagen, Coquerel et Morley.

2182A Вульфіусъ А.Г. Очерки по исторіи идеи вѣротерпимости и религіозной свободы въ XVIII вѣкѣ : Вольтеръ, Монтескьё, Руссо. (Etudes sur l'histoire de la tolérance religieuse au 18ᵉ s. : Voltaire, Montesquieu, Rousseau.) С. Петербургъ, тип. М.А. Александрова, 1911. xi, 338 p. 22 cm.

P. 21-168, Voltaire.

2183 WALLICH, Paul & Hans von MÜLLER. *Die deutsche Voltaire-Literatur des achtzehnten Jahrhunderts annalistich und systematisch Verzeichnet.* Berlin, 1921. 78 p. 19 cm.

2184 YORICK FIGLIO DI YORICK [P. Coccoluto Ferigni]. *Vent'anni di teatro.* Vol. 2 : *La Morte di una musa.* Firenze, Tip. ed. Fieramosca, 1885. 482 p. 18 cm.

P. 566-576, « *Zaïre & Otello.* »

APPPENDICE II

ARTICLES ET LIVRES QUI N'ONT PAS ÉTÉ VÉRIFIÉS

Бахмутский, В. Я. [« La Tragédie de Voltaire, *Œdipe*, et sa place dans l'histoire du classicisme français »]. *Institut pédagogique de Rybinsk* 1958, n° 2.

En russe.

Barèges, Claude. « Voltaire et l'Anacréon du Temple. » *BIV*, n° 5, apr. 1962.

Becker, A. « Unbekannte Gedicht Voltaires aus die Pfalz. » *Pfälzisches Museum - Pfälzische Heimatkunde* 48 : 252, 1931.

Беркова, К.Н. Вольтер [Voltaire]. [Москва] Огиз-Соц.-Экон. гос. изд., Тип. « Шестой октябрь » в загорске, 1931. 220 p.

Bernde, A. « Ferney. » *Garbe* 11 : 565.

Castagnino, Raul H. « Voltaire, gestor de la fama postuma de Shakespeare ? » *Argentores* 29, n° 119.

Dragonas Takis. [« Voltaire et Shakespeare. » *Théâtre*] (Athènes) n° 16 : 143-145, 1964.

En grec.

Hohmann, Walter. *Der Toleranzgedanke bei Voltaire und Lessing.* [Jena, 1952]. 139 f.

Microfilm d'une thèse.

Kaiser, F. « Voltaire hat Recht. » *Wille zum Reich* 15 : 61, 1940.

Кузнецов, В.Н. [« Idées sur la conception de Voltaire. »] Moscou, 1958.

En russe.

Lermer, F. U. « Voltaire und Rousseau. » *Das edle Leben* 12, n° 3 : 17-20, 1963.

Pfeiffer, Werner. « Voltaire und die Chemotherapie. » *Ärtzliche Praxis* 15 : 870-871, 1963.

« Schillers *Jungfrau von Orléans* und Voltaires *Pucelle.* » *So sehen wir Rouen* n° 6, p. 20, 1941.

Шмидт, X. [*Tancrède* de Voltaire dans la traduction de N. I. Gneditch. »] Ученые записки, Ленинград Университет n° 261 : 142-154, 1958.

En russe.

Siegmund, G. « Voltaire - Gotteslästerer oder Heiliger ? » *Anregung* 14, n° 24 : 11-13, 1962.

TRILLAT, Ennemond. « Grétry et Voltaire. » *Musique* (Lyon ?) p. 26-27.

VIANU, Tudor. « Documente literare din colecţiile Leningradului » [Documents littéraires des collections de Leningrad]. *Tribuna* (Cluj) 6 (1962) n⁰ 1 (257), p. 1, 9.

« Wedgwood bust. » *Apollo* 55 : 55, Feb. 1952.

INDEX

VOLUMES JUBILAIRES
COMPORTANT AU MOINS UN ARTICLE SUR VOLTAIRE

TABLE DES MATIÈRES

ACHEVÉ D'IMPRIMER LE 15 JANVIER 1969 SUR LES PRESSES DE L'IMPRIMERIE
R. BELLANGER & FILS — Dépôt légal : 1er trimestre 1969 — N° Imprimeur : 716